JN117347

iPad
全操作 使いこなし ガイド
2021

Section 1

基本操作

001	画面のロックを解除する	P15
002	ボタンの機能と操作の基本を覚える	P16
003	電源のオン／オフとスリープを理解する	P17
004	iPadの充電に関する基礎知識	P17
005	バッテリー残量をパーセント表示する	P17
006	タッチパネル操作の基本を覚える	P18
007	ホーム画面の名称や仕組みを覚える	P20
008	横向きのランドスケープモードを利用する	P21
009	アイコンに表示されるバッジの意味を理解する	P21
010	Appスイッチャーでアプリの使用履歴を表示	P21
011	画面のスクロールを素早く行う	P21
012	最近使ったアプリを素早く切り替える	P22
013	ホーム画面のアプリの配置を変更する	P22
014	複数のアプリをまとめて移動させる	P23
015	アプリをフォルダにまとめて整理する	P23
016	Dockを利用する	P23
017	Dockのアプリを変更、削除する	P24
018	標準アプリをアンインストールする	P24
019	複数のアプリをアンインストールしたい時は	P24
020	アンインストールしたアプリを再インストールする	P24
021	ダークモードを利用する	P25
022	Slide Overでアプリ上にもうひとつのアプリを表示する	P25
023	Slide Overのアプリを素早く切り替える	P26
024	Slide Overのアプリを全画面表示にする	P26
025	Split Viewで2つのアプリを同時に操作する	P26
026	Split ViewとSlide Overを同時に利用する	P27
027	同じアプリをマルチタスクの2画面で利用する	P27
028	ウィンドウ間でテキストやファイルをドラッグ＆ドロップ	P28
029	各アプリで表示しているすべてのウィンドウを確認する	P28
030	別のアプリへ文章やデータをドラッグ＆ドロップ	P29
031	ジェスチャ機能を使用する	P29
032	機内モードを利用する	P29
033	本体の向きで画面が回転しないようにする	P29
034	コントロールセンターを利用する	P30
035	コントロールセンターでコントロールをロングタップする	P30
036	コントロールセンターをカスタマイズする	P30
037	通知センターで通知をチェック	P31
038	通知センターで通知内容に応対する	P31
039	画面のスクリーンショットを保存する	P31
040	ウィジェットを利用する	P32
041	各ウィジェットの機能を設定する	P32
042	iPadOS 14非対応のウィジェットを利用する	P32
043	スマートスタックを利用する	P32
044	ホーム画面の端にウィジェットを表示する	P33
045	ウィジェットをピンで固定する	P33

Contents

046 未設定項目の通知に対応する P33
047 元のアプリの画面に戻る P33
048 ロック画面で行えるさまざまな操作 P34
049 Apple IDを取得する P35
050 iTunes StoreやApp Storeにサインイン P36
051 Apple IDの支払い情報を確認、変更する P36
052 Apple IDのIDやパスワードを変更する P36
053 パスワードの生成、保存、自動ログイン機能を利用する P37
054 2ファクタ認証でApple IDのセキュリティを強化する P38
055 Apple IDで各種アプリやサービスにログイン P38
056 デフォルトのWebブラウザやメールアプリを変更する P38
057 Wi-Fiを利用する P39
058 Wi-Fiパスワードの共有機能を利用する P39
059 不要なWi-Fiに自動接続しないようにする P39
060 ネットワーク設定を削除する P39
061 画面の一番上に素早く移動する P39
062 検索機能でiPad内のデータを検索する P40
063 画面の動きを動画として録画する P40
064 サイレントモードを利用する P40
065 画面の黄色っぽさが気になる場合は P40
066 Night Shiftで目に優しい画面表示に P40
067 SiriでiPadをコントロールする P41
068 Hey Siriと呼びかけてSiriを起動する P41
069 キーボード入力でSiriを利用する P41
070 Siriにパスワードを教えてもらう P41
071 Siriショートカットを利用する P42
072 Siriの便利な使い方を覚えよう P42
073 「共有」ボタンの使い方を覚える P42
074 共有シートのアクションを編集する P43
075 拡大鏡機能を利用する P43
076 ひとつ前の操作をキャンセルする P43
077 画面をタップしてスリープを解除する P43
078 ホームボタンに触れるだけでロックを解除する P43
079 AirDropで他のユーザーとデータを交換する P44
080 ファミリー共有を使用する P45
081 iPhoneの電話やSMS/MMSをiPadで送受信する P46
082 Apple Pencilを活用しよう P47
083 Apple Pencilでスクリーンショットを撮影 P48
084 Apple Pencilで即座にメモを起動する P48
085 Apple Pencilのスクリブル機能を利用する P48
086 HandoffでiPhoneと作業を相互に引き継ぐ P49
087 クイックスタート機能で端末の設定を引き継ぐ P49

Section 2
設定

088 Face IDに顔を登録する P50
089 Face IDにもう一つの容姿を登録する P50
090 Face IDの注視に関する設定を確認する P50
091 Touch IDに指紋を登録する P51

092 App Storeや各種アプリの認証もFace（Touch）IDを使用する ⋯⋯⋯⋯⋯⋯ P51
093 iPadにパスコードを設定する ⋯⋯⋯⋯⋯⋯⋯⋯⋯⋯⋯⋯⋯⋯⋯⋯⋯⋯⋯⋯⋯ P52
094 自動ロックとパスコードの要求時間を適切に設定する ⋯⋯⋯⋯⋯⋯⋯⋯⋯ P52
095 パスコード誤入力時にデータを消去する ⋯⋯⋯⋯⋯⋯⋯⋯⋯⋯⋯⋯⋯⋯⋯ P52
096 設定項目をキーワード検索する ⋯⋯⋯⋯⋯⋯⋯⋯⋯⋯⋯⋯⋯⋯⋯⋯⋯⋯⋯ P52
097 各種サウンドの種類や有無を設定する ⋯⋯⋯⋯⋯⋯⋯⋯⋯⋯⋯⋯⋯⋯⋯⋯ P53
098 不要な操作音をオフにする ⋯⋯⋯⋯⋯⋯⋯⋯⋯⋯⋯⋯⋯⋯⋯⋯⋯⋯⋯⋯⋯ P53
099 画面の明るさを調整する ⋯⋯⋯⋯⋯⋯⋯⋯⋯⋯⋯⋯⋯⋯⋯⋯⋯⋯⋯⋯⋯⋯ P53
100 視差効果を減らす ⋯⋯⋯⋯⋯⋯⋯⋯⋯⋯⋯⋯⋯⋯⋯⋯⋯⋯⋯⋯⋯⋯⋯⋯⋯ P53
101 時刻や年の表示形式を変更する ⋯⋯⋯⋯⋯⋯⋯⋯⋯⋯⋯⋯⋯⋯⋯⋯⋯⋯⋯ P54
102 アプリごとに通知の有無を設定する ⋯⋯⋯⋯⋯⋯⋯⋯⋯⋯⋯⋯⋯⋯⋯⋯⋯ P54
103 通知のプレビュー表示を一括変更する ⋯⋯⋯⋯⋯⋯⋯⋯⋯⋯⋯⋯⋯⋯⋯⋯ P54
104 通知のプレビュー表示をアプリごとに設定 ⋯⋯⋯⋯⋯⋯⋯⋯⋯⋯⋯⋯⋯⋯ P54
105 通知のサウンドを無効にする ⋯⋯⋯⋯⋯⋯⋯⋯⋯⋯⋯⋯⋯⋯⋯⋯⋯⋯⋯⋯ P54
106 着信や通知のサウンドを変更する ⋯⋯⋯⋯⋯⋯⋯⋯⋯⋯⋯⋯⋯⋯⋯⋯⋯⋯ P54
107 通知のスタイルを変更する ⋯⋯⋯⋯⋯⋯⋯⋯⋯⋯⋯⋯⋯⋯⋯⋯⋯⋯⋯⋯⋯ P55
108 通知をグループ化する ⋯⋯⋯⋯⋯⋯⋯⋯⋯⋯⋯⋯⋯⋯⋯⋯⋯⋯⋯⋯⋯⋯⋯ P55
109 通知センターやロック画面に通知しない ⋯⋯⋯⋯⋯⋯⋯⋯⋯⋯⋯⋯⋯⋯⋯ P55
110 着信音と通知音の音量を調整する ⋯⋯⋯⋯⋯⋯⋯⋯⋯⋯⋯⋯⋯⋯⋯⋯⋯⋯ P55
111 アプリのバッジ表示をオフにする ⋯⋯⋯⋯⋯⋯⋯⋯⋯⋯⋯⋯⋯⋯⋯⋯⋯⋯ P56
112 Siriからの提案を設定する ⋯⋯⋯⋯⋯⋯⋯⋯⋯⋯⋯⋯⋯⋯⋯⋯⋯⋯⋯⋯⋯ P56
113 Siriの言語や声を変更する ⋯⋯⋯⋯⋯⋯⋯⋯⋯⋯⋯⋯⋯⋯⋯⋯⋯⋯⋯⋯⋯ P56
114 Siriや音声入力の履歴を削除する ⋯⋯⋯⋯⋯⋯⋯⋯⋯⋯⋯⋯⋯⋯⋯⋯⋯⋯ P56
115 Siriが各アプリの情報を利用できるようにする ⋯⋯⋯⋯⋯⋯⋯⋯⋯⋯⋯⋯ P56
116 モバイルデータ通信をオフにする ⋯⋯⋯⋯⋯⋯⋯⋯⋯⋯⋯⋯⋯⋯⋯⋯⋯⋯ P57
117 省データモードを利用する ⋯⋯⋯⋯⋯⋯⋯⋯⋯⋯⋯⋯⋯⋯⋯⋯⋯⋯⋯⋯⋯ P57
118 壁紙を変更する ⋯⋯⋯⋯⋯⋯⋯⋯⋯⋯⋯⋯⋯⋯⋯⋯⋯⋯⋯⋯⋯⋯⋯⋯⋯⋯ P57
119 ダークモード対応の壁紙を設定する ⋯⋯⋯⋯⋯⋯⋯⋯⋯⋯⋯⋯⋯⋯⋯⋯⋯ P57
120 バッテリーの使用状況を確認する ⋯⋯⋯⋯⋯⋯⋯⋯⋯⋯⋯⋯⋯⋯⋯⋯⋯⋯ P58
121 モバイルデータ通信の使用状況を確認する ⋯⋯⋯⋯⋯⋯⋯⋯⋯⋯⋯⋯⋯⋯ P58
122 iPadOSをアップデートする ⋯⋯⋯⋯⋯⋯⋯⋯⋯⋯⋯⋯⋯⋯⋯⋯⋯⋯⋯⋯⋯ P58
123 iPadOSの自動アップデート機能 ⋯⋯⋯⋯⋯⋯⋯⋯⋯⋯⋯⋯⋯⋯⋯⋯⋯⋯⋯ P58
124 スクリーンタイムでiPadの使用時間を確認する ⋯⋯⋯⋯⋯⋯⋯⋯⋯⋯⋯ P59
125 ストレージの使用状況を確認する ⋯⋯⋯⋯⋯⋯⋯⋯⋯⋯⋯⋯⋯⋯⋯⋯⋯⋯ P59
126 サイズを確認しながらアプリを削除する ⋯⋯⋯⋯⋯⋯⋯⋯⋯⋯⋯⋯⋯⋯⋯ P60
127 子供に使わせる際に機能制限を施す ⋯⋯⋯⋯⋯⋯⋯⋯⋯⋯⋯⋯⋯⋯⋯⋯⋯ P60
128 iPadの表示名を変更する ⋯⋯⋯⋯⋯⋯⋯⋯⋯⋯⋯⋯⋯⋯⋯⋯⋯⋯⋯⋯⋯ P60
129 表示する文字サイズを変更する ⋯⋯⋯⋯⋯⋯⋯⋯⋯⋯⋯⋯⋯⋯⋯⋯⋯⋯⋯ P60
130 文字を太く表示する ⋯⋯⋯⋯⋯⋯⋯⋯⋯⋯⋯⋯⋯⋯⋯⋯⋯⋯⋯⋯⋯⋯⋯⋯ P60
131 ホーム画面のアプリを大きく表示する ⋯⋯⋯⋯⋯⋯⋯⋯⋯⋯⋯⋯⋯⋯⋯⋯ P61
132 画面表示をさらに見やすくカスタマイズ ⋯⋯⋯⋯⋯⋯⋯⋯⋯⋯⋯⋯⋯⋯⋯ P61
133 iPadで使えるフォントを追加、変更する ⋯⋯⋯⋯⋯⋯⋯⋯⋯⋯⋯⋯⋯⋯ P61
134 iPhoneなどのモバイルデータ通信を使ってネット接続する ⋯⋯⋯⋯⋯ P62
135 iPadのモバイル回線で各種機器をネット接続 ⋯⋯⋯⋯⋯⋯⋯⋯⋯⋯⋯⋯ P63
136 モバイルデータ通信をアプリによって制限する ⋯⋯⋯⋯⋯⋯⋯⋯⋯⋯⋯ P63
137 Bluetoothで周辺機器をワイヤレス接続する ⋯⋯⋯⋯⋯⋯⋯⋯⋯⋯⋯⋯ P63
138 おやすみモードを使用する ⋯⋯⋯⋯⋯⋯⋯⋯⋯⋯⋯⋯⋯⋯⋯⋯⋯⋯⋯⋯⋯ P64
139 特定の相手だけおやすみモードを無効にする ⋯⋯⋯⋯⋯⋯⋯⋯⋯⋯⋯⋯ P64
140 視覚や聴覚のサポート機能を利用する ⋯⋯⋯⋯⋯⋯⋯⋯⋯⋯⋯⋯⋯⋯⋯ P64
141 WalletとApple Payを設定する ⋯⋯⋯⋯⋯⋯⋯⋯⋯⋯⋯⋯⋯⋯⋯⋯⋯⋯ P65
142 パスワードの脆弱性をチェックする ⋯⋯⋯⋯⋯⋯⋯⋯⋯⋯⋯⋯⋯⋯⋯⋯⋯ P65

143 万が一の際SIMが悪用されないようロックする ……………………… P65
144 Wi-Fiアシストを設定する ……………………………………………… P65
145 各種設定をリセットする ……………………………………………… P65

Section 3
文字入力

ABC

146 日本語かなキーボードで文字を入力する ……………………………… P66
147 日本語ローマ字キーボードで文字を入力する ………………………… P68
148 キーボードを追加、変更、削除する …………………………………… P70
149 絵文字を利用する ……………………………………………………… P71
150 キーボードの表示順を変更する ……………………………………… P71
151 キーボードを素早く切り替える ……………………………………… P71
152 よく使う言葉を登録しておき素早く入力する ………………………… P71
153 入力した文章を編集する ……………………………………………… P72
154 テキストを選択してドラッグ&ドロップで編集する ………………… P72
155 変換を確定した文章を再変換する …………………………………… P72
156 iOS機器やMacとユーザ辞書を同期する ……………………………… P72
157 変換候補をまとめて表示する ………………………………………… P73
158 テキストを選択しユーザ辞書に登録する …………………………… P73
159 キーボードのショートカットバーを利用する ……………………… P73
160 スペースを全角から半角に変更 ……………………………………… P73
161 カーソルをドラッグして動かす ……………………………………… P73
162 2回&3回タップで文章を選択する …………………………………… P74
163 長文の途中で一度変換させる ………………………………………… P74
164 フローティングキーボードを利用する ……………………………… P74
165 フローティングキーボードでフリック入力を利用する ……………… P74
166 なぞり入力を利用する ………………………………………………… P74
167 他社製キーボードを設定して利用する ……………………………… P75
168 キーボードを左右に分割する ………………………………………… P75
169 キーボードの位置を調整する ………………………………………… P75
170 キーボードが邪魔な際は非表示にする ……………………………… P76
171 日本語かなキーボードの配列を変更する …………………………… P76
172 小文字キーの表示をオフにする ……………………………………… P76
173 キーボードを分割してフリック入力を利用する …………………… P76
174 かな入力の逆順キーを使用する ……………………………………… P76
175 入力方法をフリックに固定する ……………………………………… P77
176 日本語かなキーボードで同じ文字を連続入力する ………………… P77
177 キーボード設定をすぐに呼び出す …………………………………… P77
178 顔文字を入力する ……………………………………………………… P77
179 直前に入力した文章を取り消す ……………………………………… P77
180 文字入力で3本指ジェスチャを使う …………………………………… P78
181 カーソル移動や文章選択をスムーズに行う ………………………… P78
182 音声で文字を入力する ………………………………………………… P79
183 iPadOS標準の辞書で言葉の意味を調べる …………………………… P79
184 全角で英数字を入力する ……………………………………………… P79
185 すべて大文字で英語を入力する ……………………………………… P80
186 文頭の自動大文字処理をオフにする ………………………………… P80
187 キーボードの変換学習をリセットする ……………………………… P80
188 キーボードのクリック音をオン／オフする ………………………… P80

189 ハードウェアキーボードの設定を行う P80
190 タブキーの使い方を覚える P81
191 文字入力の変換技を覚えておこう P81
192 Smart Keyboardを利用する P81
193 Smart Keyboardの便利なショートカット集 P82

Section 4
連絡先とFaceTime

194 iPhoneや別のiPadから連絡先データを取り込む P83
195 Android端末から連絡先を取り込む P83
196 新規連絡先を登録する P83
197 連絡先を削除する P84
198 連絡先の登録項目を追加する P84
199 Googleと連絡先を同期する P84
200 連絡先を他のユーザーへ送信する P84
201 重複した連絡先を結合する P85
202 誤って削除した連絡先を復元する P85
203 連絡先を素早くスクロールする P85
204 連絡先ごとに着信音を設定する P85
205 メール本文から未登録の連絡先や予定を検出する P85
206 パソコンを使って連絡先を登録、編集する P86
207 連絡先をグループ分けする P86
208 家族や友人の誕生日を通知する P86
209 FaceTimeで音声通話、ビデオ通話を利用する P87
210 FaceTimeの着信拒否を設定する P88
211 FaceTimeに応答できない際はメッセージで返信する P88
212 「メッセージを送信」の定型文を編集する P88
213 応答できない際は「あとで通知」を利用する P88
214 FaceTimeの画面にエフェクトを加える P89
215 FaceTimeでアニ文字やミー文字、ステッカーを使う P89
216 複数人で同時通話を行う P89
217 通話中にメッセージをやり取りする P89
218 メールやメッセージからFaceTimeを発信 P90
219 FaceTimeの着信音を即座に消す P90
220 ビデオ通話を行いながら他のアプリを利用 P90
221 相手端末のカメラでLive Photosを撮影 P90
222 グループ通話中に話している人を大きく表示 P90
223 ビデオ通話中に自然なアイコンタクトを実現 P90

Section 5
メール

224 自宅や会社のメールアドレスをiPadに設定する P91
225 GmailをiPadに設定する P92
226 iCloudメールを作成してiPadで利用する P92
227 メールアカウントを停止、削除する P92
228 新規メールを送信する P93
229 新規作成を保留してその他のメール操作を行う P93

230 メールを削除する P94
231 ゴミ箱に入れたメールを受信トレイに戻す P94
232 受信したメールに返信する P94
233 受信したメールを転送する P94
234 メールの返信／転送時に引用マークを付ける P94
235 頻繁に届くメールスレッドの通知をオフにする P95
236 メールに写真などのデータを添付する P95
237 メールに描画を添付する P95
238 メールの文字を装飾する P95
239 サイズの大きいファイルをMail Dropで送信 P96
240 メールを左右にスワイプして各種操作を行う P96
241 メールのスワイプオプションを設定する P96
242 送信メールを常に自分宛にも送信する P96
243 フィルタ機能で目当てのメールのみ表示する P97
244 アカウントごとに通知の設定を変更する P97
245 通知表示からメールの開封や削除を行う P97
246 メールの内容から連絡先や予定を登録する P97
247 メールの添付ファイルを開く P98
248 添付の写真やPDFに指示を書き込んで返信する P98
249 メールに署名を付ける P98
250 デフォルトの差出人アドレスを設定する P98
251 すぐに送信しないメールは下書き保存する P99
252 メールをキーワードで検索する P99
253 重要なメールに印を付ける P99
254 フラグの色を変える、外す P99
255 すべての未開封メールをまとめて開封済みにする P99
256 一度開いたメールを未開封にする P99
257 メールボックスの表示や順番を整理、変更する P100
258 複数のメールを選択する P100
259 アカウントごとの送信済みメールやゴミ箱を確認する P100
260 複数アカウントの送信済みメールもまとめてチェック P100
261 メールボックスを新たに追加する P101
262 メールを別のメールボックスに移動する P101
263 未開封のメールだけをまとめて表示する P101
264 重要な相手のメールをVIPフォルダに振り分ける P101
265 VIPメールの通知を設定する P102
266 メールのプレビュー行数を変更する P102
267 メールのスレッド表示を有効にする P102
268 スレッドの詳細設定を行う P102
269 メールの受信拒否を設定する P102
270 メールの受信間隔を変更する P103
271 アカウントごとに個別のサウンドを設定する P103
272 メール削除前に確認するようにする P103
273 HTMLメールの画像リンクを自動で読み込む P103

Section 6

メッセージ

274 メッセージアプリの基本操作 P104
275 iMessageを使えるように設定する P105

276 iMessageの着信用アドレスを変更する ⋯⋯⋯⋯⋯ P105
277 iMessageの送受信可能な相手の確認方法 ⋯⋯⋯⋯ P105
278 メッセージを送信する ⋯⋯⋯⋯⋯⋯⋯⋯⋯⋯⋯⋯⋯ P105
279 オーディオメッセージを送信する ⋯⋯⋯⋯⋯⋯⋯⋯ P106
280 メッセージで写真やビデオを送信する ⋯⋯⋯⋯⋯⋯ P106
281 写真を編集して送信する ⋯⋯⋯⋯⋯⋯⋯⋯⋯⋯⋯ P106
282 写真に手書きの文字や指示を加えて送信する ⋯⋯⋯ P106
283 メッセージに動きやエフェクトを加えて送信する ⋯⋯ P107
284 ステッカーでキャラクターやイラストを送信する ⋯⋯ P107
285 アニメーションのメッセージを送信 ⋯⋯⋯⋯⋯⋯⋯ P108
286 入力したメッセージを後から絵文字に変換 ⋯⋯⋯⋯ P108
287 ミー文字を利用する ⋯⋯⋯⋯⋯⋯⋯⋯⋯⋯⋯⋯⋯ P108
288 新しいミー文字を作成する ⋯⋯⋯⋯⋯⋯⋯⋯⋯⋯ P108
289 手書き文字を送信する ⋯⋯⋯⋯⋯⋯⋯⋯⋯⋯⋯⋯ P109
290 GIF画像を送信する ⋯⋯⋯⋯⋯⋯⋯⋯⋯⋯⋯⋯⋯ P109
291 Tapbackで素早くリアクションする ⋯⋯⋯⋯⋯⋯ P109
292 ステッカーや対応アプリをApp Storeから入手する ⋯ P109
293 メッセージの内容をコピーする ⋯⋯⋯⋯⋯⋯⋯⋯⋯ P109
294 メッセージをまとめて開封済みにする ⋯⋯⋯⋯⋯⋯ P109
295 対応アプリの情報をメッセージで送信する ⋯⋯⋯⋯ P110
296 メッセージの内容を検索する ⋯⋯⋯⋯⋯⋯⋯⋯⋯⋯ P110
297 メッセージのやり取りを削除する ⋯⋯⋯⋯⋯⋯⋯⋯ P110
298 グループメッセージを利用する ⋯⋯⋯⋯⋯⋯⋯⋯⋯ P111
299 グループで特定の相手やメッセージに返信する ⋯⋯ P111
300 よくやり取りする相手を一番上に固定する ⋯⋯⋯⋯ P111
301 メッセージの詳細な送受信時刻を確認する ⋯⋯⋯⋯ P111
302 メッセージの件名欄を表示する ⋯⋯⋯⋯⋯⋯⋯⋯⋯ P112
303 メッセージで現在地を知らせる ⋯⋯⋯⋯⋯⋯⋯⋯⋯ P112
304 他のユーザーと位置情報を共有する ⋯⋯⋯⋯⋯⋯⋯ P112
305 通知表示からメッセージの返信を行う ⋯⋯⋯⋯⋯⋯ P112
306 メッセージの開封証明を送信する ⋯⋯⋯⋯⋯⋯⋯⋯ P113
307 メッセージの保存期間を設定する ⋯⋯⋯⋯⋯⋯⋯⋯ P113
308 送受信した写真やリンクをまとめて見る ⋯⋯⋯⋯⋯ P113
309 「自分に通知」機能を利用する ⋯⋯⋯⋯⋯⋯⋯⋯⋯ P113
310 連絡先の写真を表示させない ⋯⋯⋯⋯⋯⋯⋯⋯⋯⋯ P113
311 メッセージを転送する ⋯⋯⋯⋯⋯⋯⋯⋯⋯⋯⋯⋯⋯ P114
312 特定の相手のメッセージだけを通知しない ⋯⋯⋯⋯ P114
313 メッセージの着信拒否を設定する ⋯⋯⋯⋯⋯⋯⋯⋯ P114
314 不明な相手からのメッセージを振り分ける ⋯⋯⋯⋯ P114
315 メッセージの通知を繰り返す ⋯⋯⋯⋯⋯⋯⋯⋯⋯⋯ P114
316 メッセージの添付画像を低解像度にする ⋯⋯⋯⋯⋯ P114
317 メール／メッセージのバッジを非表示にする ⋯⋯⋯ P114

Section 7
Safari

318 Safariでキーワード検索を行う ⋯⋯⋯⋯⋯⋯⋯⋯⋯ P115
319 Webサイトのリンクを操作する ⋯⋯⋯⋯⋯⋯⋯⋯⋯ P115
320 新規タブでサイトを開く ⋯⋯⋯⋯⋯⋯⋯⋯⋯⋯⋯⋯ P115
321 2本指でリンクをタップし新規タブで開く ⋯⋯⋯⋯ P116

322	開いているタブを画面上部に一覧表示する	P116
323	開いているすべてのタブをまとめて閉じる	P116
324	タブを並べ替える	P116
325	リンクをドラッグしてマルチタスクで開く	P117
326	最近閉じたタブを開き直す	P117
327	タブの検索機能を利用する	P117
328	使っていないタブを自動で消去する	P118
329	後で読みたいサイトをリーディングリストに保存	P118
330	リーダー機能で記事内容をテキスト表示	P118
331	サイト上の画像を保存する	P118
332	URLの.comや.co.jpを素早く入力する	P118
333	気に入ったサイトをブックマークに登録する	P119
334	開いているタブをすべてブックマーク登録	P119
335	ブックマークを整理する	P119
336	リンクを開く際の動作を設定する	P120
337	広告ブロック機能を利用する	P120
338	パソコン向けのサイトに表示を変更する	P120
339	アクセス履歴の残らないプライベートブラウズを使用する	P120
340	表示サイト内をキーワード検索する	P121
341	サイト閲覧履歴の確認と消去	P121
342	ホーム画面から特定のサイトにアクセスする	P121
343	サイトをメールやメッセージで送信する	P121
344	さまざまな情報の自動入力機能を利用する	P122
345	Safariに保存された各種パスワードを管理する	P123
346	iPhoneなどで開いたページを表示する	P123
347	標準で使用する検索エンジンを変更する	P123
348	ポップアップで開くウィンドウをブロックする	P123
349	特定のWebサイト内を素早く検索する	P124
350	WebサイトをPDFとして保存する	P124
351	Webサイト上のファイルをダウンロードする	P124
352	トップページのブックマークを追加、変更する	P125
353	「お気に入り」のフォルダを変更する	P125
354	検索候補の表示をオン／オフにする	P125
355	トップヒットを事前に読み込む	P125
356	クレジットカード情報をカメラで読み取る	P125

Section 8
App Store

357	App Storeで欲しいアプリを検索する	P126
358	アプリの検索結果をフィルタで絞り込む	P127
359	アプリのランキングをチェックする	P127
360	アプリの情報を共有する	P127
361	無料アプリをインストールする	P127
362	有料アプリを購入してインストールする	P128
363	通信料と合わせて料金を支払う	P128
364	ギフトカード有料アプリを購入する	P128
365	アプリをアンインストールする	P128
366	購入済みアプリを一覧表示する	P129
367	使用したアプリの評価やレビューを投稿する	P129

368 アプリをアップデートする ……………………………………… P129
369 アプリを自動でアップデートする ………………………………… P130
370 アプリの開発者に問い合わせを行う ……………………………… P130
371 App Store内でビデオを自動再生させる ……………………… P130
372 アプリ購入時に毎回パスワードを要求 …………………………… P130
373 アプリを家族や友人にプレゼントする …………………………… P130
374 非使用のアプリを自動で取り除く ………………………………… P130
375 Apple Arcadeを利用する ……………………………………… P131

Section 9

カメラと写真

376 写真やビデオを撮影する …………………………………………… P132
377 多彩な撮影モードを利用する ……………………………………… P133
378 カメラのピントや露出を合わせる ………………………………… P133
379 ピントや露出を固定する …………………………………………… P133
380 露出を手動で調整する ……………………………………………… P133
381 Live Photosを撮影する ………………………………………… P134
382 写真やビデオの保存フォーマットを変更する …………………… P134
383 HDR撮影機能をオフにする ……………………………………… P134
384 HDR撮影時に通常の写真も保存する …………………………… P134
385 撮影画面にグリッドを表示する …………………………………… P134
386 連写機能で撮影する ………………………………………………… P135
387 写真に位置情報を記録する ………………………………………… P135
388 ビデオ撮影の画質を変更する ……………………………………… P135
389 左右反転もできるセルフィーを撮影 ……………………………… P135
390 ロック画面から即座にカメラを起動する ………………………… P135
391 QRコードを読み取る ……………………………………………… P135
392 実際の縦横比の画面でビデオを撮影する ………………………… P136
393 カメラモードなどの設定を保持する ……………………………… P136
394 写真アプリでサイドバーを利用する ……………………………… P136
395 撮影した写真を表示する …………………………………………… P137
396 撮影したビデオを再生する ………………………………………… P137
397 「ライブラリ」メニューで写真やビデオを表示する …………… P138
398 写真の一覧表示をピンチ操作で拡大／縮小する ……………… P138
399 「For You」メニューでメモリーや共有を確認する ………… P138
400 写真のフィルタ機能を活用する …………………………………… P139
401 ビデオをロングタップしてプレビュー再生する ……………… P139
402 写真やビデオを複数選択する ……………………………………… P139
403 写真にキャプションを追加する …………………………………… P140
404 写真、ビデオを削除する …………………………………………… P140
405 削除した写真やビデオを復元する ………………………………… P140
406 写真アプリの検索機能を利用する ………………………………… P140
407 写真の詳細情報を確認する ………………………………………… P140
408 「ピープル」を利用する …………………………………………… P141
409 「マイアルバム」で写真やビデオを表示する ………………… P141
410 新しいアルバムを作成する ………………………………………… P141
411 写真、ビデオをアルバムに登録する ……………………………… P141
412 バーストモードの連続写真を1枚ずつ見る …………………… P141
413 写真を加工、編集する ……………………………………………… P142

414	ビデオを加工、編集する	P142
415	マークアップ機能を使い文字や手書きで写真に書き込む	P143
416	他社製アプリのフィルタを利用する	P143
417	ポートレートモードの写真を編集する	P143
418	スローモーションのビデオを編集する	P143
419	Live Photosを編集する	P144
420	撮影した写真の比率を変更する	P144
421	写真、ビデオの撮影場所をマップで表示する	P144
422	写真やビデオをスライドショーで楽しむ	P144
423	写真やビデオをお気に入りに登録する	P145
424	パソコン転送時にフォーマットを自動変換する	P145
425	位置情報を削除して写真やビデオを送信する	P145
426	特定の写真を非表示にする	P145
427	iCloud写真やマイフォトストリームを利用する	P146
428	共有アルバムで家族や友人と写真やビデオを共有する	P147
429	写真やビデオを他のユーザーへ送信する	P147
430	写真やビデオのiCloudリンクを送信する	P147
431	共有アルバムにコメントを投稿する	P147

Section 10

ミュージック

432	ミュージックアプリで音楽を再生する	P148
433	メニューからApple Musicの項目を消す	P149
434	ライブラリを追加、削除する	P149
435	iPadに保存されている曲だけを表示する	P149
436	曲をロングタップしてさまざまな操作を行う	P149
437	次に再生する曲を指定する	P150
438	iTunes Storeで購入済みの曲をダウンロードする	P150
439	iPad内の曲を検索する	P150
440	再生中の曲の歌詞を表示する	P150
441	アーティストのさまざまな情報をチェックする	P151
442	ラジオ機能で人気の音楽を聴く	P151
443	ミュージックから曲を削除する	P151
444	しばらく再生していない曲を自動削除する	P151
445	シャッフル再生やリピート再生を行う	P152
446	iPad上でプレイリストを作成する	P152
447	音質や音量の設定をチェックする	P152
448	Apple Musicを利用する	P153
449	iCloudミュージックライブラリを利用する	P154
450	Apple Musicで曲を検索する方法	P155
451	「最近追加した項目」をチェックする	P155
452	「今すぐ聴く」画面で好みの曲に出会う	P155
453	好みの曲にラブを付ける	P155
454	友達をフォローして音楽を共有する	P156
455	「見つける」画面で注目曲をチェックする	P156
456	AirPlayで外部機器に出力する	P156
457	ホームシェアリング機能を利用する	P156

Section 11
iTunes Store

⭐

458	iTunes Storeで音楽や映画を検索する	P157
459	iTunes Storeで音楽を購入する	P157
460	コンプリート・マイ・アルバム機能を利用する	P157
461	iTunes Storeで映画を購入する	P158
462	iTunes Storeで映画をレンタルする	P158
463	プレビューで試聴&予告編再生履歴を確認	P158
464	音楽や映画を家族や友人にプレゼントする	P158
465	Geniusでおすすめコンテンツをチェックする	P159
466	購入済みの音楽や映画を確認する	P159
467	ギフトカードの残高を確認する	P159
468	iTunes Storeのウィッシュリストを利用する	P159
469	ミュージックビデオを購入する	P159
470	着信音や通知音を購入する	P159

Section 12
iCloudとiTunes

471	iCloudでさまざまなデータを同期する	P160
472	iCloud Driveを利用する	P161
473	iPadのデータをiCloudへバックアップする	P162
474	iCloudのデータを管理する	P163
475	iCloudの容量を増やす	P163
476	パソコンのWebブラウザでiCloudを利用する	P163
477	他のユーザーと位置情報を共有する	P164
478	iCloudキーチェーンを利用する	P164
479	iTunesをパソコンにインストールする	P164
480	iTunesとさまざまなデータを同期する	P165
481	iPadのデータをパソコンへバックアップ&復元する	P166
482	CDの音楽をiPadに読み込む	P167
483	特定のアーティストや曲を選んでiPadに取り込む	P168
484	iPad同期用のプレイリストを作成する	P168
485	アーティスト名や曲名などの曲情報を編集する	P169
486	アルバムジャケット画像を追加する	P169
487	ワイヤレスでiPadとパソコンを同期する	P169
488	パソコンで音楽を購入する	P170
489	パソコンで映画を購入、レンタルする	P170
490	自動ダウンロード機能を利用する	P170
491	ファイル共有機能を利用する	P170
492	写真や動画を直接パソコンにバックアップする	P170

Section 13
その他の標準アプリ

etc

493	カレンダーを利用する	P171
494	ファイルを利用する	P172
495	マップを利用する	P173

496 メモを利用する P174
497 ショートカットを利用する P175
498 時計を利用する P175
499 リマインダーを利用する P176
500 ブックを利用する P176
501 Apple TVを利用する P177
502 計測を利用する P177
503 ボイスメモを利用する P177
504 ホームを利用する P177
505 Podcastを利用する P178
506 探すを利用する P178
507 Photo Boothを利用する P178
508 ヒントを利用する P178
509 株価を利用する P178
510 Appleの無料アプリを入手する P178

Section 14
トラブル解決

511 本体がフリーズしたり動作がおかしい時は P179
512 アプリがフリーズしたり動作がおかしい時は P180
513 画面ロックのパスコードを忘れた際は P180
514 内蔵メモリがいっぱいでアプリやファイルを追加できない ... P181
515 アプリをアップデートしたら起動しなくなった P181
516 支払い方法を削除できない時は P181
517 サブスクリプションの利用状況を確認する P182
518 誤って「信頼しない」をタップした時の対処法 P182
519 モバイルデータ通信が極端に遅くなったら P182
520 Apple IDの90日間制限を理解する P182
521 Apple IDのIDやパスワードを変更する P183
522 Appleサポートアプリで各種トラブルを解決 P183
523 iPadの保証期間を確認、延長する P184
524 ホームボタンや音量ボタンが効かなくなったら P184
525 なくしたiPadを見つけ出す P185
526 不調が直らない時の初期化手順 P186

用語索引
.... P187

困った時は巻末の用語索引を開いてみよう。
機能名やメニューの項目、アプリ名で知りたい記事に素早くたどり着けるはずだ。

基本操作

iPadのあらゆる操作や設定方法が細かいところまでしっかりわかる！

iPadを買ったけど、いまひとつ使いこなせていない……。操作方法をきちんと把握していないのでだましだまし使っている……。初歩的な疑問点ばかりで今さら人に聞けない……。解説書を買ったけど肝心なポイントが載っていない……。そんなiPadユーザーの「困った」に完全対応する決定版の操作ガイドです。ある程度使いこなしているユーザーも、細かい設定項目の確認や、知らなかった操作法の習得に役立てられる1冊です。手元に置いておけば、必ずiPadライフの一助になるはずです。

no.
001

iPadを使い始めるための基本操作
画面のロックを解除する

　電源／スリープボタンを押すと、まず表示されるのが「ロック画面」。ロックを解除し、ホーム画面を表示してiPadを使用開始できる。ホームボタンのないiPadでは、画面下部から上方向へスワイプしてロックを解除する。ホームボタンのあるiPadでは、ホームボタンを押せばよい。Face IDやTouch ID、パスコードを設定している場合は、それぞれの認証を行う必要がある（No088、091、093で解説）。

画面下部から上方向へスワイプする

✔ ホームボタンのないiPadでロックを解除する

ホームボタンのないiPadでは、画面下部から上へスワイプしてロックを解除する。

ホームボタンを押す

✔ ホームボタン搭載のiPadでロックを解除

ホームボタン搭載機種の場合は、ホームボタンを押してロックを解除する。

基本操作

no.
002

本体に備わったボタンの操作法

ボタンの機能と
操作の基本を覚える

基本操作

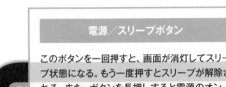

電源／スリープボタン

このボタンを一回押すと、画面が消灯してスリープ状態になる。もう一度押すとスリープが解除される。また、ボタンを長押しすると電源のオン／オフが行える（ホームボタンのないiPadの場合はボタン長押しでSiriの起動。電源オフは電源／スリープボタン＋音量ボタンを長押し）。スリープは、画面表示やタッチパネル操作をオフにした状態だが、メールの着信、音楽などの再生も継続される。電源オフは、iPadのすべての機能を停止した状態。通常は、すぐに使い始められるようスリープ状態にしておこう。ただし、電子機器の使用が禁じられている場所ではスリープではなく、電源をオフにしなければならない。第4世代のiPad Airでは、電源／スリープボタンにTouch IDセンサーが内蔵されており、ロック解除などに利用できる。

音量ボタン

音楽や動画、着信音や通知音の音量を調整する。なお、「設定」→「サウンド」の「着信音と通知音」欄にある「ボタンで変更」がオンになっていないと、着信音や通知音の音量をこのボタンで調整することはできないので要注意。また、カメラ起動中は、シャッターや録画開始／停止ボタンとしても利用できる。

ホームボタン/Touch IDセンサー

ホームボタンが搭載されているiPadでは、アプリ使用中にホームボタンを押すといつでもホーム画面に戻ってこられる。スリープの解除にも利用可能だ。また、ホームボタンにはTouch IDセンサーが内蔵されており、端末のロック解除やiTunes Store、App Store、さらにはサードパーティ製アプリのサインインなどを指紋認証で行える。

ホームボタン

no. 003

状況によって使い分けよう

電源のオン／オフと
スリープを理解する

**電源ボタンで
本体の状態を
適切に操作する**

　iPadでは、本体右上の電源／スリープボタンを短く押すとスリープおよびスリープの解除が行える。電源のオン／オフは、ホームボタンのあるiPadなら電源ボタン長押しでOK。ホームボタンのないiPadの場合は、電源オフの時のみ電源ボタン＋どちらかの音量ボタンを同時に長押しする必要がある。電源オフ時はiPadのすべての機能が無効になり、バッテリーもほとんど消費されない。一方スリープ時は、画面表示をオフにしただけの状態となり、メール着信や音楽再生など各種アプリの動作もそのまま実行される状態となる。

ボタンを押してスリープ／スリープ解除

**スリープ／
スリープ解除**

画面が表示されている状態で電源／スリープボタンを一度押すと、画面が消灯しスリープ状態に。画面消灯時に押すとスリープが解除されロック画面が表示される。また、設定や機種にもよるが、ホームボタンや画面タッチでもスリープ解除が行える。

ボタンを長押しして電源オン／オフ

電源オン／オフ

電源がオフの時に電源／スリープボタンを2～3秒押し続け、アップルマークが表示されると電源がオンになる。電源オン時に2～3秒押し続け（ホームボタンのないiPadの場合は、電源／スリープボタン＋音量ボタンのどちらかを長押し）、表示されるスライダを右へスワイプすると、電源をオフにできる。

基本操作

---

no. 004

パソコンのUSBポートでも充電可能

iPadの充電に
関する基礎知識

　iPadを高速充電したいなら、標準で付属するLightning - USBケーブル（ホームボタンのないiPadの場合はUSB-C充電ケーブル）でiPad本体と電源アダプタを接続し、コンセントを利用して充電しよう。Macユーザーの場合、iPadとMacを直接ケーブル接続しても高速充電が可能だが、コンセントよりは時間がかかる。なお、WindowsパソコンのUSB（Type A）ポートは供給電力が弱いことが多く、接続しても「充電停止中」と表示され、ほとんど充電できないので注意しよう。

ホームボタンのない
iPad付属の充電アダプタ

速く充電したいなら付属の電源アダプタで充電しよう。ホームボタンのないiPadでは、Lightning端子が廃止され、より汎用性の高いUSB-Cポートが採用されており、電源アダプタともUSB-Cケーブルで接続する。なお、USB-Cポートは従来のUSB-Aよりも供給電力が高いのが特徴。パソコンと接続した際は、MacでもWindowsでも高速充電が可能だ。

---

no. 005

オンにして正確に把握しよう

バッテリー残量を
パーセント表示する

　バッテリーの残量は画面右上に電池の絵柄で表示されるが、より正確に把握するために「設定」→「バッテリー」にある「バッテリー残量（％）」のスイッチはオンにしておきたい。なお、バッテリー残量が20％と10％になった際には「バッテリー残量が少なくなっています」という警告が表示される。

1 バッテリーの設定を開く

オンにする

「設定」→「バッテリー」にある「バッテリー残量（％）」のスイッチをオンにする。この画面で、アプリのバッテリー使用率もチェックすることができる。

2 バッテリー残量を数値で確認

画面右上のアイコンの横に、バッテリー残量が数値でも表示され、より正確に残量が把握できるようになる。基本的にはオンにしておきたい機能だ。

no.
006

iPadを操るさまざまな動作

タッチパネル操作の
基本を覚える

**画面をタッチして
iPadを操る
基本パターン**

　No002で紹介したボタン操作を除けば、iPadのほとんどの操作はタッチパネルで行う。単に画面をタッチするだけではなく、連続で2回タッチする、画面をなぞる、2本指を使用するなど、さまざまな操作方法が用意されている。それぞれの動作には名前が付いており、本書の解説においても多用するので、覚えておこう。また、設定で「ジェスチャ」機能がオンになっていれば、4本指や5本指を使ったジェスチャ操作も行うことが可能だ（No031で解説）。

　タッチパネル操作で最も多用するのが、画面を1回軽くタッチする「タップ」。ホーム画面はもちろんあらゆるアプリの画面で使用する基本操作法だ。タップを素早く2回行うのが「ダブルタップ」。マップや写真、Safariの表示を素早く拡大、縮小する際に利用する。画面を指でタッチしたままにする「ロングタップ」は、オプションメニューの表示などで利用する。また、画面を指でなぞって動かす操作が「スワイプ」、画面を軽くはじく操作が「フリック」だ。どちらも画面の表示エリアを移動させたり、画面をスクロールしたりする際に使用する。フリックに関しては、はじく強さによって勢いを付けて画面を操作することが可能だ。ロングタップしたまま指を動かす操作が「ドラッグ」で、指定したオブジェクトを動かす際などに使用。2本指で画面をタッチし、指の間隔を広げる操作が「ピンチアウト」、狭める操作が「ピンチイン」で、画面を細かく拡大縮小する際に使用する。これも頻繁に使う操作なので慣れておこう。

基本操作

タップ

画面をタッチしてすぐ指を離す

画面を1本指で軽くタッチする「タップ」。アプリの起動をはじめ、ボタンやメニューの選択など、あらゆる場面で使用する基本中の基本操作。

文字入力の際はキーボードをタップ

ダブルタップ

素早く2回連続タッチ

タップを素早く2回連続して行う操作。写真やSafari、マップアプリなどで画面をズームイン、拡大することができる。写真アプリでは、再度2回タップすると元に戻る。

その箇所が拡大表示される

ロングタップ

画面を一定時間タッチしたままにする操作。ホーム画面のアプリを移動する際や、リンクやボタンの別メニューを表示させる場合に使用する。

スワイプ

画面に指を置き、さまざまな方向へ「なぞる」動作。ホーム画面を切り替える、画面をスクロールする、マップの表示エリアを移動する際などに利用する。

フリック

さまざまな方向へ画面を「はじく」操作。スワイプとは異なり、はじく動きの強弱によって、勢いを付けて画面を一気にスクロールさせることもできる。

基本操作

ドラッグ

ロングタップしたまま画面から指を離さずに動かす操作。ホーム画面のアプリをロングタップし、そのままドラッグすることで位置を変更するといった際に利用する。

ピンチイン／アウト

画面を2本の指（通常は親指と人差し指）でタッチし、指の間隔を広げたり狭めたりする動作。写真やマップ、Safariなどで拡大、縮小が行える。

2本指での特殊操作

アプリによっては特殊な操作を行えるものも。例えば「マップ」では、2本指で画面をタッチして「ひねる」操作でマップを好きな角度に回転できる。

no.
007

操作の出発点となる基本画面を把握する

ホーム画面の
名称や仕組みを覚える

さまざまな情報を
表示するステータスバー

画面上部の時刻などが表示されている細長いエリアを「ステータスバー」と呼ぶ。左側に現在時刻と日付、右側にモバイルデータ通信やWi-Fiの電波状況、バッテリーの残量、本体や各種アプリの動作状況を示すステータスアイコンが表示される。

18:09　2月6日(土)　　　　　　　　　　　　　　　　　　　　🛜 84% ⚡

複数ページを
スワイプで切り替え

ホーム画面を左右にスワイプもしくはフリックすると、ページを切り替えることが可能だ。初期状態だと2ページだが、アプリアイコンを追加したり並べ替えたりすることで最大15ページまで増やすことができる。

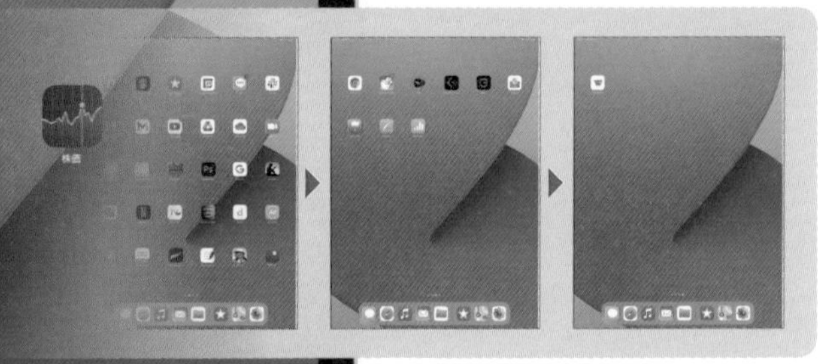

ページを増やして
利用できる

iPad操作の起点となる「ホーム画面」では、アプリやフォルダのアイコンを自由に配置することができる。左右にスワイプするとページを切り替えることができ、初期状態では標準アプリが2ページに渡り配置されている。App Storeでアプリを追加すれば、そのアプリのアイコンがホーム画面に次々追加されていく仕組みだ。また、画面上部の「ステータスバー」には、現在時刻やバッテリー残量、動作中の機能などが表示されるので覚えておこう。

常に固定されて
表示されるDock

画面下の「Dock(ドック)」は、ページを切り替えても固定されて表示される。iPad Pro(12.9インチ)の場合、ここには最大15(機種によっては11または13)のアプリやフォルダを配置可能だ(No017で解説)。また、Dockの右側には直近に使ったアプリのアイコンが3つまで並ぶようになっている。

基本操作

no. 008
iPadは横画面でも使える
横向きのランドスケープモードを利用する

iPad本体を横向きにすると、画面も横向きに回転し「ランドスケープモード」として利用できる。動画、写真の全画面表示や電子書籍の見開き表示、Webサイトの閲覧など、横幅の広いコンテンツやデータを扱う際に適した利用法だ。

☑ **ホーム画面も横向きになる**
端末を横向きにするとランドスケープモードになる。iPadは、iPhoneとは異なりホーム画面やロック画面でもランドスケープモードが利用可能だ。なお、画面を回転させるには、コントロールセンターで「画面の向きのロック」がオフになっている必要がある（No034で解説）。

no. 009
着信や更新のお知らせ機能
アイコンに表示されるバッジの意味を理解する

メールアプリやメッセージアプリのアイコン右上角に、①や②といった赤いマークが表示されることがある。これは「バッジ」と呼ばれ、メールの着信や予定の通知をその件数と共にわかりやすく知らせてくれる機能だ。標準アプリに限らず、App Storeからインストールできるアプリにもバッジ対応のものは数多い。バッジは、設定で表示のオン／オフも切り替えが可能。また、「設定」にバッジが表示されたら、何らかの未設定項目があることの合図となる。「設定」を開いて内容を確認しよう。

☑ **バッジ表示の例と表示をオフにする設定**

メール　　設定

タップしてバッジ表示をオン／オフ

「メール」アプリのアイコンには、未開封メールの件数がバッジで表示される。「設定」アプリのアイコンにバッジが表示されたら、未設定項目またはiPadOSのアップデートに対応しよう。バッジ表示は、「設定」→「通知」でアプリを選び、「バッジ」のスイッチでオン／オフを切り替えられる（「設定」のバッジはオフにできない）。なお、メールアプリは登録しているアカウントごとにバッジの有無を設定可能だ。例えば、メルマガ用のアカウントなど、すぐに確認する必要がないものはオフにしておくといった使い方ができる。

no. 010
使用履歴から素早く再起動する
Appスイッチャーでアプリの使用履歴を表示

「Appスイッチャー」画面では、過去に使用したアプリの画面が表示される。各アプリの画面をタップすれば、アプリを切り替えることも可能だ。Appスイッチャーを呼び出すには、ホームボタンを2回押すか、画面最下部から中央にゆっくりスワイプしよう（ホームボタンのないiPadは後者のみ）。

☑ **Appスイッチャーでアプリを切り替える**

Appスイッチャーで画面を左右にスワイプすれば、すべての使用履歴を確認できる。各画面をタップしてアプリを起動しよう。終了するには、ホームボタンを2回押すか、何もないエリアをタップする。

☑ **Appスイッチャーの履歴を削除する**
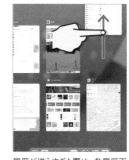
履歴が増えすぎた際は、各履歴画面を上へフリックして個別に削除しよう。2本指や3本指で複数の履歴をまとめて削除することも可能だ。なお、履歴を削除したアプリは、アプリ自体が強制終了され、バックグラウンド動作も停止する。

no. 011
スクロールバーをドラッグしよう
画面のスクロールを素早く行う

Safariなどのアプリでは、画面を上下スワイプするとページをスクロールできる。この際、画面右端にスクロールバーが表示されるのだが、これを直接上下にスワイプすることでもスクロールが可能だ。この方法だと高速にスクロールできるので、縦に長いページを閲覧する際に使うと便利。

1 **スクロールバーを表示させる**

少しスワイプしてスクロールバーを表示
スクロールバーは、ページをスクロールさせることで表示することが可能だ。Safariの場合は、上下に画面をスワイプすると、右端にスクロールバーが出現する。

2 **スクロールバーをスワイプする**

スクロールバーを上下にスワイプする
指でスクロールバーをタッチすると、スクロールバーが少し太くなる。そのまま上下にスワイプすれば、高速にスクロールすることが可能だ。なお、操作をやめてしばらくすると、スクロールバーは自動的に消える。

no. 012

スワイプ操作だけでアプリの画面を切り替える

最近使ったアプリを
素早く切り替える

最下部から上にスワイプして すぐ右にスワイプする

弧を描くように
右へスワイプ

画面最下部で弧を描くように右にスワイプしてみよう。ひとつ前に使っていたアプリの画面に素早く切り替えることが可能だ。アプリを切り替えたい時に、いちいちホーム画面に戻るよりも手軽なので使いこなしてみよう。

ホームボタンのない iPadの場合は?

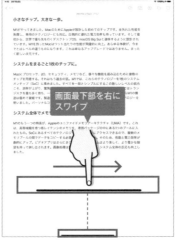

画面最下部を右に
スワイプ

ホームボタンのないiPadの場合は、別の操作方法も使える。画面最下部をそのまま右へスワイプすると、ひとつ前に使ったアプリを素早く表示できるのだ。再度右へスワイプすれば、さらに過去に使用したアプリを表示可能だ。

4本指で右に スワイプする方法でもOK

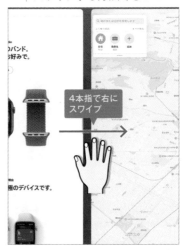

4本指で右に
スワイプ

ジェスチャ機能(No031で解説)が有効であれば、4本指で画面を右にスワイプする方法も使える。なお、5本指でスワイプしてもいいが、別のジェスチャに誤認識されやすいので、4本指でスワイプするのがオススメ。

no. 013

使いやすいようにアプリを並べ替えよう

ホーム画面のアプリの
配置を変更する

アプリを ロングタップする

ロングタップ

ホーム画面を編集

まずは、配置を変更したいアプリをロングタップしよう。メニューが表示されるので「ホーム画面を編集」をタップする。アイコンがプルプル震えだし、配置の変更や削除などが行える状態となる。

アプリを 自由に移動させる

完了

ドラッグで移動

あとはアプリのアイコンを好みの位置にドラッグしよう。画面の左右の端(1ページ目では右端のみ)に移動させれば、隣のページへアプリを移動することもできる。よく使うアプリを1ページ目にまとめるなど工夫しよう。右上の「完了」で編集完了だ。

!! 使いこなしヒント

アプリの配置を元に戻すには
リセットすればOK

ホーム画面のレイアウトをリセット

アプリの配置を標準状態に戻したい時は、「設定」→「一般」→「リセット」→「ホーム画面のレイアウトをリセット」をタップすればいい。なお、App Storeからインストールしたアプリは、配置のリセット後、アルファベット順および五十音順で再配置される。

no. 014 複数のアプリを まとめて移動させる
レイアウト変更を効率的に

複数のアプリを別ページに移動したい時、アプリをひとつずつ移動するのは非常に手間がかかる。そこで、複数のアプリをまとめて扱える操作法を覚えておこう。ページ内の全アプリを一気に別ページに移動させるのも簡単だ。

1 ドラッグして 少し移動させる

少しドラッグして、そのまま別のアプリをタップする

まず、移動させたいアプリをロングタップして「ホーム画面を編集」をタップ。続けて移動させたいアプリを少しドラッグして動かしたら、指を離さない状態で別のアプリをタップしてみよう。

2 集まったアプリを まとめてドラッグ

ひとつにまとまったアプリをドラッグして移動

アプリがひとつに集まるので、指を離さず、そのまままとめてドラッグしよう。指を離さず次々にアプリをタップしていけば、ページ内の全アプリをまとめて扱うこともできる。

no. 015 アプリをフォルダに まとめて整理する
ホーム画面管理の基本技

ホーム画面のアプリは、フォルダにまとめて管理することができる。同じジャンルのアプリや、あまり使わないアプリをひとまとめにして、ホーム画面を整理しよう。フォルダ名も設定できるので、わかりやすい名前にしておくといい。

✔ アプリ同士を 重ね合わせる

アプリをロングタップして「ホーム画面を編集」をタップ。アイコンをドラッグして別のアプリ上に重ねよう。するとフォルダが作成される。既存のフォルダへアプリを追加する際も、同じ操作を行えばOKだ。

✔ フォルダの 各種操作

フォルダ名をタップすれば名前の変更も可能

フォルダには4列×4段で16のアプリを配置でき、ホーム画面同様にページを増やしていける。また、ホーム画面と同じ操作で、アプリの移動や削除も可能。なお、フォルダ内にフォルダを作成することはできない。

no. 016 Dockを 利用する
アプリ使用中も呼び出せる

よく利用する アプリをいつでも すぐに起動できる

ホーム画面下部に表示される「Dock」は、頻繁に利用するアプリやフォルダをセットしておき、いつでも素早く起動するための場所だ。Dockは、ホーム画面のページを切り替えても固定された状態で表示され、アプリ使用中でも画面下部を上へスワイプすればいつでも表示できる。また、Dockの右端は「おすすめApp／最近使用したApp」エリアとして、基本的には直近に使用した3つのアプリが表示される。Dockのアプリは通常のホーム画面と同様の操作で追加、削除ができるので、好きなアプリをセットしよう（No017で解説）。

✔ アプリ使用中でも Dockを利用可能

アプリ使用中は、画面下部から上へスワイプしてDockを表示

ホーム画面では常に表示されているDockだが、アプリ使用中に利用したい場合は、画面下部から上方向へスワイプする必要がある。アプリの画面をタップするとすぐに隠れるので、操作の邪魔になることはない。

✔ 直前に使用した アプリを表示

「おすすめApp／最近使用したApp」の機能自体を無効にする場合は、「設定」→「ホーム画面とDock」で「おすすめApp／最近使用したAppをDockに表示」のスイッチをオフにする

Dockの右端は「おすすめApp／最近使用したApp」エリア。基本的には直近に使用した3つのアプリが、すぐに再使用できるよう表示される。設定でこの機能自体をオフにすることもできる。

no. 017　よく使うアプリを追加しよう
Dockのアプリを変更、削除する

Dockに配置されたアプリも、ホーム画面の他のアプリと同様に、アイコンの移動や削除ができる。DockにはあらかじめSafariやメール、ミュージックアプリなどがセットされているが、自分がよく利用するアプリに入れ替えておくといい。

Dockにアプリを追加する

アプリをドラッグ＆ドロップして配置

ホーム画面のアプリやフォルダをロングタップしたら「ホーム画面を編集」をタップ。アイコンをドラッグしてDock内に移動させよう。Dock外へ出す場合も、同様に操作すればいい。よく使うアプリを並べておこう。

Dock右エリアのアプリを削除

「−」をタップ

Dockの右にある「おすすめApp／最近使用したApp」エリアのアプリを削除したい場合は、アプリをロングタップして「ホーム画面を編集」をタップ。アイコン左上に表示される「−」をタップしよう。Dockからアイコンが削除される（アプリがアンインストールされるわけではない）。

no. 018　不要なものを削除しよう
標準アプリをアンインストールする

あらかじめホーム画面に配置されている標準アプリのいくつかはアンインストール（削除）可能だ。削除したいアプリをロングタップしてメニューから「Appを削除」をタップしよう。「〜を削除しますか？」と表示されたら「削除」をタップすれば完了。なお、App Storeからインストールしたアプリも同じようにアンインストールできる。

1 「Appを削除」をタップする

Appを削除

タップ

削除したいアプリをロングタップしたら、メニューが表示されるので「Appを削除」をタップ。

2 「削除」をタップする

タップして削除。iCloudなどと同期しているもの以外、アプリ内のデータも削除される

「削除」をタップすれば削除完了。アプリ内のデータも削除されるので注意しよう。

no. 019　アプリを一気に削除する
複数のアプリをアンインストールしたい時は

複数のアプリを効率的にアンインストールしたい場合は、ホーム画面のアプリをロングタップして「ホーム画面を編集」をタップ。削除したいアプリアイコンの左上にある「×」ボタンをタップしていけばいい。なお、「×」ボタンが表示されない標準アプリは削除することができない。

1 ホーム画面を編集する

タップ

ホーム画面を編集

まずは、ホーム画面のアプリをロングタップしたら、表示されるメニューから「ホーム画面を編集」をタップ。

2 「×」ボタンをタップして削除していく

「×」をタップ

アイコンが震えだすので、アイコンの左上にある「×」ボタン→「削除」で削除できる。この方法なら複数のアプリを次々と削除していくことが可能だ。

no. 020　App Storeからダウンロード
アンインストールしたアプリを再インストールする

iPadからアンインストールした標準アプリは、App Storeから再インストール可能だ。まずはApp Storeを開き、画面右下の「検索」から標準アプリ名を検索。該当アプリの情報画面で雲の絵柄のボタンをタップして再インストールしよう。なお、App Storeの操作法はNo357以降で解説している。

1 App Storeでアプリを検索

アンインストールした標準アプリをApp Storeでキーワード検索する。「購入済みアプリ」（No366で解説）には表示されないアプリもあるので、キーワード検索を利用しよう。

2 クラウドボタンで再インストールする

タップして再インストール

アプリの検索結果画面や情報画面でクラウド（雲の絵柄）ボタンをタップして再インストールしよう。ホーム画面にアプリが表示されたら再度利用可能だ。

基本操作

no. 021

落ち着いた色調の画面に切り替えてみよう

ダークモードを
利用する

時間でライトモードと ダークモードを 切り替えることも可能

iPadOSでは、「外観モード」という機能が搭載されている。これにより、画面の色調を「ライトモード」と「ダークモード」の2種類から選ぶことが可能だ。ライトモードはいままで通りの明るい色調で、ダークモードは黒をベースとした暗い色調となる。ダークモードは、ライトモードに比べて目が疲れにくく、バッテリー消費も少し抑えられるのがメリットだ。外観モードは「設定」→「画面表示と明るさ」から設定が可能なのでチェックしてみよう。また、設定した時間で外観モードを自動的に切り替えることも可能だ。

1 ダークモードに 切り替える

ダークモードに切り替えるには、「設定」→「画面表示と明るさ」をタップしよう。一番上にある外観モードの「ダーク」をタップしよう。すると、ホーム画面や設定画面が黒ベースの暗い色調になる。ダークモード対応のアプリであれば、同じように色調が変わる。

タップ

2 ライトモードとダークモードを 時間で切り替える

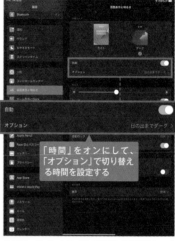

「時間」をオンにして、「オプション」で切り替える時間を設定する

ライトモードとダークモードを時間帯で切り替えたい時は、「設定」→「画面表示と明るさ」にある「自動」をオンにしよう。さらに「オプション」で時間帯を設定する。昼間はライトモードにして、夜間はダークモードにするというのが定番の設定だ。

---

no. 022

小さいウィンドウで別のアプリを利用

Slide Overでアプリ上に
もうひとつのアプリを表示する

Dockから アプリをドラッグして 指を離す

「Slide Over」は、アプリ画面の上に小さいウィンドウを表示し別アプリを起動するマルチタスク機能だ。Safari使用中にメールを確認したり、マップ確認中にメモを起動したりなど、2つのアプリを同時に利用できるので便利。本機能はアプリ使用中にDockを表示し、Dock上のアプリをロングタップしてDock外へドラッグするだけで利用できる。なお、本機能を利用するには「設定」→「ホーム画面とDock」→「マルチタスク」→「複数のAppを許可」をオンにしておくこと。また、Slide Overに対応していないアプリは、通常通り全画面で起動する。

1 Dockのアプリを ドラッグする

Dockからアプリを上へドラッグし、このような表示になったら指を離す

アプリ使用中にDockを表示し(No016で解説)、起動したい2つ目のアプリをロングタップ。Dockの外へドラッグすると、上記のような表示になるので指を離そう。画面の左右端にドラッグするとSplit View(No025で解説)になってしまうので注意。

2 Slide Overの ウィンドウが表示される

画面最部のバーをスワイプして、ウィンドウを左右どちらかに移動可能

アプリ上に縦長のウィンドウで2つ目のアプリが表示される。ウィンドウ上部のバーで位置の移動を行え、右端へフリックすると非表示に。非表示後は画面右端を左へスワイプして再表示できる。

基本操作

no. 023 ウィンドウの表示をスワイプで切り替え
Slide Overのアプリを 素早く切り替える

過去に表示した ウィンドウを 素早く表示する

Slide Overでは、基本的にひとつのウィンドウしか表示できない。別のアプリをSlide Overで起動したい場合は、No022で解説した方法を使い、Dockからアプリを別途呼び出す必要があるのだ。なお、Slide Overで呼び出したウィンドウは履歴が残されているため、右で解説している方法を使えば、直近に使ったウィンドウに素早く切り替えることができる。また、Slide Over専用のAppスイッチャー画面も用意されているので、表示したいウィンドウを一覧から選択することも可能だ。

1 Slide Overウィンドウ 最下部の線を左右にスワイプ

ここを左右にスワイプしてアプリを切り替え

Slide Overウィンドウの一番下にある線を左右にスワイプすると、過去にSlide Overで表示したアプリに素早く切り替えることができる。

2 Slide Overウィンドウの 一覧を表示する

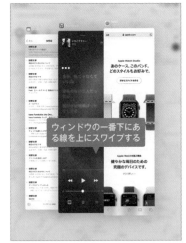

ウィンドウの一番上にある線を上にスワイプする

Slide Overウィンドウの一番下にある線を上にスワイプすると、Slide Over専用のAppスイッチャー画面が起動。過去にSlide Overで表示したアプリが一覧表示される。

---

no. 024 ウィンドウ表示をフルスクリーンに
Slide Overのアプリを 全画面表示にする

Slide Overでウィンドウ表示しているアプリは、全画面表示に切り替えることが可能だ。やり方は、Slide Overのウィンドウ最上部にある線を、画面中央の最上部までドラッグするだけ。Slide Overだと作業しづらい場合に切り替えよう。

1 ウィンドウを画面中央 の最上部にドラッグ

ウィンドウの一番上にある線をドラッグする

まずは、Slide Overウィンドウの一番上にある線をドラッグ。画面中央の一番上に持っていこう。上のような表示になったら画面から指を離す。

2 アプリが全画面で 表示される

これでウィンドウ表示が解除され、Slide Overで表示していたアプリが全画面で表示される。ウィンドウ表示のままだと使いづらいアプリなどは、全画面表示に切り替えてみよう。

no. 025 画面を分割して利用する
Split Viewで2つの アプリを同時に操作する

画面を2分割して2つのアプリを同時に利用できるのが「Split View」機能だ。分割線をドラッグすれば分割の比率も変更することができる。Slide Over同様、「複数のAppを許可」のスイッチをオンにしておくこと（No022で解説）。

1 Dockのアプリを 画面端へドラッグ

画面の左右端へドラッグし、このような表示になったら指を離す

アプリ使用中にDockを表示し、起動したいアプリをロングタップしてDockの外へドラッグする。画面の左右端へ持っていき指を離してみよう。なお、古いiPadはSplit View機能に対応していないので利用できない。

2 分割された画面で 2つのアプリを利用

画面が分割され、2つのアプリを同時利用できる。分割線内にある線をドラッグすれば分割の比率（縦画面なら2段階、横画面なら3段階）も調整可能。分割線を左右端までドラッグすれば、Split Viewを終了できる。

no. 026

最大3つのアプリを同時に表示できる

Split ViewとSlide Overを同時に利用する

Split ViewとSlide Overを組み合わせよう

Slide OverとSplit Viewは、同時に利用することができる。そのため、iPadでは最大3画面でアプリを同時に操作することが可能だ。方法は、Slide Over中にSplit Viewでアプリを実行するだけ。または、Split View中にSlide Overを実行することも可能だ。この機能を使いこなせば、Safari＋メモアプリ＋翻訳アプリの同時起動で、海外サイトを翻訳しながらメモを取る、といったような便利な使い方ができる。これでiPadでもパソコンのようなマルチタスク環境が実現可能なので、いろいろなアプリを組み合わせて活用してみよう。

1 Slide Over中にSplit Viewを実行する

DockからアプリをドラッグしてSplit Viewを追加する

まずはアプリ起動中にDockを表示し、Slide Overを実行。次にさらにDockを表示してSplit Viewを実行しよう。なお、Split View中にSlide Overを実行する場合は、分割線の上にドラッグすること。

2 3つの画面でアプリを起動できる

Slide OverとSplit Viewを同時に表示できる

通常のアプリ画面、Slide Over画面、Split View画面という3つの画面でアプリが起動できるようになる。便利なアプリの組み合わせを見つけてみよう。

---

no. 027

テキスト編集やファイル整理に使うと便利

同じアプリをマルチタスクの2画面で利用する

Slide OverやSplit Viewは同じアプリでも可能

Slide OverやSplit Viewの2画面表示機能は、基本的にそれぞれの画面で別のアプリを表示して使う機能だ。とはいえ、メモやSafari、メール、ファイルなどの一部アプリは、同じアプリを2画面で表示することも可能になっている。例えば、メモアプリを2画面表示すれば、別のメモを同時に表示して編集することができる。また、Slide OverやSplit Viewでは、選択テキストをドラッグ&ドロップして画面間を移動させる（No028で解説）ことも簡単に行える。同じメモを別画面で表示すれば、文章の入れ替えなどを効率的に行うことも可能だ。

1 同じアプリで2画面表示する

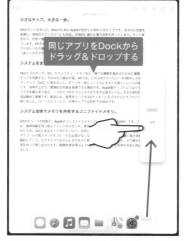

同じアプリをDockからドラッグ&ドロップする

メモやSafariなどを起動中に、Slide OverやSplit Viewで同じアプリを起動しよう。なお、同じアプリを2画面で表示できるのは、一部のアプリだけ。「ミュージック」や「設定」などは本機能に未対応だ。

2 2画面で同時に操作が可能

同じアプリがSlide OverまたはSplit Viewで開く。標準アプリのみならず、App Storeからインストールしたアプリでも2画面表示が可能なものがあるので試してみよう

同じアプリが2画面で表示された。メモの場合は、同じメモを開いて同時に編集することもできる。また、ファイルアプリを2画面で開いておけば、ファイルの整理などを効率よく行うことが可能だ。

基本操作

no.
028

アプリ間でデータをスムーズに受け渡し

ウィンドウ間でテキストや
ファイルをドラッグ＆ドロップ

他のウィンドウに
テキストやファイルを
コピーまたは移動できる

　Slide OverやSplit Viewを用いて複数画面でアプリを起動している場合、テキストやファイル、リンクなどをドラッグ＆ドロップすることでウィンドウ間の移動やコピーが可能だ。例えば、メモアプリと写真アプリを同時起動し、写真をドラッグ＆ドロップしてメモに貼り付けたり、メモアプリを2つ起動して、選択したテキストを別のメモに移動したりなどの作業が効率的に行える。また、ファイルアプリを2つ同時起動すれば、ファイルの移動や整理も簡単になる。アプリによって対応状況は異なるが、いろいろなデータをドラッグ＆ドロップできるので試してみよう。

1 選択テキストを移動
またはコピーする

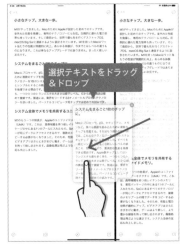

メモアプリなどでテキストを選択したら、ロングタップ。テキストが浮き上がったような表示になったら、別のウィンドウにドラッグ＆ドロップしよう。その場所にテキストが移動またはコピーされる。

2 ファイルを移動
またはコピーする

ファイルアプリなどでファイルをロングタップ。メニューが表示されるが、無視してそのまま別のウィンドウにドラッグ＆ドロップしよう。その場所にファイルが移動またはコピーされる。

---

no.
029

以前開いたアプリのウィンドウをすぐ開ける

各アプリで開いている
すべてのウィンドウを確認する

アプリごとのウィンドウを
一覧表示で
確認する

　従来のiPadでは、「ひとつのアプリが表示するウィンドウ（画面）はひとつのみ」だった。しかし、最新のiPadでは、「ひとつのアプリを複数のウィンドウで表示する」ことが可能となっている。それによって少し困るのが、例えば「以前Safariで開いたウィンドウを再表示したい」といった時だ。そのままSafariを起動しても、最後に表示したウィンドウしか表示されないため、Slide OverやSplit Viewで過去に開いたウィンドウを開くことができない。以前にそのアプリで開いたウィンドウをすべて確認したい場合は、「すべてのウィンドウを表示」を利用してみよう。

1 「すべてのウインドウを表示」
を実行する

ホーム画面でアプリをロングタップして、メニューを表示。「すべてのウインドウを表示」をタップしよう。なお、そのアプリが複数のウィンドウを使っていない場合、この項目は表示されない。

2 アプリで開いている
ウィンドウが一覧表示される

そのアプリで開いているすべてのウィンドウが表示される。それぞれタップすれば、そのウィンドウが開く。また、右上の「＋」をタップすると、新しいウィンドウでアプリを起動可能だ。

基本操作

no. 030

好きなアプリにデータを簡単に受け渡せる

別のアプリへ文章やデータを
ドラッグ&ドロップ

1 選択したテキストや
ファイルなどをロングタップ

対象のデータをロング
タップして少し動かす

2 ホーム画面に戻り
別のアプリを起動する

別の手を使ってホーム画面に戻り
別のアプリを起動する

3 別のアプリにデータを
コピーまたは移動できた

コピーまたは移動し
たい場所で指を離す

マルチタスク機能を使わなくても、文章やデータを別のアプリにドラッグ&ドロップすることが可能だ。まずは、選択テキストやファイルなどをロングタップして、少し動かした状態にしよう。

ロングタップしている指は離さず、別の手を使ってホーム画面を表示する。さらに、データを移動もしくはコピーしたい別のアプリを起動しよう。

起動したアプリの画面でロングタップした指を離せば、選択したテキストやファイルなどがコピーまたは移動することが可能だ。これでNo028と同じようなデータの受け渡しができる。

基本操作

---

no. 031

タッチパネルを
4〜5本指で操作

ジェスチャ機能を
使用する

　設定から「ジェスチャ」機能をオンにしておけば、4〜5本指を使ったジェスチャ操作が可能になる。例えば、アプリ使用中の画面を4本もしくは5本指でピンチインすれば、ホーム画面に戻ることが可能だ。また、4本もしくは5本指で画面を上へスワイプすれば、Appスイッチャー（No010で解説）表示することができる。慣れると便利なので試してみよう。

「設定」→「ホーム画面
とDock」→「マルチ
タスク」→「ジェスチ
ャ」をオンにすれば、
4本または5本指での
操作が可能になる

no. 032

すべての通信を
オフにできる

機内モードを
利用する

　航空機内など、電波を発する機器の使用を禁止されている場所でiPadを利用する際は、「機内モード」をオンにしよう。Wi-FiやBluetooth、モバイルデータ通信、電話など、電波を使う機能をすべて無効にすることが可能だ。機内モードのオン／オフは、コントロールセンター（No034で解説）にある飛行機マークのボタンをタップすれば切り替えることができる。

コントロールセンターを表示して、
機内モードのボタンをタップする。
なお、「設定」→「機内モード」をオ
ンにしても同様に機内モードとなる

no. 033

コントロールセンターで
向きをロックする

本体の向きで画面が
回転しないようにする

　iPadは、本体の向きに合わせて画面も縦、横に自動で回転する。便利な反面、例えばベッドに寝転がってSafariでWebサイトを見ている時など、本体の動きによって画面の向きが勝手に変わって記事が読みづらくなるといった弊害もある。そんな時はコントロールセンター（No034で解説）の「画面の向きのロック」をオンにしよう。現在表示している向きに画面が固定される。

コントロールセンターを表示
して、「画面の向きのロック」
をオンにする。これで画面が
縦もしくは横に固定される

no. 034

よく利用する設定や機能に素早くアクセス

コントロールセンターを利用する

画面右上隅から下のスワイプでいつでも便利な機能が呼び出せる

画面の右上隅から下にスワイプすることで表示できる「コントロールセンター」。設定や各種アプリを起動しなくても、さまざまな機能に素早くアクセスできる便利なパネル状のツールだ。コントロールセンターには、機内モードのオン／オフ、Wi-FiやBluetoothの接続／切断、ミュージックの操作、画面の明るさや音量の調整、カメラやフラッシュライトなどの機能が備わっている。どんな画面からでもスワイプで呼び出せるので、ロック画面で素早く機内モードを有効にしたり、アプリ使用中に「設定」を開くことなく画面の明るさを調整したりといった操作をスムーズに実行可能だ。

コントロールセンターの表示方法

✔ 画面の右上隅から下にスワイプする

コントロールセンターを表示したいなら、画面の右上隅から下にスワイプしてみよう。

✔ コントロールセンターが表示された

これでコントロールセンターが表示された。何もないところをタップすれば非表示になる。

コントロールセンターの使い方

コントロールセンターの各ツール

① 左上から時計回りに機内モード、AirDrop（Wi-Fiモデルの場合。セルラーモデルではモバイルデータ通信）、Bluetooth、Wi-Fi。BluetoothとWi-Fiは通信機能自体のオン／オフではなく、現在の接続相手（アクセスポイント）との接続／切断を行える。セルラーモデルの場合、ロングタップするとAirDropやインターネット共有のボタンも表示される（No035で解説）。

② ミュージックアプリなどの再生、停止、曲送り／戻しの操作を行う。ロングタップで詳細な操作が可能だ。

③ 左から画面の向きのロック、おやすみモードの切り替えを行う。おやすみモードはロングタップが可能。

④ 画面ミラーリング。Apple TVに接続し、画面をテレビなどに出力できる機能だ。

⑤ 左から画面の明るさ調節、音量調節。画面の明るさ調節のスライダーをロングタップして、ダークモードやNight Shift、True Toneの設定も行える。

⑥ ホームコントロール。ホームアプリで追加したアクセサリやシーンがボタンとして表示される。

⑦ 各種コントロールボタン。左上から消音、フラッシュライト、メモ、カメラ、QRコードスキャンボタン。機種や設定によってはボタンの内容が若干違う。

---

no. 035

隠れた機能を利用できる

コントロールセンターでコントロールをロングタップする

コントロールセンターの各コントロールは、ロングタップすることで隠れた機能を表示できる。例えば、左上の4つのボタンをロングタップすると、AirDropとインターネット共有のボタンが表示され、フラッシュライトをロングタップすると明るさ調節が可能など、さらなる機能を利用可能だ。どんな機能が備わっているかひと通り確認しておこう。

コントロールパネルの各ボタンをロングタップ

---

no. 036

表示される機能を追加／削除する

コントロールセンターをカスタマイズする

「設定」→「コントロールセンター」では、コントロールセンターで表示される各種コントロールボタンを追加することができる。初期状態で表示されるフラッシュライトなどのボタンが不要ならここから削除することも可能だ。

「＋」で追加、「－」で削除。右端の三本線の部分をドラッグして、配置の変更も可能だ

基本操作

no. 037
過去の通知をまとめて確認しよう
通知センターで
通知をチェック

画面左上隅から下方向へスワイプして表示する

「通知センター」は、画面左上隅から下方向へスワイプして引き出せる画面だ。ここでは、各種アプリの通知や新着メールなど、通知の履歴をまとめて一覧表示することができる。通知はしっかり確認しないで消してしまうことも多いので、あらためてチェックしたい時に利用しよう。各通知は個別に消去したり、日にちごとにまとめて消去したりも可能だ。また、通知の履歴はロック画面でも同じように確認できる（No048で解説）。なお、ロック画面に通知を表示するかどうかは、アプリごとに設定することが可能だ（No109で解説）。

1 通知の履歴をスワイプで表示

画面左上隅のステータスバーから下方向へスワイプして通知センターを表示。これまでの通知履歴がまとめて確認できる。画面の最下部を上へスワイプするか、ホームボタンを押せば画面が閉じる。

2 通知の履歴から通知を消去する

各通知を左方向へスワイプし「消去」をタップすれば、通知を個別に消去できる。また、「×」ボタンをタップしてから「消去」をタップすれば、通知をまとめて消去することも可能だ。

---

no. 038
通知から各種処理を行おう
通知の履歴画面で
通知内容に応対する

通知の履歴画面で、通知をロングタップまたはスワイプするとさまざまな処理を行える。例えば、メッセージの通知をロングタップすると、履歴画面でメッセージの全文表示や返信が可能だ。また、FaceTimeの通知では「メッセージを送信」および「かけ直す」操作を行える他、メールの通知ではゴミ箱に入れたり開封済みにしたりなどの処理が行える。

1 通知をロングタップして処理を行う

アプリによっては、通知をロングタップして各種処理を行える。例えばFaceTimeでは、かけ直しやメッセージの送信といった操作が可能だ。

2 通知をスワイプして処理を行う

通知を左へスワイプして「表示」をタップすると、ロングタップと同じ操作を行える。どちらでも好きな操作方法を利用しよう。

---

no. 039
iPadの画面を写真として残す
画面のスクリーンショット
を保存する

本体の電源／スリープボタンとホームボタンを同時に押す（ホームボタンのないiPadの場合はスリープボタンと音量ボタン＋を同時に押す）と、その時表示されている画面をスクリーンショットとして撮影および保存できる。撮影後は画面左下にサムネイル画像が表示され、タップするとマークアップ機能が起動。画像への書き込みや共有が簡単に行える。

1 スクリーンショットを撮影する

スクリーンショットを撮影すると、撮影画像のサムネイルが左下にしばらく表示される。画像加工や共有をするならタップしよう。

2 書き込みや共有を行う

サムネイルをタップすると、マークアップ機能が起動。画面右上の共有ボタンをタップすれば、メールやSNSなどで共有できる。

基本操作

no.
040

各種アプリの情報確認や機能を使う

ウィジェットを
利用する

1 ウィジェットを表示し さまざまな情報を確認

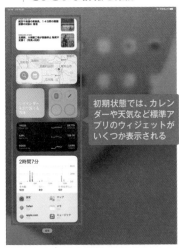

初期状態では、カレンダーや天気など標準アプリのウィジェットがいくつか表示される

ホーム画面の1ページ目やロック画面を右へスワイプするか、通知センター画面を右へスワイプすると、ウィジェット画面が表示可能だ。各ウィジェットをタップすると、該当アプリが起動する。

2 表示するウィジェットを 編集する

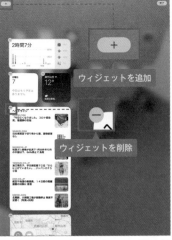

ウィジェットを追加

ウィジェットを削除

ウィジェット画面を一番下までスクロールし、「編集」をタップすると編集モードになる。各ウィジェットの「ー」で削除、左上の「＋」で追加が可能だ。ウィジェット自体をドラッグすれば並び替えも行える。

3 好きなウィジェットを 追加してみよう

配置したいウィジェットをタップしてサイズを選ぼう

「＋」ボタンをタップすると上のような画面になる。ここから追加したいウィジェットをタップして、配置するサイズなどを選択。「ウィジェットを追加」をタップすればウィジェット画面に配置される。

---

no.
041
ロングタップして
機能を編集できる

各ウィジェットの機能を
設定する

　ウィジェットによっては、配置したあとに機能を設定できるものがある。例えば天気ウィジェットは、天気を表示する場所（現在地以外の好きな場所）を設定可能だ。ウィジェットの設定を行う場合は、ウィジェット自体をロングタップし、表示されたメニューから「ウィジェットを編集」を選択すればいい。ウィジェットの設定画面が表示されるので、必要な項目を設定しておこう。

ウィジェットをロングタップしてメニューを表示

no.
042
古いアプリの
ウィジェットを使う

iPadOS 14非対応の
ウィジェットを利用する

　iPadOS 14に対応していない旧形式のウィジェットは、No040で紹介した手順とは別の方法で追加することができる。まずはウィジェット画面を表示、一番下にある「編集」をタップ。編集モードになったら、一番下にある「カスタマイズ」をタップしよう。旧形式のウィジェットが一覧表示されるので、「＋」で追加が可能だ。これウィジェット画面の最下部に追加される。

ウィジェット画面の「編集」→「カスタマイズ」をタップ。この画面で追加したいウィジェットの「＋」ボタンをタップする

no.
043
複数のウィジェットを
まとめることができる

スマートスタックを
利用する

　「スマートスタック」とは、複数のウィジェットを1つにまとめることができるフォルダのようなものだ。ウィジェットを表示したらロングタップし、ドラッグで別のウィジェットに重ね合わせればスマートスタック化される。なお、スマートスタックにまとめられるウィジェットは同じサイズのみだ。たくさんのウィジェットを使っている場合は、スマートスタックで整理するといい。

ウィジェット同士を重ね合わせるとスマートスタックになる

no. 044

横向き時はウィジェットを固定表示できる

ホーム画面の端に
ウィジェットを表示する

「ホーム画面に固定」で
画面の左端に
ウィジェットを固定

　iPadを横向きにした場合、ホーム画面の1ページ目を右にスワイプすると、時間や日付、ウィジェットが左端に表示されるようになる。これが「今日」と呼ばれる情報表示エリアとなる。元のホーム画面に戻るには画面を左にスワイプすればいい。また、今日の表示をホーム画面の1ページ目に固定したい場合は、ウィジェット画面の一番下にある「編集」をタップし、「ホーム画面に固定」をオンにしておこう。これでホーム画面からウィジェットにすぐアクセスできるようになる。なお、ホーム画面の2ページ目以降には、「今日」のエリアは表示されない。

1 iPadを横向きにして ウィジェットを表示

右にスワイプ

横向き時にホーム画面の1ページ目を右にスワイプすると、画面左端に時計と日付、ウィジェットが表示される。ウィジェット部分を上にスクロールし、一番下の「編集」をタップしよう。

2 「ホーム画面に固定」を オンにする

オンにする

時計やウィジェットが固定される

一番上にある「ホーム画面に固定」をオンにしておくと、横向き時のホーム画面1ページ目に、時計と日付、ウィジェットが固定表示されるようになる。必要に応じて設定しておこう。

基本操作

---

no. 045

よく使うウィジェットを
一番上に固定する

ウィジェットをピンで
固定する

　iPadの横画面でウィジェットを表示し、一番下の「編集」をタップ。「ホーム画面に固定」をオンにすると、「お気に入りのウィジェットをここにドラッグしてホーム画面にピン固定します。」という表示エリアが出現する。ここに好きなウィジェットをドラッグ&ドロップすると、ウィジェット一覧の一番上に固定表示することが可能だ。よく使うウィジェットを登録しておくといい。

一番上に固定表示したウィジェットをドラッグ&ドロップする

no. 046

重要な設定について
知らせてくれる

未設定項目の
通知に対応する

　初期設定でスキップした項目や、対処した方がよい重要な設定項目がある際は、「設定」の一番上にあるApple IDの部分の下に通知が表示される。例えば、初期設定でスキップした項目がある場合や2ファクタ認証（No054で解説）が未設定の場合、バックアップの作成がまだの場合などが該当する。この通知が表示されたらタップして、推奨される操作を実行しておこう。

iPadのバックアップに失敗しま… 1

タップして操作
を完了する

no. 047

余計な手間を省く
必須操作

元のアプリの
画面に戻る

　例えばメールに記載されたURLをタップすると、Safariが起動してリンク先のWebサイトが表示される。内容を確認し、またすぐにメールに戻りたい場合は、ステータスバー左端に表示される「メール」をタップすればよい。メールやSafariに限らず、何らかの情報やデータを別のアプリに受け渡した際は、同様の戻るボタンが表示され、すぐに移動前のアプリに戻ることができる。

◀ メール

タップして移動前
のアプリに戻る

no.
048
ロック中でも使える機能と注意点
ロック画面で行える
さまざまな操作

基本操作

通知の確認や
音楽の再生など
さまざまな操作が可能

　ロック画面でもホーム画面と同じようにコントロールセンターやウィジェットを利用できる。また、通知センターはロック画面と一体化しており、最新の通知が表示されるのはもちろん、画面を上へスワイプすることで過去の通知も一覧可能だ。ロック画面を左にスワイプすれば、カメラを即座に起動して写真およびビデオの撮影を行える（ただし、写真アプリ内の写真およびビデオには、ロックを解除しないとアクセスできない）。さらにSiriも利用できるなど、ロックを解除しなくても各種操作を行えて便利だ。ただし、セキュリティを重視するなら、アクセスできる機能を制限するよう設定を見直す必要がある。

コントロールセンターやカメラの起動

☑ ロック画面で
各種ツールを利用

コントロールセンターで各機能のオン／オフはもちろん、ミュージックの操作も行える

画面右上隅から下にスワイプすることでコントロールセンターを、画面を右へスワイプすることでウィジェット画面を表示できる。なお、ウィジェットからアプリを起動するにはロックの解除が必要だ。

☑ 素早くカメラを起動し
すぐに撮影できる

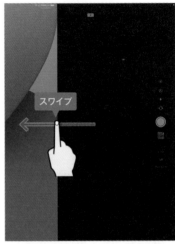

スワイプ

ロック画面を左へスワイプするとカメラが起動し、写真やビデオ撮影を即座に行える。タイマー撮影などの各種機能も利用可能だ。この方法で撮影した写真、ビデオもロックを解除せず確認できる。

ロック画面で確認できる通知機能

☑ ロック画面で
通知センターを確認する

上にスワイプ

ロック画面には最新の通知が一覧表示される。各通知をロングタップおよびスワイプすれば、各種操作が可能だ。さらに画面を上方向へスワイプすることで過去の通知も一覧表示できる。

☑ ロック画面での
さまざまな通知表示

メッセージやメールの内容も表示できる

メールやメッセージの新着などは、内容の一部も通知に表示される。便利な反面、個人情報が漏洩する可能性もあるので、気になる場合は、「設定」→「通知」でメールやメッセージを選び、「プレビューを表示」を「ロックされていないときのみ」か「しない」に設定しよう。

☑ ロック画面の
各種表示を制限する

スイッチでオン／オフ

セキュリティを重視したいなら、ロック画面で各機能にアクセスできないよう制限しておこう。「設定」→「Face ID（Touch ID）とパスコード」の「ロック中にアクセスを許可」欄にある各スイッチをオフにすればOK。なお、ウィジェット画面は「今日の表示」で設定する。

no. 049 Apple IDを取得する

アプリのインストールやiCloud利用に必須

Appleのサービスを利用するための必須アカウント

「Apple ID」は、Appleの各種サービスや機能を利用するためのアカウントで、IDとなるメールアドレスとパスワードのセットで利用する。App Storeでのアプリのインストールや、iTunes Storeでの音楽、映画の購入、iCloudでのバックアップや同期、メッセージアプリでのiMessageのやりとり、FaceTimeでの通話などに必須だ。iPadを最初に起動した際の初期設定手順で取得しなかった人は、ぜひ右の手順で新規作成しておこう。

App StoreやiTunes Store、iCloudといったAppleのオンラインサービスの支払い方法や利用状況、利用履歴は、すべてApple IDに紐付けられる。一度クレジットカード情報を登録しておけば、毎回支払い情報を入力しなくてもアプリや音楽を素早く購入できる上、過去にダウンロードしたコンテンツもいつでもまとめて確認、再ダウンロードが可能だ。また、iPhoneやパソコン、別のiPadで同じApple IDを使えば、さまざまなコンテンツや利用履歴を同期、共有できる。例えば、iPhoneで入力した連絡先をiCloudを介して自動的にiPadの連絡先に反映させたり、パソコンのiTunesで購入した曲を自動でiPadに追加したり（No490で解説）といったことが可能。なお、Apple IDは複数取得することもでき、あえてiPhoneとiPadで別々のアカウントを使うこともできる。

Apple IDの新規作成方法

1 設定からApple IDの作成画面を表示

Apple IDをお持ちでないか忘れた場合

Apple IDにサインインしていない場合は、ここからApple IDを新規作成できる

「設定」の一番上にある「iPadにサインイン」をタップして「Apple IDをお持ちでないか忘れた場合」→「Apple IDを作成」をタップ。生年月日や名前、メールアドレス（iCloudメールを無料で作成することも可能）、パスワードの設定と、処理を進めていく。すでにApple IDでサインイン中で、新たなApple IDを作成するなら、https://appleid.apple.com/にアクセスして、「Apple IDを作成」を選択しよう。

2 電話番号を入力し本人確認を行う

パスワード設定後、SMSか音声通話での本人確認に使用する電話番号を入力する必要がある。入力した番号にSMSもしくは音声で届いた確認コードを入力。利用規約に同意後、iPadのパスコードを入力しよう。

3 メールアドレスの確認処理を行う

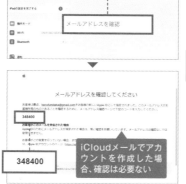

メールアドレスを確認

メールアドレスを確認してください

348400

348400

iCloudメールでアカウントを作成した場合、確認は必要ない

「設定」のApple ID画面で「メールアドレスを確認」をタップ。設定したメールアドレス宛に届いたメールに記載された6桁のコードを入力すれば完了だ。なお、iTunes StoreやApp Storeを利用する場合は、別途支払い情報などの登録が必要となる。

使いこなしヒント

Apple IDにサインインするとApple ID名が表示される

狩野文孝
Apple ID、iCloud、メディアと購入

Apple IDを新規作成すると自動的にサインインも行われ、「設定」の一番上の項目に自分のApple ID名（通常は登録した氏名）が表示されるようになる。ここをタップすると、Apple IDやiCloud関連のさまざまな設定を行うことが可能だ。

no. 050
各種ストア機能を使うための準備
iTunes Storeと
App Storeにサインインする

iTunes StoreやApple Storeを利用するのであれば、「設定」→Apple ID名→「メディアと購入」の欄を確認しておこう。ここが「オフ」のままになっていると、iTunes StoreとApp Storeでミュージックやアプリ購入するときに再びサインインが必要になってしまう。あらかじめ「メディアと購入」→「続ける」をタップしてサインインしておこう。

1 「メディアと購入」をタップする

2 「続ける」をタップする

まずは、「設定」を開き、Apple ID名をタップ。「メディアと購入」の欄が「オフ」であればタップしよう。

上のような表示になるので「続ける」をタップ。これでiTunes StoreとApp Storeにサインインされる。

no. 051
カード情報などを編集しよう
Apple IDの支払い情報を
変更、削除する

アプリや映画を購入するには、Apple IDに「支払いと配送先」の情報を登録しておく必要がある。「設定」の一番上にあるApple ID名をタップして「支払いと配送先」をタップ。続けて「お支払い方法を追加」からクレジットカードなどの支払い方法と住所などを登録しておこう。docomo、au、SoftBankユーザーは、「キャリア決済」を選んで毎月の利用料と合わせて支払うこともできる（No363で解説）。なお、クレジットカードの更新などですでに登録済みの支払い方法を変更するには、「支払いと配送先」画面で登録済みのカード名などをタップすればいい。同じ画面の右上にある「編集」から支払い方法の情報を個別に削除することも可能だ。

「設定」→Apple ID名→「支払いと配送先」で、支払い情報の編集が可能だ。クレジットカードなどの支払い情報を正しいものに設定しておこう

no. 052
アカウントの情報はいつでも変更できる
Apple IDのIDや
パスワードを変更する

1 設定でApple IDの画面を開く

2 Apple IDのメールアドレスを変更

3 Apple IDのパスワードを変更

「設定」の一番上にあるApple IDの名前をタップし、Apple IDの管理画面を開く。Apple IDとして利用するメールアドレスを変更したい場合は「名前、電話番号、メール」を、パスワードを変更するには「パスワードとセキュリティ」をタップ。

Apple IDのメールアドレスを変更するには、「名前、電話番号、メール」の「連絡先」欄にある「編集」をタップし、続けて「－」→「削除」をタップ。新しいメールアドレスを入力しよう。iMessageやFaceTime用の連絡先を追加することもできる。

Apple IDのパスワードを変更するには、「パスワードとセキュリティ」→「パスワードの変更」をタップし、iPadのパスコードを入力。続けて新規パスワードを入力し、最後に「変更」をタップすればよい。

no. 053

面倒なパスワード管理を簡単かつ安全に

パスワードの生成、保存、自動ログイン機能を利用する

パスワードを複数端末で同期できるiCloudキーチェーン

iPadでは、Webサービスやアプリにログインする時のアカウント情報（ID、パスワード）を「iCloudキーチェーン」に保存し、次回のログイン時にワンタップで呼び出して自動入力できる。iCloudキーチェーンの情報は、同じApple IDを使っているiPhoneやiPad、Macに自動同期されるので、複数のApple製端末を使っている人はさらに便利だ。他にも、新規アカウント作成時のパスワード自動生成機能、同じパスワードを使いまわしているアカウントの警告機能なども備えている。また、「1Password」など、他社製のパスワード管理アプリとも連携が可能だ。パスワード管理が安全かつ手軽になるので、ぜひ使いこなしてみよう。

iCloudキーチェーンを有効にしておこう

1 設定画面でキーチェーン機能を有効にする

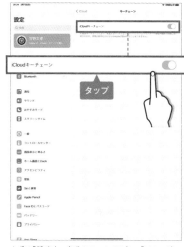

まずは「設定」→自分のApple ID名→「iCloud」→「キーチェーン」をタップ。「iCloudキーチェーン」のスイッチをオンにしておこう。

2 パスワードを保存する

次に「設定」→「パスワード」→「パスワードを自動入力」をタップ。「パスワードを自動入力」をオンにしておき、「iCloudキーチェーン」をタップしてチェックを入れておこう。もし、他のパスワード管理アプリも同時に使うなら、そちらにもチェックを入れておく。

基本操作

パスワードの生成や保存、自動入力機能を使う

1 パスワードを自動生成する

新規アカウントを作成する場合、パスワードの入力欄をタップすると自動的にパスワードが生成され提案される。「強力なパスワードを使用」をタップすれば、そのパスワードをiCloudキーチェーンに保存することが可能だ。自分でパスワードを作成したい場合は「独自のパスワードを選択」を選ぼう。

2 タップしてパスワードを自動入力する

対応アプリやWebサービスにログインした際は、そのアカウント情報をiCloudキーチェーンに保存するかを聞かれる。「パスワードを保存」をタップして保存しておけば、次回のログイン時に保存した候補が表示されるようになる。ここから簡単にIDとパスワードを自動入力することが可能だ。

3 保存されているパスワードを確認する

「設定」→「パスワード」タップし、Face IDなどで認証を済ませると、iCloudキーチェーンに保存されているアカウント情報を確認できる。ここからIDやパスワードの変更も可能だ。

no.
054

不正利用を防ぐために設定しよう

2ファクタ認証でApple IDの
セキュリティを強化する

不正アクセスを
防止するための
強固な認証手段

　Apple IDのパスワードが盗まれた際の不正アクセスを防ぐために「2ファクタ認証」を設定しておこう。2ファクタ認証済みのアカウントは、ユーザーが信頼した端末でのみアクセス可能だ。また、新しいデバイスではじめてサインインする場合は、パスワードに加え、信頼済みのデバイスに表示される6桁のパスコードが必要となる。パスワード単体ではサインインできないので、たとえパスワードが流出しても不正利用される心配がなくなるのだ。なお、最近作成したApple IDの場合はすでに2ファクタ認証済みなので、この作業は必要ない。

1 「2ファクタ認証」を有効にする

入力した電話番号のSMSや音声で確認コードを受け取り入力すれば、このiPadが信頼されたデバイスとなる

「設定」の一番上にあるApple IDの名前部分をタップし、続けて「パスワードとセキュリティ」→「2ファクタ認証を有効にする」をタップ。「続ける」で処理を進め、本人確認用の電話番号を入力する。

2 2ファクタ認証でサインインする方法

信頼されたデバイス（ここではiPad）に表示される6桁の確認コードを入力しないと、新たなデバイスでApple IDを使うことができない

2ファクタ認証を有効にすると、新しいデバイスでApple IDにサインインした際に、手順1で登録した信頼されたデバイスで確認ダイアログが表示されるようになる。サインインにはこの確認コードも必要になるので、よりセキュリティが高まるのだ。

---

no.
055

他社製のサービスにもログイン可能

Apple IDで各種アプリや
サービスにログイン

　Apple IDは、Apple以外が提供している他社製アプリのログインにも利用することが可能だ。アプリがApple IDでのログインに対応していれば、新規アカウントを作らずにApple IDだけでログインできるようになる。過去にApple IDでログインしたアプリは、「設定」→Apple ID名→「パスワードとセキュリティ」→「Apple IDを使用中のApp」で管理可能だ。

1 Apple IDでサインイン

アプリによってはApple IDでサインインできる

他社製アプリの中には、Apple IDでサインインできるものがある。新規アカウントを作らずにサインインできるので便利だ。

2 Apple IDを使用中のアプリを確認

過去にApple IDでサインインでしたアプリが表示される

「設定」→Apple ID名→「パスワードとセキュリティ」→「Apple IDを使用中のApp」を開くと、Apple IDと紐付いているアプリを確認できる。

---

no.
056

ChromeやGmailをデフォルトにする

デフォルトのWebブラウザや
メールアプリを変更する

　iPadでは、URLやメールアドレスのリンクをタップすると、デフォルトのブラウザ（Safari）やメールアプリが起動するようになっている。他社製のブラウザやメールアプリが導入されている場合、このデフォルトアプリを変更することが可能だ。以下では、Google製のブラウザアプリ「Chrome」とメールアプリ「Gmail」をデフォルトにする方法を紹介しよう。

1 ブラウザアプリのデフォルトを設定

デフォルトにしたいアプリ名をタップする

「設定」→「Chrome」→「デフォルトのブラウザApp」を表示したら「Chrome」をタップ。これでChromeがデフォルトのブラウザになる。

2 メールアプリのデフォルトを設定

デフォルトにしたいアプリ名をタップする

「設定」→「Gmail」→「デフォルトのメールApp」を表示したら「Gmail」をタップ。これでGmailがデフォルトのメールアプリになる。

no. 057 Wi-Fiを利用する
高速な無線LANに接続しよう

iPadのWi-Fiモデルだけでなく、モバイルデータ通信機能を搭載したWi-Fi + Cellularモデルでも、自宅ではWi-Fiでインターネット接続する方がおすすめだ。Wi-Fiは、自宅にインターネット回線があれば、数千円のWi-Fiルータを購入するだけで簡単に導入できる。なお、一度接続したWi-Fiネットワークには、以降基本的には自動で接続される。

1 Wi-Fiをオンにしてパスワードを入力

オンにする

Wi-Fi

タップ

Wi-Fiルータに貼ってあるシールなどに記載されているWi-Fiネットワーク名（SSID）とパスワードを確認し、iPadの「設定」→「Wi-Fi」でWi-Fiをオンに。確認しておいたルータ名が検出されたらタップし、続けてパスワードを入力。「接続」をタップしよう。

2 高速かつ安定したネット接続が可能に

Wi-Fi接続中は、ステータスバーにアイコンが表示される

画面左上にWi-Fiのマークが表示されたら接続成功。Safariなどを起動して、きちんとネット接続されているかどうか確認しよう。

no. 058 Wi-Fiパスワードの共有機能を利用する
Wi-Fiパスワードの入力を簡略化

すでにiPhoneで接続中のWi-FiネットワークにiPadも接続したい場合、Wi-Fiパスワードを端末間で共有することができる。方法は、iPad側で接続したいWi-Fiネットワークのパスワード入力画面を表示し、iPhoneを近付けるだけだ。なお、他人のiOS端末でも共有元の端末で相手の連絡先が登録されていれば、Wi-Fiパスワードを共有することができる。

1 Wi-Fiのパスワード入力画面で待機

iPhoneで接続中のWi-Fiネットワーク名を選択

iPad側で「設定」→「Wi-Fi」を表示して接続したいWi-Fiネットワーク名（SSID）をタップ。パスワード入力画面を表示しておく。

2 iPhoneを近付けて共有する

Wi-Fiパスワード

タップ

パスワードを共有

iPadにiPhoneを近付けると上のような画面になるので「パスワードを共有」をタップ。これでWi-Fiパスワードが共有される。

---

no. 059 不要なWi-Fiに自動接続しないようにする
使えないWi-Fiにつながらないように

Wi-Fiがオンの場合、一度接続したWi-Fiアクセスポイントには自動で接続するようになる。不安定なスポットやログインが必要なスポットに自動で接続されたくない場合は、自動接続機能をオフにしておこう。自動接続をオフにしても、パスワードなどの接続設定は保持されたままなので、ネットワークの選択画面でアクセスポイントをタップすればすぐに接続できる。

「設定」→「Wi-Fi」で、自動接続したくないネットワークの「i」をタップ。「自動接続」のスイッチをオフにしよう。

no. 060 ネットワーク設定を削除する
使わないアクセスポイントの設定を削除

Wi-Fiの自動接続機能をオフにしても、パスワードなどの接続情報は保存されたままだ。これをすべてリセットしたい場合は、ネットワーク設定を削除してしまおう。「設定」→「Wi-Fi」で、削除したいWi-Fiネットワーク名の「i」ボタンをタップ。詳細情報画面で「このネットワーク設定を削除」をタップすればよい。なお、次に接続する際には、あらためてパスワード入力が必要になる。

タップしてネットワークの設定を削除

no. 061 画面の一番上に素早く移動する
スクロールの手間を省く

ノートアプリやニュースアプリ、Twitterアプリなどでどんどん下へスクロールした後、ページの一番上に戻りたい時は、フリックやスワイプを繰り返すのではなく、ステータスバー（時刻などが表示されている画面上部の細長いエリア）をタップすればよい。それだけで即座に一番上までスクロールされる。これは、縦にスクロールするほとんどのアプリ、画面で利用できる操作法だ。なお、Safariの場合はステータスバーをタップすると、スマート検索フィールドが表示されるので、もう一度ステータスバーをタップする必要がある。

ステータスバーをタップ

no. 062 メールの内容まで検索できる
検索機能でiPad内のデータを検索する

ホーム画面を下にスワイプすると、画面上部に検索欄が表示される。この検索欄では、iPad内にあるアプリや連絡先、メール、音楽、ファイルなどのあらゆるデータをキーワード検索することが可能だ。なお、検索欄下の「Siriからの提案」では、ユーザーが次に使いそうなアプリなどを提案してくれる。

1 ホーム画面をスワイプする

ホーム画面を下にスワイプ

2 検索ボックスにキーワードを入力

メールの本文内も検索可能だ

ホーム画面を下にスワイプして検索ボックスを表示。「Siriからの提案」には、ユーザーが次に使いそうなアプリや検索しそうなワードなどが予測表示される。

検索ボックスにキーワードを入力すると、検索候補が即座に表示される。検索結果の連絡先から直接メッセージやFaceTimeを利用したり、音楽の検索結果をすぐに再生することが可能だ。

no. 063 画面収録機能を利用する
画面の動きを動画として録画する

iPadOS搭載の「画面収録」機能を使えば、iPadの画面の動きをそのまま動画として保存できる。ただし、画面収録機能は、コントロールセンターをカスタマイズ（No036で解説）しないと利用できない。まずは、設定でコントロールセンターに画面収録機能のボタンを表示させておこう。

1 「画面収録」機能を表示する

画面収録のボタン

2 画面の動きが録画される

タップして、続けて「停止」をタップすれば、動画が写真アプリに保存される

まずは「設定」→「コントロールセンター」で「画面収録」の「＋」をタップ。すると、コントロールセンターに画面収録のボタンが追加される。ロングタップすると、マイクのオン／オフも設定可能だ。

画面収録のボタンをタップして録画スタート。録画中はステータスバーに赤いマークが表示され、タップすれば録画を停止できる。保存した動画は写真アプリから再生可能だ。

no. 064 通知音や着信音を消音にする
サイレントモードを利用する

会議中や電車内など、通知音や着信音を鳴らしたくない場所では、サイレントモードを利用しよう。画面右上隅を下にスワイプしてコントロールセンターを表示し、消音ボタンをタップしてオンにするだけでOKだ。なお、iPad Air 2およびmini 3より古いモデルには側面にスイッチが搭載されており、「設定」→「一般」で消音のオン／オフ機能を割り当てることができる。

コントロールセンターで消音ボタンをタップしオンにしよう。なお、サイレントモードでも、音楽やアラームは消音されない

no. 065 True Tone機能をオフにしよう
画面の黄色っぽさが気になる場合は

一部のiPadには「True Tone」機能が搭載されており、周囲の光に合わせて画面の色合いを自動調整してくれる。ただし、この機能を有効にしていると、室内など特定の環境だと画面が黄色っぽく表示される傾向にある。気になる場合は設定でTrue Toneをオフにしておくといい。

True Tone機能による画面の黄色味が気になる場合は、「設定」→「画面表示と明るさ」で「True Tone」のスイッチをオフにしよう

no. 066 ブルーライトをカットする
Night Shiftで目に優しい画面表示に

「Night Shift」は、目の疲れの原因と言われるブルーライトを低減させる機能だ。有効にすると、ディスプレイが暖色系の表示に調整され、目への負担が軽減される。夜間にブルーライトを発する画面を見続けると睡眠に影響を及ぼすと言われているので、就寝前にiPadを使う際に有効にしたい機能だ。

「設定」→「画面表示と明るさ」→「Night Shift」で「時間指定」をオンにし、Night Shiftを有効にするスケジュールを設定しよう

no. 067 SiriでiPadを音声コントロールする

音声で指示を出しiPadを秘書のように活用しよう

どんどん賢くなっていくiPadOSの秘書機能

iPadOSの特徴的な機能のひとつ「Siri」は、iPadに話しかけることで、各種情報の検索やアプリの操作などを実行してくれる機能だ。「今日の天気は?」や「ここから○○駅までの道順は?」、「○○をオンに」などと用件を話しかければ、Siriが各種処理を自動で実行してくれる。また、「この曲は何?」と言って曲名を調べたり、「アラームをすべて削除」と言って設定中のアラームを全削除したり、さらには「○時に○○を思い出させて」といってリマインダーに予定を登録したりなど、一歩進んだ使い方も可能だ。

1 設定でSiriを有効にしておく

ホームボタンのないiPadの場合は「トップボタンを押して~」をオンに。ホームボタンのあるiPadでは「ホームボタンを押して~」をオンにする

まずは「設定」→「Siriと検索」で「トップボタン(もしくはホームボタン)を押してSiriを使用」をオンにしておこう。なお、「Hey Siri」機能については、No068で解説している。

2 Siriを起動し用件を伝える

トップボタンもしくはホームボタンを長押ししてSiriを起動する

画面右下でSiriが起動する

ホームボタンのないiPadの場合はトップボタン(電源/スリープボタン)、ホームボタンのあるiPadではホームボタンを長押しすればSiriが起動する。Siriに話しかけて、さまざまな用件を頼んでみよう。

---

no. 068 自分の声だけで呼び出せる

Hey Siriと呼びかけてSiriを起動する

「Hey Siri」機能を有効にすれば、ボタンを押すことなく、iPadに「ヘイシリ」と話しかけるだけでSiriを起動できる。「設定」→「Siriと検索」で「"Hey Siri"を聞き取る」をオンにし、自分の声を認識させよう。なお、「トップボタン(ホームボタン)を押してSiriを起動」をオフにして、Siriの起動をHey Siriのみに限定することも可能だ。

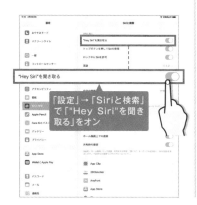

「設定」→「Siriと検索」で「"Hey Siri"を聞き取る」をオン

no. 069 声を出さずにSiriを使える

キーボード入力でSiriを利用する

周りに人がいる時など、声を出してSiriを使用するのが恥ずかしい状況では、「タイプ入力」機能を試してみよう。「設定」→「アクセシビリティ」→「Siri」で「Siriにタイプ入力」のスイッチをオンにすれば、Siri起動時にキーボードが表示され、文字入力でSiriに命令できるようになる。ただし、音声入力は無効になる(Hey Siriで呼び出した場合は有効)。なお、タイプ入力時も、Siriは音声で返答するので注意。

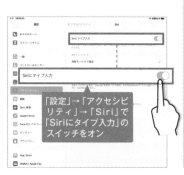

「設定」→「アクセシビリティ」→「Siri」で「Siriにタイプ入力」のスイッチをオン

no. 070 保存したパスワードを表示してくれる

Siriにパスワードを教えてもらう

Siriを起動したら「パスワードを教えて」と話しかけてみよう。iCloudキーチェーンで保存したパスワード(No053で解説)を調べることができる。ただし、確認するにはFace IDやTouch IDなどの認証も必要だ。

Siriを起動して「パスワードを教えて」と話しかける

Face ID認証などのあと、保存されたパスワードが表示される

no. 071 音声でよく使う操作を実行できる
Siriショートカットを利用する

音声フレーズで特定の操作を実行してみよう

「Siriショートカット」とは、アプリの操作などを音声ショートカットとして登録し、Siriに話しかけることで実行できる機能だ。例えば、「乗換案内アプリで現在地から自宅までのルートを検索する」という操作に「自宅に帰る」という音声コマンドを割り当てれば、Siriに「自宅に帰る」と話しかけるだけで実行できるようなる。Siriショートカットを登録するには、対応アプリ側に用意されている登録ボタンから設定しよう。なお、同じ操作を頻繁に繰り返していると、通知にSiriショートカットが提案されることもある。

1 アプリの特定の動作をSiriショートカットに登録する

ここでは「Yahoo!乗換案内」で現在地から会社までのルート検索を実行する動作をSiriショートカットに登録してみる。ルート検索結果画面の「このルートをSiriに登録」ボタンをタップし、音声コマンドを設定(ここでは「自宅に帰る」にした)。「Siriに追加」ボタンをタップする。

2 Siriに音声コマンドを話しかけてショートカット実行

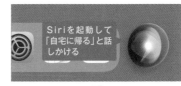

Siriショートカットの登録が終わったら、Siriを起動。先ほど登録した音声コマンドを話しかけてみる。すると、Yahoo!乗換案内でルート検索が実行されるのだ。なお、登録したSiriショートカットは「ショートカット」アプリで確認可能だ。

no. 072 計算や経路検索もできてしまう
Siriの便利な使い方を覚えよう

SiriはiPadOSがバージョンアップする度に賢くなっており、音声入力だけでさまざまな操作が行える。以下に、覚えておくと役立つ音声入力例を紹介しておくので試してみよう。

Siriの音声入力例

音声入力	概要
3分後にタイマー	時計アプリのタイマーを3分間にセットしてスタートしてくれる
新宿駅に行きたい	目的地を新宿駅として、マップの経路検索を実行、ナビゲーションを開始する
ニューヨークに行きたいを英語で	「ニューヨークに行きたい」を翻訳し、Siriが英語で喋ってくれる
24日に締切とリマインド	リマインダーアプリを起動し、次の24日に「締切」とリマインド登録する
この曲は何?	ラジオやテレビで今流れている曲をSiriに聞かせると、曲名を検索してくれる
3,800円を4人で割り勘	3,800円を4人で割り勘して、「1人あたり950円です」と結果を喋ってくれる
妻に電話	最初は「妻」が誰かがわからないので、連絡先の登録が必要。登録が済むと電話してくれるようになる。「父」や「母」、「娘」、「上司」などでも登録できる
さようなら	Siriを終了する

no. 073 さまざまなアプリで共通した機能
「共有」ボタンの使い方を覚える

数多くのアプリで搭載されている「共有」ボタン。アプリ内でファイルや何らかの項目を選択し、共有ボタンをタップすると、AirDropやメールでの送信、SNS系アプリでの投稿など、さまざまな操作が共有シート上に表示される。他のアプリでデータを開いたり、印刷したりなども行えるので覚えておこう。

1 共有ボタンをタップする

例えば写真アプリでは、画面右上に共有ボタンが表示される。ボタンをタップすると、画面中央に共有シートが表示されるのだ。

2 共有シートが表示される

共有シートの内容はアプリによって異なるが、メールで送信したり、他のアプリで開いたりなどが可能だ。複数のファイルを選択して処理することもできる。

no. 074 共有シートのアクションを編集する

よく使う項目を一番上に並べ替える

共有ボタンをタップして表示される共有シートには、さまざまな項目が表示される。これらの項目でよく使うものは一番上に並べ替えておくと使いやすくなる。共有シートの一番下にある「アクションを編集」をタップして、「よく使う項目」に登録する項目の「＋」をタップしよう。

1 共有シートを上にスワイプする

上にスワイプ

まずは写真アプリなどで共有ボタンをタップして共有シートを表示。共有シートは上にスワイプすると、「写真をコピー」や「アルバムに追加」など、さまざまな項目が表示される。

2 アクションを編集する

「＋」をタップしてよく使う項目に追加

共有シートの一番下にある「アクションを編集」すると、よく使う項目として一番上に並べ替えることが可能だ。または、一部の項目を共有シートから非表示にすることもできる。

no. 075 拡大鏡機能を利用する

カメラ機能を拡大鏡として使う

「最近小さな文字が見えにくくなった」という人は、iPadの拡大鏡機能を使ってみよう。iPadの背面カメラで映像を大きく写すことができる機能だ。これにより、文字の小さな雑誌や本、書類などを見やすくすることができる。なお、拡大鏡機能の画面左下にあるスライダーで拡大率の変更も可能だ。

1 拡大鏡機能を有効にする

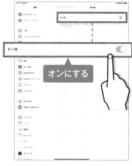

オンにする

拡大鏡機能を利用するには、「設定」→「アクセシビリティ」→「拡大鏡」で「拡大鏡」のスイッチをオンにしておこう。

2 拡大鏡で文字を大きく写す

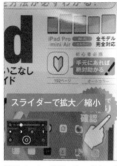

スライダーで拡大／縮小

電源／スリープボタン（トップボタン）を3回連続で押すと、拡大鏡機能が起動。iPadの背面カメラで小さな文字などを大きく写すことができる。

---

no. 076 ひとつ前の操作をキャンセルする

iPad本体を振って行う隠し技

メール作成中などに文字入力を誤った際は、iPad本体を軽く振ってみよう。「取り消す - 入力」と表示され、「取り消す」をタップすると直前の入力操作をキャンセルできる。取り消された後もう一度iPadを振ると、「やり直す」というメニューが表示され、取消操作をキャンセルできる。文字入力以外でも、メールをゴミ箱へ入れた操作や写真アプリで適用したフィルタを取り消すなど、さまざまなアプリで実行できるテクニックだ。

タップして直前の操作をキャンセル

no. 077 画面をタップしてスリープを解除する

ホームボタンのないiPadで便利

ホームボタンのないiPadの場合、画面のタップでスリープを解除することができる。「設定」→「アクセシビリティ」→「タッチ」→「タップしてスリープ解除」を有効にしておこう。いちいち電源／スリープボタンを操作しなくても画面をタップするだけでスリープを解除できるようになるので便利だ。

「設定」→「アクセシビリティ」→「タッチ」→「タップしてスリープ解除」のスイッチをオン

no. 078 ホームボタンに触れるだけでロックを解除する

ロック解除を素早くする設定技

Touch IDが有効で、「設定」→「アクセシビリティ」→「ホームボタン」の「指を当てて開く」のスイッチがオンになっていれば、ロック画面でホームボタンに指を置くだけでロックを解除し、ホーム画面を表示できる。スイッチがオフだと、ロック解除後、ホームボタンを押さないとホーム画面に移行しない。

この機能は、ホームボタンが搭載されているTouch ID対応のiPadのみで利用できる

基本操作

43

no.
079

連絡先や写真をスマートに交換

AirDropで他のユーザーと データを共有する

近くの端末同士で データ交換する 便利機能

「AirDrop（エアドロップ）」を使えば、近くのiPadやiPhoneと手軽に連絡先や写真などのデータを送受信できる。通常、メールやクラウドサービス、データ交換アプリを使わなければならない作業が、標準機能だけで行えるのだ。AirDropを使うには、双方の端末が近くにあり、それぞれWi-FiとBluetoothがオンになっている必要がある。なお、Wi-Fiはアクセスポイントに接続している必要はない。

AirDropでデータを送受信するには、送信側がBluetoothを使って受信側の端末を検出する必要がある。まずは受信側の端末でコントロールセンターを表示し、一番上の4つのボタン（機内モードやWi-Fiなど）の部分をロングタップ。続けて、拡大表示された「AirDrop」をタップしよう。検出を許可する相手を近くにいる全員にするか、自分の連絡先に登録しているユーザーに限定するかを選択する。後は、送信側が各種アプリの共有シートを呼び出し、「AirDrop」をタップして表示されている相手の端末名をタップすればいい。受信側にメッセージが表示されるので、「受け入れる」をタップすれば、送受信が完了する。

なお、AirDropを利用できるiOS端末は、第4世代以降のiPad、すべてのiPad Air／mini／Pro、iPhone 5以降のiPhone、すべてのiPhone Plus、第5世代以降のiPod touchだ。また、OS X Yosemite以降をインストールしたMac（非対応の旧モデルもあり）ともAirDropを使ってデータのやり取りを行える。

基本操作

AirDropの利用手順

1 受信側でAirDropの 検出を許可する

受信側の端末でコントロールセンターを開き、一番上の4つのボタンの部分をロングタップ。続けて、「AirDrop」をタップし、送信側からの検出を許可する。基本的には「すべての人」で良いが、相手を連絡先に登録済みなら「連絡先のみ」でもOKだ。また、Wi-FiとBluetoothをオンにしておくこと。

2 送信側で送りたい 項目を選択する

連絡先の場合

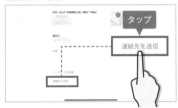

写真の場合

連絡先を送りたい場合は、各連絡先の下の方にある「連絡先を送信」をタップ。写真の場合は、写真アプリで写真を選択した上で共有ボタンをタップして共有シートを表示しよう。写真の場合は複数同時に選択して、まとめて送信することも可能だ。

3 送信する相手の 端末を選択する

共有シートの「AirDrop」をタップすると、相手の端末名が表示される。相手が複数検出された場合は、それぞれの名前が表示されるので送信したい相手をタップしよう

4 受信側が 受け入れる

データが送信されると、受信側ではこのようなメッセージが表示される。「受け入れる」をタップしよう。連絡先の場合は「保存」をタップして受信完了だ

no.
080
支払い情報の一本化やコンテンツの共有が可能
ファミリー共有を使用する

別々のApple IDを使っていてもさまざまな共有が可能

家族がiPadやiPhoneを使っている場合は「ファミリー共有」機能を利用しよう。それぞれ別のApple IDを使っていても、全員がひとつの支払い情報でアプリや音楽、映画などの有料コンテンツを購入でき、購入したコンテンツもメンバー全員で共有できる（最大6名まで）。また、写真アプリに「Family」という共有アルバムを作って写真を共有したり、カレンダーアプリに「Family」という共有カレンダーを作って予定を共有したりも可能。「探す」アプリで家族の位置情報をリアルタイムに把握することもできる。なお、ファミリー共有を設定したメンバーなら、Apple TVやApple Music、Apple Arcadeなどの各種サービスもファミリーで共有可能だ。

ファミリー共有を設定する

1 Apple ID管理画面から設定を始める

ここではメールを使ってメンバーを招待する。相手がメッセージを開き「～さんからの登録案内」をタップして処理を行えば、メンバーに追加される

「設定」の一番上にあるApple IDの名前をタップし、Apple IDの管理画面を開こう。「ファミリー共有」をタップし、続けて「ファミリーを設定」→「登録を依頼」をタップしよう。招待を送る方法をAirDropやメッセージ、メールなどから選択。これで他のファミリーに追加したいメンバーを招待しよう。招待された側がリンクにアクセスし、Apple IDでサインインすればメンバーに追加することができる。

2 ファミリー共有の設定画面

「設定」→Apple ID名→「ファミリー共有」で、メンバーの追加や共有する項目のオン／オフが可能だ

ファミリー共有の設定画面で、メンバーの追加や共有項目の選択が可能。「メンバーを追加」→「登録を依頼」をタップすると、AirDropやメールでの招待が行える。「直接会って登録を依頼」だと、メンバーのApple IDを直接入力して追加できる。「お子供用アカウントを作成」を選べば、アイテム購入時に承認が必要な子供用Apple IDを作成し、メンバーに追加することが可能だ。

ファミリー共有でできること

各種購入コンテンツを家族で共有する

App Storeの購入済み（No366で解説）で家族が購入したアプリを確認し、ダウンロードできる

App Storeを開き、右上の自分のアカウントをタップ。「購入済み」を開くと、自分とファミリーメンバーの購入したアプリをチェックできる。

購入したアイテムの表示／非表示を切り替える

App Storeの購入済みアプリを左へスワイプして「非表示」をタップ

App Storeの購入済みで自分が購入したアプリを表示し、共有したくないアプリを左へスワイプ。続けて「非表示」をタップする。iTunes Storeで購入したアイテムの場合は、パソコンのiTunes（同じApple IDでサインインする）で、「アカウント」→「家族が購入したコンテンツ」を開き、共有したくないアイテムにカーソルを合わせて左上の「×」をクリックしよう。各アイテムを再表示するには、パソコンのiTunesで、「アカウント」→「マイアカウントを表示」を開き、「非表示の購入済みアイテム」右の「管理」をクリック。各アイテムの「表示する」をクリックする。

各種サービスをファミリーと共有して利用する

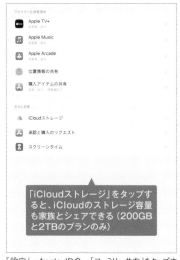

「iCloudストレージ」をタップすると、iCloudのストレージ容量も家族とシェアできる（200GBと2TBのプランのみ）

「設定」→Apple ID名→「ファミリー共有」をタップすると、現在ファミリーと共有しているサービスが表示される。ここからiCloudストレージの共有も登録可能だ。

基本操作

no.
081

使わない場合は必ずオフにしておこう

iPhoneの電話やSMS/MMSを
iPadで送受信する

**iPadとiPhoneを
両方使っている
ユーザー必見**

iPadでは、iPhoneにかかって
きた電話をiPadで受けて通話し
たり（セルラー通話）、iPhoneの
SMS/MMSメッセージをiPadで
送受信することができる。例えば
iPhoneを鞄の中に入れたままの
状態でiPadを使っている際など、
わざわざiPhoneを取り出さなくて
も即座に応対が可能だ。

iPadで電話を利用するには、
iPhoneと同じApple IDでiCloud
とFaceTimeにサインインし、同
じWi-Fiに接続中であることが必
須条件。また、iPhoneの「設定」
→「電話」→「ほかのデバイスで
の通話」で、iPadでの通話が許
可されているかも確認しておこう。
セルラー通話を利用すれば、連
絡先などの電話番号をタップし、
iPhone経由で電話を発信するこ
ともできる。なお、着信時には
iPhoneとiPadの両方で着信音
が鳴って煩わしいので、本機能を
使わないのであればオフにしてお
くといい。

メッセージアプリでは、SMS/
MMSもiPhone経由で利用する
ことができる。まずは、iPhoneと
同じApple IDでメッセージ
（iMessage）にサインイン。着信
用の連絡先にiPhoneの電話番
号を登録後、メッセージ転送の設
定を施しておけばiPhone経由で
SMS/MMSの送受信が可能だ。
ただし、iPad側で新規メッセージ
を作成して、SMS/MMSを送信
することはできない。

iPhone経由で電話の発着信を行う

**1 iPhoneと同じApple IDで
サインインする**

先にiPhone側で「設定」→「電
話」→「ほかのデバイスでの通
話」→「ほかのデバイスでの通
話を許可」をオンにしておく

まずはiPhone側で「ほかのデバイスでの通話を許可」
をオンにしておく。iPad側は「設定」→「FaceTime」
→「iPhoneから通話」をオンにしておこう。あらかじめ
iPad側もiPhoneと同じApple IDでサインインしてお
くこと。

**2 iPhoneにかかってきた
電話をiPadで受ける**

着信および発信ができない場合
は、「設定」→「FaceTime」で
FaceTimeの着信用電話番号が
iPhoneのものであることを確認
しよう。また、iPhoneと同じ
Wi-Fiに接続している必要もある

iPhoneに電話やFaceTimeがかかってきたら、iPad
でも着信音が鳴り、通常通り受けることができる。ま
た、iPadの連絡先から電話番号をタップすれば、
iPhoneのセルラー通話を介して電話をかけることも
可能だ。

iPhone経由でSMS/MMSの送受信を行う

**1 iPhoneと同じApple IDで
サインインする**

iPad側の「設定」→「メッ
セージ」→「送受信」で
iPhoneと同じ連絡先情報
にチェックを入れておこう

まずは、iPadの「設定」でiPhoneと同じApple ID
でサインインしておく。「設定」→「メッセージ」→「送
受信」を開き、着信用の連絡先情報でiPhoneの電
話番号にチェックを入れよう。iPhone側は、「設定」
→「メッセージ」で「iMessage」をオンにし、続けて
「送受信」をタップ。同じ電話番号にチェックが入っ
ているかを確認しておこう。最後にiPhoneの「設定」
→「メッセージ」の「SMS/MMS転送」で、iPad名
の右にあるスイッチをオンにすれば設定完了だ。

**2 iPhone経由で
SMS/MMSを送受信**

iPhone宛にAndroidスマホ
から届いたSMS/MMSでも、
iPadから返信できる。電話の
連携とは異なり、同じWi-Fiに
接続している必要はない

設定を終えるとiPhone経由でSMS/MMSの送受
信が可能だ。iPhoneに届いたSMS/MMSがiPad
にも同時受信される。ただし、iPad側で新規メッセー
ジを作成してSMS/MMSを送信することはできない。

no. 082

滑らかで快適なペン入力を実現

Apple Pencilを
活用しよう

さらに進化した Apple Pencilを 使ってみよう

iPadで手書きメモやイラストを描きたいのであれば、Apple Pencilを導入するのがおすすめだ。特にApple Pencil（第2世代）は、iPadの側面に取り付けるだけでワイヤレス充電でき、ダブルタップでツールの切り替えが可能など、初代モデルよりも使い勝手が向上している。他社製の安価なスタイラスペンとは異なり、ペン先の筆圧や傾き検知も非常に滑らか。実際のペンに近い書き味を実現し、描画のレスポンスもいいので、鉛筆画風の繊細なイラスト作成も完璧にこなせる。興味があれば、ぜひ試してほしい。なお、Apple Pencilは、モデルによって使えるiPadの種類が限定されているので注意だ（下カコミ記事参照）。

Apple Pencil（第2世代）の特徴

Apple Pencil（第2世代）
価格／14,500円（税別）
2018年発売以降のiPad Proなどに対応したペン。軸に平面部分が追加され、旧モデルより持ちやすく転がりにくい。

iPadに磁石でくっついて ワイヤレス充電が可能

Apple Pencil（第2世代）は、iPadの側面にマグネットで取り付けることができ、そのままワイヤレス充電も行われる。ペアリングなどの設定が不要で、すぐに使うことが可能だ。

ダブルタップで よく使うツールに切り替え

タップ操作に対応したのも新機能のひとつ。人差し指を置いている場所をダブルタップすると、ツールの切り替えが可能だ。例えばメモアプリでは、各描画ツールと消しゴムツールの切り替えができる。

Apple Pencilでできること

描画のタイムラグがなく 筆圧や傾きにも対応

Apple Pencilは、ペンでタッチしてから描画されるまでのタイムラグが少なく、実際のペンに近い書き心地だ。筆圧によって線の太さを変えたり、ペンの傾きで濃淡を表現したりなどもできる。

ダブルタップの動作を 切り替えることができる

Apple Pencil（第2世代）では、ペンを指でダブルタップした時の動作をいくつかの選択肢から選ぶことができる。「設定」→「Apple Pencil」から好みの状態に設定しておこう。

ペンの電池残量を ウィジェットで確認する方法

Apple Pencilの電池残量は、充電時に画面表示されるが、ウィジェットに「バッテリー」を追加しておけばいつでも確認することが可能だ。ウィジェットの追加操作などはNo040を確認しよう。

使いこなしヒント

Apple Pencilの 第1世代と第2世代の 対応機種は異なる

モデル	対応機種
Apple Pencil 第1世代	iPad（第6、7、8世代）、iPad Air（第3世代）、iPad mini（第5世代）、iPad Pro 9.7、10.5、12.9（第1、2世代）
Apple Pencil 第2世代	iPad Air（第4世代）、iPad Pro 11（第1、2世代）、iPad Pro 12.9（第3、4世代）

Apple Pencilの各世代で使える機種が違うので注意しておこう。

基本操作

no. 083
画面に書き込みも行える
Apple Pencilで
スクリーンショットを撮影

No039でも紹介したスクリーンショット機能。実は、Apple Pencilで画面の左下または右下の角から画面中央に向かってドラッグするだけでも、スクリーンショットを撮影できる。そのままApple Pencilでの描画機能も使えるので、Webページや書類に書き込みを行いたい時に便利だ。

1 左下や右下の角から
ドラッグする

ドラッグ

2 スクリーンショットに
書き込みも可能だ

Apple Pencilでスクリーンショットを撮影するには、画面の左下または右下の角からApple Pencilをドラッグする。これでスクリーンショットが撮影される。

すると、上のような画面に切り替わり、描画機能でスクリーンショットに書き込みが行える。Apple Pencilを使ってそのままメモなどを書き込もう。

no. 084
インスタントメモ機能を使おう
Apple Pencilで
即座にメモを起動する

突然思い浮かんだアイディアやイメージなどをApple Pencilで書き留めたい時に便利なのが「インスタントメモ」機能だ。iPadがスリープ状態、またはロック画面の状態の時に、Apple Pencilで画面をタッチしてみよう。メモアプリが起動して、すぐに書き込みが行えるのだ。

☑ スリープ状態の画面やロック画面を
Apple Pencilでタッチ

インスタントメモなら、「ロック画面を解除してメモアプリを起動して新規メモを作成して……」という面倒な手順なしにすぐ手書きメモが行える。

no. 085
手書き文字をテキストに変換できる新機能
Apple Pencilの
スクリブル機能を利用する

**ペンで書いた
文字がテキストに
自動変換される**

iPadは、Apple純正のペン型デバイス「Apple Pencil」と連携できる点が大きな特徴だ。iPadOS 14では、その特徴をさらに魅力的にする画期的な新機能が搭載された。それが「スクリブル」機能だ。本機能を使えば、Apple Pencilで手書きした文字をテキスト化したり、一定範囲のテキストをペン操作だけで削除したりなどが簡単に行えるようになった。ただし、現時点では英語と中国語のみの対応で、残念ながら日本語には対応していない。とはいえ、英語入力時にはかなり便利なので、ここで基本的な操作方法を覚えておこう。

1 スクリブル操作で
テキストを入力する

Apple Pencilで検索欄に手書きする

テキストに変換された

ここでは、ホーム画面の検索欄でスクリブル入力を試してみよう。Apple Pencilで上のように手書き入力する。手書き文字は検索欄をはみ出してもOKだ。手書き文字を書き終えると、自動的に文字が認識されてテキストに変換される。これはSafariの検索欄でも可能だ。

2 スクリブルの各種操作を
覚えておこう

スクリブルの各種操作を試すことができる

「設定」→「Apple Pencil」→「スクリブルを試す」をタップすると、スクリブルの各種操作を試すことができる。スクリブル操作では、文字を入力するだけでなく、文字の削除や選択、挿入、結合なども可能だ。すべての操作を覚えておこう。

no. 086
途中の作業を別の端末で再開する

HandoffでiPhoneと作業を相互に引き継ぐ

作成途中のメールや書類をそのまま再開

「Handoff」機能を使えば、iPhoneで作成中のメールや書類など、対応アプリの作業をiPadで引き継いで再開できる。もちろんその逆の引き継ぎも利用可能だ。まず双方の端末で同じApple IDを使ってiCloudにサインイン。さらにHandoffとBluetoothとWi-Fi（アクセスポイントに接続していなくてもよい）をオンにしよう。これで準備完了だ。例えば、iPhoneでメールやメモを新規作成しはじめると、iPadのDockにiPhoneマークの付いたアイコンが表示される。これをタップして起動すれば、作業を引き継ぐことができる。

1 HandoffとBluetooth、Wi-Fiをオンにする

「設定」→「一般」→「AirPlayとHandoff」で「Handoff」のスイッチをオンにする

iPadとiPhoneが同じApple IDでiCloudにサインインしていることを確認し、それぞれでHandoff、Bluetooth、Wi-Fiをオンにする。Wi-Fiは、ネットワークに接続していなくても問題ない。

2 Dockにアイコンが表示される

タップしてiPadで作業を再開する

iPhoneでメモアプリでメモを作成しはじめると、iPadのDockに上のようなアイコンが表示される。タップして起動すれば、すぐに作業の引き継ぎが可能だ。iPadからiPhoneへの場合は、iPhoneのAppスイッチャー画面の下部にバナーが表示される。

---

no. 087
別のiOS端末を近くに置くだけ

クイックスタート機能で端末の設定を引き継ぐ

Apple IDやWi-Fiなどの設定を自動でセットアップできる

「クイックスタート」とは、初期設定開始時に他のiPadやiPhoneを近くに置くだけで、Apple IDやiCloud、Wi-Fi、パスコード、キーチェーンなどの各種設定を自動で引き継いでセットアップしてくれるという機能だ。クイックスタート完了時にはApple IDでサインイン済みで、Wi-Fiにもつながっている。iPadの初期セットアップが劇的にスムーズになるのでぜひ使ってみよう。ただし、バックアップデータの復元やFace ID、Touch ID、Apple Payの設定など引き継げない項目もあるので、クイックスタートの後にあらためて手動設定しておくこと。

1 iPadやiPhoneを近くに置いておく

「続ける」をタップ。この画面が消えた場合は、一度スリープ→スリープ解除すれば再度表示される

端末をリセット後、初期設定を進めてクイックスタートの画面を表示する。すると、近くに置いたiPhoneやiPadに上のような画面が表示される。「続ける」をタップしてセットアップを進めよう。

2 簡単なステップでセットアップ完了

スキャンしてセットアップを進める。なお、引き継ぎ元の端末の設定は何も変わらずそのまま使用できる

セットアップ中のiPadに青いドットのアニメーションが表示されるので、引き継ぎ元の端末のカメラを向けスキャンしよう。しばらく端末を近くに置いた状態にすれば情報が転送される。パスコードを入力すればセットアップ完了だ。

基本操作

no. 088 Face IDに顔を登録する

フロントカメラで自分の顔をスキャン

顔認証でロック解除や購入処理を行える

ホームボタンのないiPad Proでは、顔認証システム「Face ID」を利用できる。あらかじめユーザーの顔をフロントカメラでスキャンしておけば、画面ロックの解除や、各種ストアでの支払い時に、自分の顔をフロントカメラに向けるだけで瞬時に認証を行えるようになる。Face IDは赤外線の投射で認識するため、暗所でも利用できるほか、帽子やメガネを付けていても問題なく認証する。ただし、マスクを付けた状態では認証できない。また、iPadを上下逆に持っている場合、カメラが下に位置するため、顔を下に向けないと認証しにくいので注意しよう。

1 「iPadのロックを解除」をオンにする

タップしてオンにする

「設定」→「Face IDとパスコード」→「iPadのロックを解除」をオンにすると、顔認証の登録画面が表示される。または、「Face IDをセットアップ」をタップしてもよい。

2 Face IDの設定を進めて自分の顔を登録

タップ

上の画面になるので、「開始」をタップ。画面の指示に従って、顔をカメラの枠内に入れよう。円を描くように頭を動かし、すべての角度を2回スキャンすれば完了だ。

no. 089 Face IDにもう一つの容姿を登録する

認識精度をアップさせる

Face IDは「もう一つの容姿を設定」を追加することで、顔認証の認識精度をアップできる。メイクした顔とノーメイクなど、うまく認識されない場合がある顔を登録しておくといいだろう。なお、「もう一つの容姿を設定」に家族などの顔を追加して、複数人で使うこともできる。

1 「もう一つの容姿を設定」をタップ

タップ

あらかじめFace IDで1つ目の顔を登録した状態で、「設定」→「Face IDとパスコード」→「もう一つの容姿を設定」をタップする。

2 もう1つの容姿を登録する

タップ

「開始」をタップし、画面の指示に従って2つ目の顔を登録しよう。眼鏡や髭の有無で登録しておけば認識精度が上がるほか、自分以外の顔も登録できる。

no. 090 Face IDの注視に関する設定を確認する

ユーザーの目線を認識

設定で「Face IDを使用するには注視が必要」をオンにしておけば、カメラを注視しないと認証されないので、寝ている間に悪用されることもない。また「画面注視認識機能」をオンにしておくと、画面を見ている時はディスプレイが暗くならず、通知音量も低く抑えられる。

1 Face IDの使用に注視を必要とする

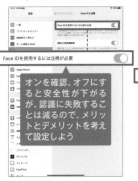

Face IDを使用するには注視が必要

オンを確認。オフにすると安全性が下がるが、認識に失敗することは減るので、メリットとデメリットを考えて設定しよう

「設定」→「アクセシビリティ」→「Face IDと注視」で「Face IDを使用するには注視が必要」がオンならFace IDの利用に注視が必要となる。

2 画面注視認識機能を有効にする

画面注視認識機能

オンにする

その下の「画面注視認識機能」をオンにしておけば、画面を見ている間はディスプレイが暗くならず、通知音量も小さくなる。

設定

no. 091
両手の指を登録しておくと便利

Touch IDに
指紋を登録する

**指紋認証で
ロック解除や
購入処理を行える**

　ホームボタンのあるiPadやiPad Air（第4世代）では、指紋認証システム「Touch ID」を利用できる。ホームボタンや電源／スリープボタン（第4世代のiPad Air）に軽く指を置くだけで、画面ロックの解除などを行うことが可能だ。「設定」→「Touch IDとパスコード」で、「iPadのロックを解除」をオンにし、指示に従って指紋を登録しよう。また「指紋を追加」から、最大5つまで指紋を登録できる。いちいち左右に持ち替えなくても済むよう、両手の指を登録しておくと便利だ。

1 「iPadのロックを解除」を オンにする

「設定」→「Touch IDとパスコード」→「iPadのロックを解除」をオンにすると、指紋の登録画面が表示される。すでに指紋を登録済みで、他の指で追加登録したい場合は、「指紋を追加」をタップ。

2 Touch IDの設定を進めて 指紋を登録

画面に従ってホームボタンに指を当てる／離すを繰り返し、指紋を登録しよう。指紋を登録→指の縁の指紋を登録→Touch IDが利用できない場合のパスコードを設定すれば、Touch IDの設定が完了する。

---

no. 092
アプリ購入時のパスワード入力が不要に

App Storeや各種アプリの認証も
Face（Touch）IDを使用する

1 設定を有効にし ストアでの認証を許可

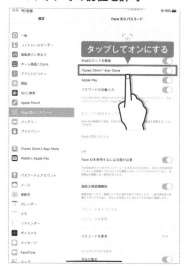

「設定」→「Face（Touch）IDとパスコード」→「iTunes StoreとApp Store」をオンにすると、iTunes StoreやApp Storeでの購入時に、パスワードの代わりに顔や指紋で認証できるようになる。

2 Face（Touch）IDの認証で 購入できる

各種Storeで、音楽やアプリの購入ボタンをタップしてみよう。Face IDの場合は、電源ボタンをダブルクリックしたのち、カメラに顔を向けて認証を済ませれば、購入処理が完了する。

3 Face（Touch）ID対応 アプリも認証可能

DropboxやAmazon、1Password、Evernoteといったface（Touch）ID対応アプリも、それぞれのアプリ内の設定で機能を有効にしておけば、顔や指紋でロック解除や認証を行えるようになる。

設定

no. 093 最低限のセキュリティ をしっかり施す

iPadにパスコードを 設定する

　連絡先やメールなど、iPadには個人情報が満載だ。iPadを外に持ち歩くことがあるなら、必要最低限のセキュリティとして、ロック画面を解除する際などに入力が必要となる「パスコード」を設定しておきたい。デフォルトでは6桁の数字でパスコードを設定するが、6桁では不安なら、「パスコードオプション」で英数字混じりのパスコードにすることも可能。数字の桁数を増減したり、簡単な4桁の数字にすることもできる。

1 「パスコードをオンにする」 をタップ

「設定」→「Face（Touch）IDとパスコード」で、「パスコードをオンにする」をタップする。

2 パスコードとして 6桁の数字を入力する

パスコードの設定画面が表示されるので、6桁の数字を入力しよう。「パスコードオプション」をタップすれば、「カスタムの英数字コード」で英数字に、「カスタムの数字コード」で自由な桁数の数字に、「4桁の数字コード」で数字4桁のパスコードに設定できる。

no. 094 セキュリティと 使い勝手のバランスを

自動ロックとパスコードの 要求時間を適切に設定する

　iPadは一定時間操作しないでいると、自動的にロックされスリープ状態に移行する。このロックまでの時間はデフォルトだと2分だが、「画面表示と明るさ」→「自動ロック」で5分／10分／15分／なしに変更可能だ。また、「Face（Touch）IDとパスコード」→「パスコードを要求」で、ロック後にパスコードが要求されるまでの猶予時間も設定できる。ただし、Face（Touch）IDの「iPadのロックを解除」がオンだと、「即時」しか選択できない。

自動ロックまでの 時間を設定する

「画面表示と明るさ」→「自動ロック」で、何も操作していないiPadが自動的にスリープ状態に移行するまでの時間を変更できる。自分で使いやすい間隔に設定しておけばいいが、「なし」はセキュリティ的に選ばない方がよい。

パスコード要求の 猶予時間の設定

「Face（Touch）IDとパスコード」→「パスコードを要求」では、自動ロックした画面をパスコード不要で解除できる猶予時間を設定できるが、「iPadのロックを解除」が有効だと「即時」しか選べない。Face（Touch）IDを使わない場合でも、「即時」にしておくのが望ましい。

no. 095 入力を10回失敗 すれば全データを消去

パスコード誤入力時に データを消去する

　「設定」→「Face（Touch）IDとパスコード」で「データを消去」をオンにすると、パスコード入力に10回失敗した時点で、iPadの全データが消去される。いきなり消去されるわけではなく、まず5回失敗で1分間iPadを使用できなくなり、6回で5分、7回と8回で15分、9回で1時間使用不可となったのち、10回目で初期化される。

データ流出を防ぐ上では役立つ機能だが、10回程度だと、うっかりパスワードを忘れて入力を失敗する可能性もある。パスワードを確実に覚えておく自信がないなら、オフにしておいたほうが無難だろう。

no. 096 必要な設定メニューを 検索して呼び出す

設定項目を キーワード検索する

　「設定」アプリではiPadを便利に使うためのさまざまな項目が用意されているが、iPad初心者にはどこに何の設定項目があるのか分かりづらいだろう。そんな時は、左メニュー上部の検索欄にキーワードを入力してみよう。関連する設定項目がリスト表示され、タップすればその設定画面を開くことができる。

設定の左メニュー最上部の検索欄でキーワード検索すれば、そのキーワードに関連する設定項目が表示され、タップすることですぐに設定画面にアクセスできる。

設定

no. 097 各種サウンドの種類や有無を設定する

着信や通知音の全体的な設定を行う

通知音は無音に設定することもできる

　「設定」→「サウンド」では、着信音や通知音の全体的な設定を行える。FaceTimeなどの着信音や、メール、メッセージ、カレンダー、リマインダーの通知音に加えて、メールの送信音やAirDropの通知音も好きなものに変更できるので、いつもの音に飽きたら気分を変えてみよう。また、着信音以外は「なし」を選択して無音にできるので、通知音がうるさく感じるなら設定しておくといい。なお、メールやメッセージの通知音は、「設定」→「通知」の「メール」や「メッセージ」でも変更できる（No106で解説）。

1 着信音や通知音を変更する

「設定」→「サウンド」で、着信音や各種通知音の種類を変更できる。通知設定では変更できない、メール送信の音やAirDropの通知音も変更が可能だ。

2 通知音をオフにする

「着信音」では選択できないが、「新着メール」や「メール送信」などの各種通知音をタップして「なし」を選択すると、通知音を無音にできる。

設定

---

no. 098 不要な操作音をオフにする

キーボード入力音とロック音を消す

　デフォルトでは、キーボードで文字を入力する際や、電源／スリープボタンで画面をロックする際に、いちいち操作音が鳴るようになっている。これらの音が煩わしい場合は、設定でオフにしておこう。「設定」→「サウンド」で、「キーボードのクリック」をオフにするとキータッチ音が、「ロック時の音」をオフにすると画面ロック時の音が、それぞれ鳴らなくなる。

設定の「サウンド」で、「キーボードのクリック」および「ロック時の音」のスイッチをオフにすれば、キータッチ音と画面ロック時の音がそれぞれ消音される。

no. 099 画面の明るさを調整する

見やすさと省電力を合わせて考える

　iPadの画面の明るさは、デフォルトだと、周囲の光量に応じて自動的に調整される。バッテリーの消費を抑えて手動で暗めにしたい場合などは、「設定」→「アクセシビリティ」→「画面表示とテキストサイズ」で「明るさの自動調節」をオフにした上で、「設定」→「画面表示と明るさ」のスライダーで明るさを変更しよう。

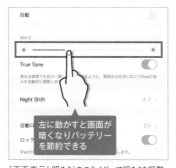

「画面表示と明るさ」のスライダーで明るさを調整。「アクセシビリティ」→「画面表示とテキストサイズ」で「明るさの自動調節」もオフにしておこう。

no. 100 視差効果を減らす

バッテリーの節約に有効

　iPadは画面を傾けると、壁紙やアプリが少し動いて奥行きが演出されている。この視差効果による動きで画面酔いする人は、設定の「アクセシビリティ」→「動作」→「視差効果を減らす」をオンにしてエフェクトを無効にしておこう。同時に画面切り替え時のエフェクトや、一部アプリのアニメーション効果なども軽減されるので、バッテリーの節約にも役立つ。

「視差効果を減らす」をオンにすると、余計なエフェクト処理が消えバッテリーを節約できる。

no. 101 午前／午後や平成表記で表示

時刻や年の表示形式を変更する

時刻表示を「20:30」ではなく「午後8:30」といった表示にするには、「設定」→「一般」→「日付と時刻」で「24時間表示」をオフにすればよい。また日付を西暦ではなく和暦表示にしたい場合は、「一般」→「言語と地域」→「暦法」→「和暦」にチェックすればよい。

「24時間表示」をオフにすると、ステータスバーや時計、他のアプリも含めて午前／午後表記になる。

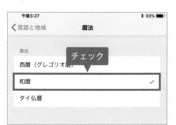

暦法を「和暦」に変更すると、カレンダーや他のアプリでも、「令和3年」といった表記になる。

no. 102 アプリ側で設定がなくても強制的にオフ

アプリごとに通知の有無を設定する

通知の履歴でさまざまなアプリの通知が大量に表示されると、重要なメールなどの通知を見逃しやすいし、バッテリーも消費する。必要なアプリ以外は通知をオフにしておこう。

「設定」→「通知」でアプリを選択し、「通知を許可」をオフにしておけば、通知設定が用意されていないようなアプリでも強制的に通知をオフにできる。

no. 103 すべてのアプリの設定を変更

通知のプレビュー表示を一括変更する

メールやメッセージを受信した際、デフォルトの通知設定では、メッセージの一部内容がロック画面などにプレビュー表示されてしまう。これを防ぐには、「設定」→「通知」→「プレビューを表示」をタップし、「ロックされていないときのみ」か「しない」に設定すればよい。この設定では、すべてのアプリのプレビュー設定が一括変更されるが、メールやメッセージアプリで個別に設定したい場合はNo104の手順で設定しよう。

ロック画面にメッセージ内容がプレビュー表示されると、誰でも見ることができてしまう。見られたくない場合は設定を変更しよう。

no. 104 メールはアカウント単位で変更可能

通知のプレビュー表示をアプリごとに設定

通知のプレビュー表示はアプリごとに設定可能だ。「設定」→「通知」でアプリを選び、「プレビューを表示」をタップする。プレビューを「常に」表示するか、「ロックされていないときのみ」表示するか、あるいは表示「しない」を選択できる。メールは、アカウント単位で個別に設定できる。

プレビュー表示のデフォルト設定はNo103の手順で変更し、設定を変えたい一部アプリのみこの画面で変更しよう。

no. 105 通知は表示されるが通知音は鳴らない

通知のサウンドを無効にする

アプリの通知音だけをオフにしたい場合は、設定の「通知」を開いてアプリを選択し、「サウンド」のスイッチをオフにしておこう。これで、このアプリの通知がある場合は通知の履歴やバナーなどで表示されるが、その際に通知音が鳴らなくなる。特に「Twitter」や「LINE」などの、新着通知自体はチェックしておきたいが、やり取りのたびに通知音が鳴るのが煩わしいタイプのアプリで設定しておくとよい。

「設定」→「通知」でアプリを選択し、他の項目はオンのままで「サウンド」だけオフにしておけば、通知が表示される際に通知音だけ鳴らなくなる。

no. 106 一部アプリでは変更が可能

着信や通知のサウンドを変更する

設定の「通知」にあるアプリのうち、メール、メッセージ、カレンダーなど一部アプリは、「サウンド」をタップすれば着信音や通知音を変更できる。着信／通知音は最初からいくつか内蔵されているほか、iTunes Storeから購入したり、自分で好きな曲の着信音を作成して設定することも可能だ。

FaceTime、メール、メッセージ、カレンダー、リマインダーの着信音や通知音は、「設定」→「通知」のほか、「設定」→「サウンド」からも変更できる（No097で解説）。

設定

no. 107 通知の表示場所や
バナースタイルを選ぶ

通知のスタイルを
変更する

「設定」→「通知」を開いてアプリを
選択すると、通知の表示場所を選択
できる。またバナーによる通知の場合
は、「バナースタイル」で表示スタイル
の変更も可能だ。「一時的」は、画面
上部に通知が表示されたのち、数秒で
自動的に消える。「持続的」は、同じく
画面上部に表示されるが、通知をタッ
プしたり他のアプリを起動するといった
操作を行わない限り表示され続ける。

1 通知の表示場所とバナー
スタイルの選択

「設定」→「通知」でアプリを選択。通知を、ロッ
ク画面や通知センター、バナーで表示したい場
合は、それぞれチェックする。また「バナースタイ
ル」でバナーの表示方法も選択しよう。

2 一時的と
持続的の違い

バナースタイルを「一時的」にしておくと、画面上
部に通知バナーが表示され、数秒で自動的に消
える。「持続的」にしておくと、何らかの操作を行
わない限り上部に表示され続ける。

---

no. 108 同じアプリの通知を
ひとまとめに表示

通知をグループ化する

「設定」→「通知」でアプリを選択し、
「通知のグループ化」を「自動」または
「App別」にしておけば、同じアプリの
通知がグループ化されてひとまとめに
表示され、通知センターの表示がスッ
キリと見やすくなる。グループ化された
通知をタップすると、すべての通知が
展開される。TwitterやLINEなどの通
知は、ユーザー単位でグループ化され
る仕様になっているが、「App別」に設
定しておけば、アプリ単位でグループ
化されるようになる。

1 通知のグループ化
を設定する

「設定」→「通知」でアプリを選択し、「通知のグ
ループ化」を「自動」または「App別」に設定して
おこう。「オフ」にすると、通知をグループ化しなく
なる。

2 同じアプリの通知が
グループ表示される

同じアプリや同じユーザーからの通知は、このよ
うにグループ化されて表示される。グループ化さ
れた通知をタップすると、すべての通知が展開さ
れ、個別に確認できる。

---

no. 109 「通知」画面で
該当項目をオフに

通知センターやロック
画面に通知しない

通知センターの通知履歴をいちい
ち消去するのが面倒なら、設定の「通
知」を開いてアプリを選択し、「通知セ
ンター」をオフにしておこう。また「ロッ
ク画面」をオフにすれば、ロック画面に
通知が表示されなくなり、誰からどん
な通知が来たか他人に知られることを
防げる。

「設定」→「通知」でアプリを選択し、「通知セン
ター」をオフにすれば、通知センターに履歴が残
らなくなる。また「ロック画面」をオフにすれば、ロッ
ク画面に通知が表示されない。

---

no. 110 音量ボタンの
設定も確認

着信音と通知音の
音量を調整する

着信音や通知音の音量は、「設定」
→「サウンド」にある、「着信音と通知
音」のスライダーで調節しよう。スライ
ダーを一番左端まで動かせば消音に
なる。また、スライダーの下にある「ボ
タンで変更」をオンにすれば、本体側
面にある音量ボタンを押して音量を変
更できるようになる。

「設定」→「サウンド」のスライダーで着信音や通
知音の音量を調整できる。音量を本体側面の音
量ボタンでも変更したいなら、「ボタンで変更」の
スイッチをオンにしておこう。

設定

55

no. 111 　未読件数などを示す　バッジを非表示

アプリのバッジ　表示をオフにする

　設定の「通知」でアプリを選択し、「バッジ」をオフにすれば、アプリアイコンの右上に付く赤い数字、「バッジ」を非表示にできる。未読メール数などをひと目で把握できる便利な機能だが、未読件数が多すぎてバッジ表示が邪魔な場合はオフにしておこう。

「設定」→「通知」でアプリを選択し、「バッジ」のスイッチをオフにすれば、バッジを非表示にできる。表示が邪魔ならオフにしておこう。

---

no. 112 　適切な操作やアプリ　を提案する機能

Siriからの提案を　設定する

　Siriはさまざまな操作を音声入力で行えるだけでなく、普段よく行う操作や利用するアプリを学習して、検索時やロック画面で適切なアプリや操作を提案する機能も備えている。この提案を利用するには、「設定」→「Siriと検索」の「Siriからの提案」欄にある各スイッチをオンにしておけばよい。

「設定」→「Siriと検索」の「Siriからの提案」の各スイッチをオンにしていると、検索時やロック画面上、ホーム画面上、共有時にそれぞれSiriからの提案を表示する。

---

no. 113 　Siriを使うなら　確認しておこう

Siriの言語や　声を変更する

　Siri（No067で解説）は「設定」→「Siriと検索」に詳細な設定が用意されているので覚えておこう。「"Hey Siri"を聞き取る」で自分の声を登録できるほか、「言語」でSiriが応答する言語を変更したり、「Siriの声」で男性と女性の声を切り替えできる。「Siriの応答」では、消音モード時には音声で読み上げないように設定したり、Siriが発した内容や自分がSiriに話した内容をテキスト表示させる設定が可能だ。また「自分の情報」で自分の連絡先を指定しておけば、Siriが自宅や会社の住所、電話番号、家族関係などを把握する。

1 「Siriと検索」で　設定を確認

Siriの詳細設定は「設定」→「Siriと検索」にまとめられている。「Hey Siri」の設定をはじめ、言語やSiriの声の変更、Siriの応答に関する設定、自分の情報の登録などが可能だ。

2 Siriが音声で読み上げ　ないように設定する

Siriが音声で読み上げないようにするには、iPadを消音モード（No064で解説）にした上で、「Siriの応答」→「消音モードがオフのとき」にチェックすればよい。

---

no. 114 　Siriの履歴は手動で　削除できる

Siriや音声入力の　履歴を削除する

　Siriに話しかけたり音声入力した内容は、最長で6ヶ月間Appleのサーバに保管され、追跡用の識別子を解除してさらに2年ほど保管されるので、意外と長く残っている。音声入力の履歴を今すぐ消しておきたいなら、「設定」→「Siriと検索」→「Siriおよび音声入力の履歴」→「Siriおよび音声入力の履歴を削除」をタップしよう。

「設定」→「Siriと検索」→「Siriおよび音声入力の履歴」→「Siriおよび音声入力の履歴を削除」をタップすると、Siriや音声入力の履歴を今すぐ削除できる。

---

no. 115 　「このAppから学習」　などを有効にしよう

Siriが各アプリの情報を　利用できるようにする

　「設定」画面を下にスクロールしてアプリを選択し、「Siriと検索」をタップすると、このアプリに対するSiriの動作を設定できる。「このAppから学習」をオンにしておき、「Appからの提案を表示」などのスイッチをオンにしておけば、Siriがアプリの使用状況を学習して、適切な操作を提案してくれるようになる。

「設定」でアプリを選択し、「Siriと検索」を開いて各スイッチをオンにしておけば、Siriがこのアプリの情報を利用できるようになる。

no. 116 データ通信量を 節約したい時に

モバイルデータ通信を オフにする

月末などでデータ通信量を節約したいときは、「モバイルデータ通信」をオフにしておけば、Wi-Fi接続のみでネットを利用できる。コントロールセンターからオフにすることも可能だ。YouTubeなど通信量の大きいアプリのみオフにしたいなら、アプリごとに個別に設定しよう（No136で解説）。

「設定」→「モバイルデータ通信」の「モバイルデータ通信」をオフ。またはコントロールセンターで「モバイルデータ通信」ボタンをタップしてオフ。

no. 117 自動アップデート などの通信を制限

省データモードを 利用する

「省データモード」をオンにすると、自動アップデートや自動ダウンロードなどのバックグラウンド通信が制限され、モバイルデータ通信やWi-Fiの通信量を節約できる。モバイルデータ通信とWi-Fiそれぞれで設定が可能で、iPhoneとiPadをテザリング接続した時は自動的に省データモードがオンになる。

「設定」→「モバイルデータ通信」→「通信のオプション」、または「Wi-Fi」で接続中のネットワークの「i」をタップすると、「省データモード」をオンにできる。

no. 118 ホーム画面やロック 画面を自分仕様に

壁紙を変更する

ホーム画面とロック画面の壁紙は、「設定」→「壁紙」で自由に変更可能だ。「壁紙を選択」をタップし、iPadに内蔵されている壁紙や撮影した写真から、壁紙にしたい画像を選んでタップしよう。あとはプレビューを確認し、「ロック中の画面に設定」「ホーム画面に設定」「両方に設定」をタップで、それぞれの壁紙に設定できる。ネットで配布されている壁紙を使いたいなら、No331の手順で壁紙を保存して、カメラロールから選ぼう。

1 壁紙にしたい画像を 選択する

「設定」→「壁紙」→「壁紙を選択」で、iPad内蔵の壁紙やiPadで撮影した写真、共有アルバムなどから、壁紙にしたい画像を選んでタップ。「ダイナミック」は、アニメーションで画像が刻々と変化する壁紙だ。

2 壁紙を変更する画面を 選択する

「設定」をタップし、「ロック中の画面に設定」「ホーム画面に設定」「両方に設定」から選択しよう。下部中央のボタンで、壁紙の「視差効果」も個別にオン／オフできる（No100で解説）。

no. 119 見た目も気分も 一新しよう

ダークモード対応の 壁紙を設定する

ダークモード（No021で解説）対応の壁紙を設定しておけば、ホーム画面やロック画面もダークモードに切り替わるようになる。あらかじめ、「設定」→「壁紙」→「壁紙を選択」→「静止画」をタップし、ダークモード対応アイコンが付いた壁紙を選択しておこう。なおダークモード非対応の壁紙でも、「設定」→「壁紙」の「ダークモードで壁紙を暗くする」をオンにしておけば、ダークモード中は周囲の光に応じて壁紙が暗くなる。

1 ダークモード対応 壁紙に変更する

ダークモード対応壁紙にはこのアイコンが付く

「設定」→「壁紙」→「壁紙を選択」→「静止画」で、ダークモード対応アイコンの付いた壁紙を選択すれば、ダークモード時は専用の壁紙に切り替わる。

2 ダークモード非対応 壁紙も暗くできる

ダークモードで壁紙を暗くする

オンにする

ダークモード非対応の壁紙でも、「設定」→「壁紙」で「ダークモードで壁紙を暗くする」をオンにしておけば、ダークモード中は暗く表示されるようになる。

設定

no. 120 バッテリーの使用状況を確認する

バッテリー消費の多いアプリを確認

「設定」→「バッテリー」では、24時間もしくは10日以内の、アプリのバッテリー消費率や使用時間、アプリの使用状況（画面上やバックグラウンド処理など）を確認できる。バックグラウンド処理によるバッテリー消費率が高いアプリは、設定でバックグラウンド更新をオフにしておこう。

バッテリーの使用率を確認する

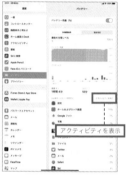

バックグラウンド更新をオフにする

バックグラウンド更新をオフ

「設定」→「バッテリー」で、24時間もしくは10日以内の、アプリのバッテリー消費率を確認できる。「アクティビティ」でバックグラウンド処理時間なども確認できる。

バックグラウンド処理によるバッテリー消費率が高いアプリは、設定の「一般」→「Appのバックグラウンド更新」がオフにしておけば、バッテリーを節約できる。

no. 121 モバイルデータ通信の使用状況を確認する

通信速度規制に備えてチェック

Wi-Fi + Cellularモデルは、定額制プランで決められた容量や、段階制プランでも上限を超えると、通信速度が大幅に規制されてしまう。月初めに「設定」→「モバイルデータ通信」→「統計情報をリセット」をタップしておけば、「現在までの合計」欄で今月使ったモバイルデータ通信量が確認できるようになるので、使い過ぎないようこまめにチェックしておこう。なお、各キャリアのサポートページなら、当月や直近3日間のデータ利用量をより正確に確認できるので、こちらも定期的にチェックしておきたい。

毎月のモバイルデータ通信量を確認するには

統計情報をリセット

統計情報をリセットした以降のモバイルデータ通信量が表示される

月初めに「設定」→「モバイルデータ通信」→「統計情報をリセット」をタップしておけば、「現在までの合計」欄で今月使ったモバイルデータ通信量を確認できる。

no. 122 iPadOSをアップデートする

更新があると通知される

iPadの基本ソフト「iPadOS」は、アップデートによって新機能の追加や不具合の解消が行われる。「自動アップデート」（No123で解説）を設定しておけば自動で更新されるが、手動で行う場合は、「設定」→「一般」→「ソフトウェア・アップデート」→「今すぐインストール」（または「ダウンロードしてインストール」）をタップすれば、アップデートを実行できる。なお、iPad単体でアップデートする場合は、Wi-Fi接続が必須となる。Wi-Fiが使えない場合は、iTunesと接続してパソコンで更新することも可能だ。

アップデートの確認と手動インストール

タップ

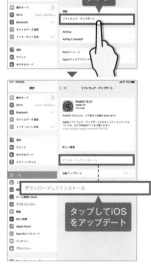

ダウンロードしてインストール

タップしてiOSをアップデート

「設定」→「一般」→「ソフトウェア・アップデート」をタップすると、iPadOSのアップデートがあるか確認して、すぐに手動でインストールできる。

no. 123 iPadOSの自動アップデート機能

夜間に自動で更新を済ませる

iPadの基本ソフト「iPadOS」は、アップデートによって新機能の追加や不具合の解消が行われるので、早めに更新しておきたい。設定で「自動アップデート」をオンにしておけば、電源およびWi-Fi接続中の夜間に、自動で更新が済んで便利だ。自分のタイミングで手動更新したい場合はオフにしよう。

1 自動アップデートをタップ

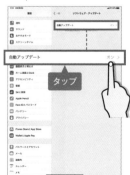

タップ

「設定」→「一般」→「ソフトウェア・アップデート」→「自動アップデート」をタップする。

2 スイッチをオンにしておく

自動ダウンロードだけオンにして、インストールをオフにしておくと、自分のタイミングで手動インストールできる

両方オンにしておけば、Wi-Fi接続中に更新ファイルを自動ダウンロードし、電源とWi-Fi接続中の夜間に自動でインストールしてくれる。

no. 124
毎日どれくらい使っているかひと目で分かる

スクリーンタイムで
iPadの使用時間を確認する

使いすぎないよう
利用制限も
設定できる

iPadを1日にどれくらい使っているか、ひと目で確認できる機能が「スクリーンタイム」だ。「設定」→「スクリーンタイム」で機能を有効にすれば、今日または過去7日間の、アプリ利用時間やWebサイトを見た時間、使った時間帯、端末を持ち上げた回数、通知された回数など、詳細なレポートを確認できる。また、iPadを使わない時間帯を設定したり、1日あたりのアプリの使用時間を制限して、使いすぎを防ぐことも可能だ。iPadをダラダラと使って過ごさないように、生活習慣の見直しに役立てよう。

1 使用状況の詳細を確認する

「すべてのアクティビティを確認する」で詳細画面が開く。週／日の利用状況が表示され、使ったアプリや訪れたWebサイトごとの利用時間、持ち上げた回数、通知回数などを確認できる。

2 アプリの使用時間を制限する

「App使用時間の制限」→「制限を追加」でアプリのカテゴリを選択して「次へ」をタップ。選択したカテゴリのアプリを利用できる時間や曜日を設定する

「App使用時間の制限」では、「SNS」や「ゲーム」などのアプリを、1日あたりどれくらいの時間使えるか設定できる。制限時間は毎日午前0時にリセットされる。

no. 125
空き容量を増やす方法も提示される

ストレージの
使用状況を確認する

「iPadストレージ」
で利用状況を確認し
空き容量を確保

iPadの内蔵ストレージの使用状況は、「設定」→「一般」→「iPadストレージ」で確認しよう。アプリや写真などの使用割合をカラーバーで視覚的に確認できるほか、空き容量を増やすための方法が提示され、簡単に不要なデータを削除できる。使用頻度の低いアプリを書類とデータを残しつつ削除する「非使用のAppを取り除く」や、ゴミ箱内の写真を完全に削除する「"最近削除した項目"アルバム」、サイズの大きいビデオを確認して削除できる「自分のビデオを再検討」などの実行がおすすめだ。

1 ストレージの使用状況を確認

アプリ、写真、メディアなどの使用割合を確認できる

ストレージの利用状況は、「設定」→「一般」→「iPadストレージ」で確認しよう。アプリや写真の使用割合がカラーバーで表示されるので、容量を圧迫している原因がひと目で分かる。

2 非使用のアプリを自動的に削除する

「有効にする」をタップすると、使っていないアプリは削除されるが、アプリ内の書類とデータは残る。アプリを再インストールするとデータは元に戻る。この画面に表示されない場合は、「設定」→「App Store」→「非使用のAppを取り除く」をオンにする

この画面では、空き容量を増やすための方法も提案される。例えば「非使用のAppを取り除く」の「有効にする」をタップすると、iPadの空き容量が少ない時に、使っていないアプリを自動的に削除する。

設定

no. 126 サイズを確認しながら アプリを削除する

書類やデータを残して削除も可能

「設定」→「一般」→「iPadストレージ」の画面を下にスクロールすると、容量の大きい順にインストール済みアプリが表示されるので、不要なアプリを選んで削除しよう。「Appを取り除く」は書類とデータを残したままアプリ本体のみを削除。「Appを削除」でアプリを完全に削除できる。

1 不要なアプリを タップする

2 アプリの削除方法 を選択する

Appを取り除く

「Appを取り除く」で削除したアプリは、再インストール時に書類やデータが復元される

「設定」→「一般」→「iPadストレージ」では、ストレージの使用状況を確認できるほか、容量の大きい順にインストール済みアプリが一覧表示される。不要なものをタップ。

このアプリをもう使わないなら「Appを削除」でアンインストール。また使う可能性があるなら、「Appを取り除く」で書類やデータを残したままアプリ本体のみ削除しよう。

no. 127 子供に使わせる際に 機能制限を施す

アプリや機能ごとに利用許可を制限

iPadを子供に使わせる場合などは、「コンテンツとプライバシーの制限」を活用しよう。特定のアプリの起動やインストールの禁止、アプリ内課金の禁止、アダルトサイト閲覧の禁止、連絡先やカレンダーの変更禁止など、さまざまな機能を制限できる。

1 機能制限を 有効にする

タップして機能を有効にする

コンテンツとプライバシーの制限
不適切なコンテンツをブロックします。

スクリーンタイム・パスコードを使用

スクリーンタイムの操作をパスワードで保護したいなら、ここをタップして設定

2 制限したいアプリや 機能を設定する

操作されたくない項目を「許可しない」に変更

「設定」→「スクリーンタイム」→「コンテンツとプライバシーの制限」で、「コンテンツとプライバシーの制限」のスイッチをオンにすれば機能が有効になる。

操作されたくないアプリや、機能、コンテンツの閲覧許可、プライバシー情報などがあれば、タップして「許可しない」に設定しよう。

---

no. 128 iPadの表示名を 変更する

本名にしている人は 注意しよう

iPadの名前を「（自分の名前）のiPad」にしている人は注意が必要だ。実はこのiPadの名前は、テザリング使用時やAirDropの検出時に表示されるため、近くにいる他人に自分の名前を知られてしまう可能性がある。特に女性の場合は、不適切な写真を送りつけられるAirDrop痴漢にあう危険も。本名を不特定の相手に知られたくなければ、設定でiPad名を変更しておこう。

設定の「一般」→「情報」→「名前」をタップすれば、iPadのデバイス名を変更することができる。

no. 129 表示する文字サイズを 変更する

連絡先やメールの 文字サイズを調整

「設定」→「画面表示と明るさ」→「テキストサイズを変更」で、スライダを左右に動かすと、設定やメール、メッセージ、連絡先などの表示文字サイズを変更できる。文字が小さくて見にくいと思ったら大きく、画面内の情報量を増やしたいと思ったら小さくしよう。また、App Storeからインストールしたアプリでも、Dynamic Typeという機能をサポートしていれば、ここでの設定が反映される。

「設定」→「画面表示と明るさ」→「テキストサイズを変更」で、スライダを左右にドラッグすれば、各種アプリの文字サイズが変更される。

no. 130 文字を太く表示する

標準の文字が 細くて見づらいなら

文字が細くて見づらい時は、「設定」→「画面表示と明るさ」で「文字を太くする」をオンにしてみよう。iPadで表示される文字が太字になり、読みやすくなる。設定やウィジェット画面のほかに、連絡先、メール、カレンダーなどの標準アプリ、TwitterやFacebookといった一部の対応アプリも太字が反映されるが、一部の画面や非対応アプリの文字は太字にならないので注意。

文字を太くする

オンにする

「設定」→「画面表示と明るさ」で「文字を太くする」をオンにすると、設定画面や一部の対応アプリが太字で表示される。

設定

no. 131 アイコンを大きく見やすくする
ホーム画面のアプリを大きく表示する

iPadのホーム画面に配置されるアプリアイコンが小さくて見づらい場合は、アイコンサイズをもう少し大きくして見やすく変更することも可能だ。「設定」→「ホーム画面とDock」で「大きく」の方にチェックしよう。ただしサイズが大きくなる分、1画面に表示できるアプリ数は減る。

1 「大きく」にチェックする

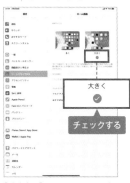

大きく

チェックする

「設定」→「ホーム画面とDock」で「大きく」にチェックしよう。ただしこの設定だと、その下の「"今日の表示"をホーム画面に固定」はオンにできない。

2 アプリ数が減り大きく表示される

このように、「多く」だと1ページあたり30個配置されるアプリが、「大きく」の場合はアイコンサイズが少し大きくなって、最大20個の表示に変更される。

no. 132 画面表示の詳細設定とズーム機能
画面表示をさらに見やすくカスタマイズ

「設定」→「アクセシビリティ」→「画面表示とテキストサイズ」では視覚サポート機能がまとめられており、色の反転やカラーフィルタの変更など、さまざまな調整を行える。また「アクセシビリティ」→「ズーム」では、あらゆる画面を拡大表示するズーム機能を有効にできる。

1 視覚サポート機能を有効にする

「画面表示とテキストサイズ」では、コントラストを上げたり色を反転させたりして、視力や色覚に問題のあるユーザーでも使いやすい画面表示にカスタマイズできる。

2 ズーム機能を有効にする

オンにする

「ズーム機能」をオンにすれば、画面全体やサイズ調整可能なレンズを使って、通常は拡大できないホーム画面や設定アプリなども拡大表示できる。

---

no. 133 フォントアプリから書体を追加しよう
iPadで使えるフォントを追加、変更する

iPadでさまざまなフォントを使えるようになる

iPadでは、他社製のフォントアプリをインストールして、さまざまな書体を利用できるようになっている。ただし、システムフォントは変更できない。インストールしたフォントを利用できるのは、PagesやKeynoteなどのカスタムフォントに対応したアプリだけだ。iPadにフォントを追加するなら「Adobe Creative Cloud」がおすすめ。日本語フォントを含めた、1,300種類のフォントを無料で追加できる。また、約200種類の日本語フォントをインストールできる「FontInstall.app」もある。

1 App Storeからフォントアプリを入手

このボタンをタップして一括インストールできる

まずはApp Storeでフォントアプリを入手しよう。ここでは「Adobe Creative Cloud」アプリを使う。下部の「フォント」画面を開き、好きなフォントの「ファミリーを表示」をタップ。「+」ボタンで個別に追加できるほか、右上の追加ボタンでまとめてインストールできる。

2 対応アプリでフォントを変更する

タップしてフォントを変更

Pagesなどのアプリを起動し、刷毛ボタンをタップ。「フォント」をタップすると、先ほどインストールしたフォントがリスト一覧に表示されているはずだ。タップしてフォントを変更しよう。

設定

iPhoneやスマートフォンのテザリング機能を有効にしよう

iPhoneなどのモバイルデータ通信を使ってネット接続する

iPhoneとiPadのApple IDが同じなら接続も簡単

　Wi-FiモデルのiPadを外出先でネット接続するには、通常ならWi-Fiスポットやモバイルルータが必要になるが、テザリングに対応したiPhoneやAndroidスマホを所持しているなら、それらのモバイル回線を経由して、iPadをネットに接続することが可能だ。基本的な接続手順は下段の通りで、iPhoneやスマートフォン側でテザリング機能をオンにし、iPad側のWi-Fi設定でiPhoneやスマートフォンを探して接続すればよい。iPhoneとiPadがそれぞれ同じApple IDでサインインしていれば、「Instant Hotspot」機能により、パスワード不要でさらに簡単にテザリング接続できる。

Instant Hotspot機能でiPhoneに接続する

1 同じApple IDを使いBluetoothをオン

iPhoneとiPadが同じApple IDでサインインしていれば、「Instant Hotspot」機能によって、iPad側から簡単にiPhoneのテザリング機能をオンにできる。両方のデバイスでBluetoothもオンにしておこう。

2 iPadのWi-Fi設定でiPhone名をタップ

iPadの「設定」→「Wi-Fi」でWi-Fiをオンにすると、「マイネットワーク」欄に、iPhoneの名前が表示される。これをタップすれば、iPhoneの回線を経由してiPadをネット接続することが可能だ。パスワード入力も不要。

Apple IDの異なるiPhoneやスマートフォンに接続する

iPhoneの場合	Androidの場合	iPadのWi-Fi設定でiPhoneやスマートフォンを選択

「設定」→「インターネット共有」→「ほかの人の接続を許可」をオンにし、"Wi-Fi"のパスワード」でパスワードを設定しておく。あらかじめ入力されている文字列のままでも問題ない。

例えば、Xperiaの場合、「設定」→「ネットワークとインターネット」→「テザリング」で「Wi-Fiテザリング」をオンに。また「Wi-Fiテザリング設定」→「Wi-Fiテザリング設定」で、SSIDとパスワードを設定する。

iPadの「設定」→「Wi-Fi」に表示されるiPhoneの名前や、Androidで設定したSSIDをタップする。続けてそれぞれの端末で設定したパスワードを入力し、「接続」をタップすればよい。

no. 135 iPadのモバイル回線で各種機器をネット接続
iPad側のテザリング機能を使う

モバイルデータ通信が可能なWi-Fi＋CellularモデルのiPadで、テザリングオプションの契約も済ませていれば、No134で解説したのとは逆に、iPadをWi-Fiルータの親機代わりにして、iPhoneやスマートフォン、パソコンなどをネットに接続することも可能だ。設定方法はNo134と同様。

1 iPadでインターネット共有をオンにする

オンにする／パスワードを設定

モバイルデータ通信が可能なiPadで、「設定」→「インターネット共有」→「ほかの人の接続を許可」をオンにし、"Wi-Fi"のパスワード」でパスワードを設定する。

2 iPhoneやスマホでiPadの回線に接続

タップ

他のiPhoneやスマートフォン、パソコンでWi-Fi設定画面を開くと、ネットワーク一覧にiPadの名前があるはず。タップして接続すれば、iPadの回線経由でネットに接続できる。

no. 136 モバイルデータ通信をアプリによって制限する
意図しない使いすぎを防ぐ

Wi-Fi＋Cellularモデルの場合、定額制プランで決められた容量や、段階制プランでも上限を超えると、その月の残りは通信速度が大幅に規制され、超低速でしか接続できなくなる。余計な通信量を消費しないよう、あらかじめアプリごとに利用制限を施しておこう。

1 アプリのデータ通信を禁止する

特にYouTubeなど、動画再生で通信量が増加しがちなアプリはオフにしておきたい

「設定」→「モバイルデータ通信」で、データ通信を禁止するアプリをオフにしよう。この画面では、以前にモバイルデータ通信を使ったアプリしか表示されない。

2 モバイルデータ通信では接続できない

Wi-Fiオフの状態でアプリを起動すると、このように警告メッセージが表示されネットに接続できなくなる。これで意図せずデータ通信を使うことを防げる。

no. 137 Bluetoothで周辺機器をワイヤレス接続する
キーボードやスピーカーを接続

iPadと周辺機器をBluetoothでペアリングする

キーボードやスピーカー、ヘッドセットなど、Bluetooth対応機器をiPadにワイヤレス接続して利用するには、まず「設定」→「Bluetooth」をタップしBluetoothをオンにする。対応機器側の電源もオンにし待機状態にすると、iPadのBluetooth設定画面のデバイス欄に機器名が表示されるのでタップする。「接続済み」と表示されたらペアリング（iPadと対応機器が接続された状態）が完了だ。一度ペアリングすれば、以降はBluetoothをオンにすれば自動的に接続される。Bluetoothのオン／オフはコントロールセンターで行うとスムーズだ。

Bluetoothの設定画面でペアリングを行う

「設定」→「Bluetooth」でBluetoothをオンに。Bluetooth対応周辺機器の電源もオンにする（機器によってはペアリング待機状態にしておく）。Bluetooth設定画面のデバイス欄に表示される機器名をタップし、「接続済み」と表示されればペアリング完了だ。また、機器名右の「i」ボタンをタップし、続けて「このデバイスの登録を解除」をタップすればペアリングが解除される。

使いこなしヒント スピーカーを切り替えて利用する

タップして音声出力先を切り替え

コントロールセンターを開き、「ミュージック」欄をロングタップ。音声出力切り替えボタンをタップすると、接続中のBluetooth機器名が表示され、タップすることでiPad本体のスピーカーとBluetoothスピーカーを切り替えて音声を再生できる。

no. 138 おやすみモードを使用する
一定時間あらゆる通知を停止する

就寝時のみならず会議中などにも有効な機能

通知や着信で睡眠を邪魔されないよう、指定した時間帯は、通知の表示や電話の着信などを停止できる機能が「おやすみモード」だ。睡眠時だけでなく、位置情報やカレンダーと連動して設定することもできる。会議が終了するまでや、映画館から離れるまでなど、より実用的なシーンで通知をオフにすることが可能だ。また「ロック画面を暗くする」をオンにしておけば、指定した時間帯はロック画面が暗くなると共に、着信音がオフになり、通知はロック画面に表示されず通知センターにのみ表示されるようになる。

1 おやすみモードの設定を変更する

オンにして開始／終了時間を設定

「ロック画面を暗くする」をオンにすると、ロック画面にも通知が表示されなくなるので、寝る直前に通知を見てしまって気を取られることもなくなる

おやすみモードの時間指定や有効時の動作は、「設定」→「おやすみモード」で設定できる。より完全に睡眠を邪魔されたくないなら、「ロック画面を暗くする」をオンにしておこう。

2 位置情報やカレンダーと連動させる

タップしてオン／オフする。また、ロングタップしてメニュー表示

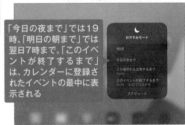

「今日の夜まで」では19時、「明日の朝まで」では翌日7時まで、「このイベントが終了するまで」は、カレンダーに登録されたイベントの最中に表示される

コントロールセンターの三日月ボタンで、おやすみモードをオン／オフできる。またロングタップするとメニューが表示され、位置情報やカレンダーと連携した設定を行える。

---

no. 139 特定の相手だけおやすみモードを無効にする
連絡先の「緊急時は鳴らす」をオン

No138のおやすみモード中でも、特定の相手からの着信だけは受け取りたい場合は、「連絡先」アプリでその相手の連絡先編集画面を開き、「着信音」をタップして「緊急時は鳴らす」をオンにしておこう。おやすみモード中でも、この相手からの着信音やバイブレーションが許可される。

1 連絡先アプリで連絡先の編集画面を開く

編集

「連絡先」アプリで、おやすみモード中でも着信を許可したい相手の連絡先を開いたら、右上の「編集」をタップして編集モードにしよう。

2 着信音の「緊急時は鳴らす」をオンにする

緊急時は鳴らす

「着信音」をタップし、「緊急時は鳴らす」のスイッチをオンにしておけば、おやすみモード中であっても、この相手からの着信音やバイブレーションが動作する。

---

no. 140 視覚や聴覚のサポート機能を利用する
身体の不自由なユーザーのために

「設定」→「アクセシビリティ」では、視覚や聴覚が不自由なユーザーのために、さまざまなサポート機能が用意されている。中でも「AssistiveTouch」は、iPadのホームボタンや音量ボタンの効きが悪くなった時に、操作を代行できる便利な機能なので覚えておこう。

1 音声読み上げ機能「VoiceOver」

「VoiceOver」をオンにすると、画面上の項目が音声で読み上げられるようになる。読み上げ速度なども細かく調整できる。

2 ホームボタン代わりに「AssistiveTouch」

「タッチ」→「AssistiveTouch」をオンにすると、画面上に白い丸ボタンが表示され、タップするとホームボタンや音量ボタンの操作を行える。

no. 141 iPadでもApple Payを使ってみよう
WalletとApple Payを設定する

iPadにはWalletアプリがないが、Touch IDまたはFace IDを搭載したモデルであれば、Apple Pay自体には対応している。ただし、iPhoneと違ってiPadでは交通機関や店舗では利用できない。iPadのApple Payで使えるのは、アプリ内やWeb上での支払いのみだ。

1 Apple Pay対応のカードを追加

「設定」→「WalletとApple Pay」で「カードを追加」をタップ。カメラでApple Pay対応のクレジットカードを読み取り、カードの登録を済ませておこう。

2 Web上での支払いなどに利用する

「設定」→「Face (Touch ID)とパスコード」で「Apple Pay」をオンにしておけば、顔／指紋認証で支払いが完了する

Apple Pay対応のアプリやWebサイトで、Apple Payボタンをタップすれば、登録したカードで支払いできる。iPadはSuicaや店舗での支払いには非対応だ。

no. 142 危険なパスワードを変更しておこう
パスワードの脆弱性をチェックする

「設定」→「パスワード」では、iCloudに保存されたパスワードを確認できるほか、「セキュリティに関する勧告」をタップすると、漏洩の可能性があるパスワードや、複数のアカウントで使い回されているパスワードを指摘してくれる。問題があるパスワードは変更しておこう。

1 セキュリティに関する勧告をタップ

タップ

「設定」→「パスワード」では、iCloudに保存されているWebサイトやアプリのIDとパスワードを確認できる。危険なパスワードを確認するには、「セキュリティに関する勧告」をタップ。

2 危険なパスワードを確認、変更する

タップするとその場でパスワードを変更できる

複数のアカウントで使い回されているなど、問題のあるパスワードが一覧表示される。「Webサイトのパスワードを変更」をタップすると、設定画面が開いてパスワードを変更できる。

設定

no. 143 SIM PINでSIMカード自体をロック
万が一の際SIMが悪用されないようロックする

iPadの紛失時に怖いのはデータ流出だけではない。SIMカードを抜き取られて他の端末で使われ、高額請求を受けるといった被害もあるのだ。そこで、「SIM PIN」を設定してSIMカード自体にロックをかけよう。別の端末に挿入しても、PINコードを入力しないと通信ができなくなる。

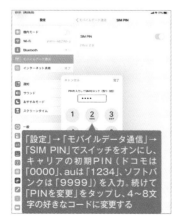

「設定」→「モバイルデータ通信」→「SIM PIN」でスイッチをオンにし、キャリアの初期設定PIN（ドコモは「0000」、auは「1234」、ソフトバンクは「9999」）を入力。続けて「PINを変更」をタップし、4〜8文字の好きなコードに変更する

no. 144 少しでもデータ通信を節約したいならオフ
Wi-Fiアシストを設定する

iPadの標準機能「Wi-Fiアシスト」は、Wi-Fi接続が不安定な際、自動でモバイルデータ通信に切り替えて通信する機能だ。スムーズなインターネット接続には欠かせない便利な機能だが、少しでもモバイルデータ通信量を節約したい場合は、「設定」→「モバイルデータ通信」でオフにできる。

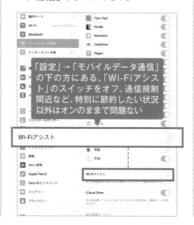

「設定」→「モバイルデータ通信」の下の方にある、「Wi-Fiアシスト」のスイッチをオフ。通信規制間近など、特別に節約したい状況以外はオンのままで問題ない

no. 145 ワンタップで標準状態に戻す
各種設定をリセットする

iPadではさまざまな設定を自分の使いやすいように変更できるが、表示やサウンド、各種動作などの変更箇所をまとめて標準状態に戻したい時は、「設定」→「一般」→「リセット」の「すべての設定をリセット」を実行しよう。「設定」内で変更した項目をすべてデフォルトに戻せる。

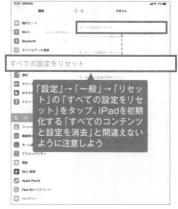

「設定」→「一般」→「リセット」の「すべての設定をリセット」をタップ。iPadを初期化する「すべてのコンテンツと設定を消去」と間違えないように注意しよう

no.
146

文字入力の基本を覚えておこう

日本語かなキーボードで文字を入力する

五十音順で表記された誰でも使いやすい日本語キーボード

　iPadに搭載された「日本語かな」キーボードは、ひらがなが五十音順に割り当てられたキーボードだ。文字入力を行うには、文字入力可能な場所をタップしてから、キーボード上の各文字キーをタップしよう。すると、キー上に表示された文字がひらがなとして入力され、同時にキーボード上部に予測変換候補が一覧表示されていく。漢字などに変換したい場合は、候補のどれかをタップすれば変換が確定される。また、日本語以外にも英字や数字、記号なども入力可能だ。これらを入力したい場合は、キーボードの左端にある「あいう」「ABC」「☆123」といった文字種切り替えキーをタップして入力モードを切り替えよう。

キーボード入力の基本的な流れ

1 「日本語かな」キーボードで文字を入力する

文字入力可能な場所をタップすると、文字挿入位置にカーソルが表示され、画面下にキーボードが表示される。キーボードの各文字キーをタップすれば、キー上に書かれている文字が入力される。

2 予測変換候補をタップして文字変換を確定させる

文字が入力されると、キーボード上部に予測変換の候補が一覧表示される。ここから好きな候補をタップして変換を確定しよう。なお、変換候補は左右にスワイプしてさらに表示させることも可能だ。

入力する文字種を切り替える

▶ 「日本語」、「英字」、「記号／数字」の3つの入力モードを切り替えよう

キーボードの左端にある「あいう」「ABC」「☆123」キーを押せば、それぞれに対応した入力モードに切り替わる。日本語を入力する場合は「あいう」キー、英字を入力したい場合は「ABC」キー、記号および数字を入力する場合は「☆123」キーをタップしよう。

日本語入力モード

あいう　「あいう」キー

「あいう」キーをタップすると、キー配列がひらがなの五十音順表示となり、日本語が入力できるようになる。

英字入力モード

ABC　「ABC」キー

「ABC」キーをタップすると、キー配列がアルファベットのABC順表示となり、英字やよく使う記号などを入力可能だ。

記号／数字入力モード

☆123　「☆123」キー

「☆123」キーをタップすると、キー配列が数字のテンキーと記号キーに変化し、数字や特殊な記号を入力できる。

文字の削除や改行などを行う特殊キーについて

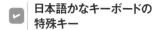
日本語かなキーボードの特殊キー

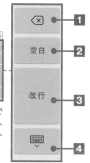

キーボード右端には、いくつかの特殊キーが並んでいる。ここから文字を削除したり、改行や空白を挿入することが可能だ。なお、いくつかのキーは文字入力中や変換中に役割が変わるので覚えておこう。

1 削除キー

カーソル位置より左側にある1文字を削除する。

2 空白／次候補キー

空白を入力する。文字の変換中は次候補キーに変わり、予測変換の次候補を選択する。

3 改行／確定キー

改行を入力する。文字の変換中は確定キーに変わり、現在選択している変換候補に確定する。

4 キーボード非表示キー

キーボードを画面から非表示にする。キーボードの裏に隠れてしまったボタンなどを押したい時に便利。

変換候補に他の文字のバリエーションが表示されることも

文字キーをタップした場合、変換候補に他の文字のバリエーションが一覧表示されることがある。例えば、数字／記号入力モードで「☆」キーをタップすると、変換候補に「☆」以外のさまざまな記号が表示されるのだ。この仕組みにより、キー上に表記された文字以外も入力できるようになっている。

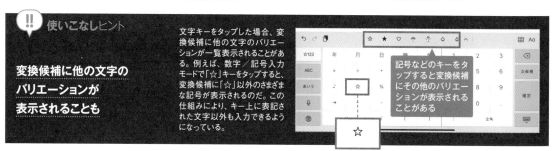

記号などのキーをタップすると変換候補にその他のバリエーションが表示されることがある

濁音や句読点などの入力方法を覚えておこう

濁点／半濁点／小書き文字の入力

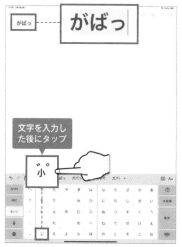

日本語入力モードでは、上で示したキーで文字に濁点や半濁点を付けたり、文字を小書き文字にすることができる。例えば、「は」を入力した直後にこのキーを押すと「ば」になり、もう一度押すと「ぱ」になる。また、「つ」を入力した後に押せば「っ」になる。

句読点／感嘆・疑問符／括弧の入力

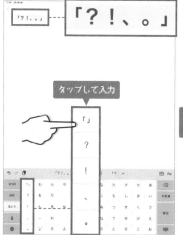

上で示したキーで、句読点や感嘆符、疑問符、括弧などを入力できる。なお、括弧のキーは一度タップすると右括弧、二度連続でタップすると左括弧の入力となる。また、括弧を入力すると予測変換に他の種類の括弧も表示される。

アルファベットの大文字入力

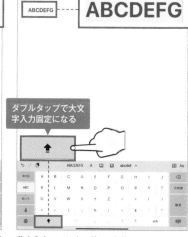

英字入力モードに切り替えた直後は、アルファベットの小文字入力となる。シフトキーをタップしてから文字キーを入力すれば、直後の1文字だけ大文字で入力が可能だ。また、シフトキーをダブルタップすると大文字入力が固定される。

ロングタップで濁音や半濁音などを入力

文字キーによっては、ロングタップすることで他の文字候補がいくつか表示される。各文字の濁音や半濁音、小書き文字といったバリエーションは、ここからもスムーズに入力が可能だ。

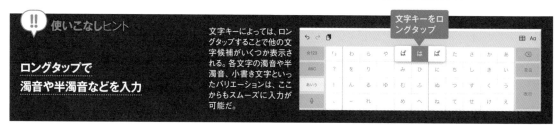

文字キーをロングタップ

no.
147

よりスピーディに文字入力が行える

日本語ローマ字キーボードで文字を入力する

パソコンのキーボード風に文字を入力できる

「日本語ローマ字」キーボードは、パソコンのキーボードと同じような文字配列となっており、日本語をローマ字で入力していくことができる。例えば「おはよう」と入力したい場合は、「ohayou」とキーボード入力すればよい。ローマ字入力した文字は基本的にひらがなで入力され、文字種を切り替えれば英字や数字、記号なども入力可能だ。文字を入力すると、キーボード上部に変換候補が一覧表示される。ここから目的の単語を選んで変換を確定させていこう。なお、この「日本語ローマ字」キーボードを使いこなせれば、他の「日本語かな」や「英字」キーボードはほぼ必要なくなるので削除しても構わない（No148参照）。

キーボード入力の基本的な流れ

1 「日本語ローマ字」キーボードで文字を入力する

文字入力可能な場所をタップすると、文字挿入位置にカーソルが表示され、画面下にキーボードが表示される。日本語ローマ字入力の場合は、ローマ字をキー入力することで文字が入力される。

2 予測変換候補をタップして文字変換を確定させる

文字が入力されると、キーボード上部に予測変換の候補が一覧表示される。ここから好きな候補をタップして変換を確定しよう。なお、変換候補は左右にスワイプしてさらに表示させることも可能だ。

入力する文字種を切り替える

✔ 「日本語ローマ字／英字」、「記号／数字」の2つの入力モードを切り替えよう

キーボード左下にある「あいう」もしくは「.?123」キーを押せば、それぞれに対応した入力モードに切り替わる。日本語および英字を入力する場合は「あいう」キー、記号および数字を入力する場合は「.?123」キーをタップすればいい。

日本語ローマ字／英字入力モード

| あいう | 「あいう」キー |

ローマ字入力で日本語が入力できる。また、左側の「abc」キーで英字入力モードに切り替わる。iPad Proでは数字キーも表示される。

記号／数字入力モード

| .?123 | 「.?123」キー |

キー配列が変化し、数字や記号を入力できるようになる。キーボードの右側にある「＾_＾」キーで顔文字の入力も可能だ。

!! 使いこなしヒント

英字を入力するには？

日本語ローマ字入力時に、キーボードの左端にある「abc」キーをタップすると、ローマ字入力が解除され、英字入力モードに切り替わる。ローマ字入力に戻したい時は「あいう」キーをタップしよう。

英字をそのまま入力したい時はここをタップ

文字の削除や改行などを行う特殊キーについて

日本語ローマ字キーボードの特殊キー

キーボードには、いくつかの特殊キーが並んでいる。ここから文字を削除したり、改行や空白を挿入することが可能だ。なお、ここではiPad Proでのキー配列を示しているが、一部のiPadではキー配列が若干異なってくる。

1 空白／次候補キー

空白を入力する。文字の変換中は次候補キーに変わり、予測変換の次候補を選択する。

2 削除キー

カーソル位置より左側にある1文字を削除する。

3 改行／確定キー

改行を入力する。文字の変換中は確定キーに変わり、現在選択している変換候補に確定する。

4 キーボード非表示キー

キーボードを画面から非表示にする。キーボードの裏に隠れてしまったボタンなどを押したい時に便利。

使いこなしヒント

シフトキーとやり直しキーについて

上矢印マークのキーは「シフトキー」と呼ばれ、日本語ローマ時／英字入力モードにおいて入力可能な文字を変化させる機能を持つ。これを使えば、大文字の英字入力や、さらに多くの記号を入力することが可能だ。なお、記号／数字入力モードではシフトキーは表示されず、やり直しキーに変化する。その上の元に戻すキーと組み合わせれば、文字入力をミスを元に戻したり、やり直したりが可能だ。うまく使いこなしてみよう。

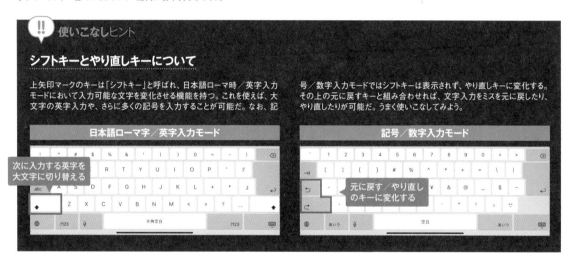

覚えておきたい日本語ローマ字キーボードの入力技

小さい「っ」などの小書き文字を入力する

小さい「ぁ」や「っ」などの小書き文字をローマ字入力するには、「LA」や「LTU」のように、小書き文字の前に「L」を入れてから入力する。なお、「だった」のような場合は「DATTA」といった入力でもOKだ。

数字や記号をフリック素早く入力する

日本語ローマ字キーボードのキーには、小さく数字や記号が書かれているものがある。これらは、キーを下にフリックすることで入力が可能だ。いちいちモードを切り替えずに数字や記号が入力できるので便利。

キーのロングタップでさまざまな文字を入力できる

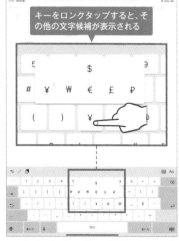

キーボードのキーをロングタップすると、キートップに表示された文字以外のバリエーション（類似する記号や全角文字など）が表示されることがある。これを利用すればスピーディに目的の文字が入力可能だ。

no. **148**

必要なキーボードだけを追加しておこう

キーボードを追加、変更、削除する

文字入力に利用するキーボードの種類を設定しておこう

iPadには、日本語環境向けのキーボードとして「日本語-かな入力」、「日本語-ローマ字入力」、「英語（日本）」、「絵文字」の4種類が用意されている。これ以外にも各外国語向けのキーボードが多数用意されているが、標準状態ですべてのキーボードが使えるわけではない。使いたいキーボードがあるなら、あらかじめ「設定」アプリで追加しておこう。また、使わないキーボードがあれば、キーボードの編集画面から削除しておくといい。例えば、絵文字を一切使わないユーザーなら「絵文字」キーボードを削除してしまってもいい。キーボード数を少なくしておけば、キーボードの切り替え操作が少ないタップ数で済むようになり、文字入力がより快適になる。

新しいキーボードを追加する

1 「設定」アプリの「一般」から「キーボード」項目を開く

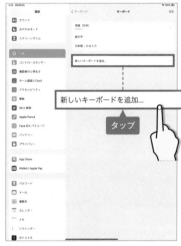

現在設定されているキーボードとは別に、新しいキーボードを追加したい場合は、「設定」→「一般」→「キーボード」→「キーボード」→「新しいキーボードを追加」をタップしよう。

2 キーボード名をタップして新しいキーボードを追加する

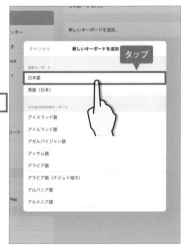

搭載されているキーボード一覧が表示されるので、使いたいキーボード名をタップしていけば追加完了だ。なお、日本語環境向けのキーボードは「推奨キーボード」として上部にまとまっている。

不必要なキーボードを削除する

1 キーボード設定の画面で「編集」ボタンをタップする

使わないキーボードを削除したい場合は、「設定」→「一般」→「キーボード」→「キーボード」をタップしていき、キーボード一覧画面右上にある「編集」をタップしよう。

2 「ー」ボタンをタップして使わないキーボードを削除する

削除したいキーボードの「ー」ボタンをタップし、さらに「削除」をタップ。これでキーボードが削除される。なお、キーボードは一度削除してもあとで追加し直せるので安心してほしい。

!! 使いこなしヒント

英語キーボードの配列を変更する

キーボード設定画面で「英語（日本）」をタップすると、キーボードの配列を変更することができる。基本的には標準設定のままで問題ないが、別の配列を試したい時は好きなキーボード配列に変更しておこう。

no. 149 絵文字で文章を賑やかに
絵文字を利用する

絵文字キーボードを追加（No148を参照）した上で、地球儀キーをタップし、絵文字キーボードに切り替えよう。キーボード部を左右にスワイプすれば、さまざまな絵文字を選択できる。

地球儀キーをタップして絵文字キーボードに切り替え

絵文字一覧、またはカテゴリアイコンを左右にスワイプ

no. 150 キーボード切り替えをスムーズに
キーボードの表示順を変更する

キーボードの種類を切り替えるには、地球儀キーをタップすればいい。この際の切り替え順は、設定で変更可能だ。よく使うキーボードは一番上に配置するなど、使いやすい順に並べよう。

「設定」→「一般」→「キーボード」→「キーボード」で、右上の「編集」をタップ

キーボード名右端の三本線マークをドラッグすれば、表示順を変更できる

no. 151 キーボード切り替えの時短ワザ
キーボードを素早く切り替える

地球儀キー（絵文字キーボードでは「ABC」キー）をロングタップすると、現在追加しているキーボード名が一覧表示され、タップすることで、すぐにそのキーボードに切り替えるできる。キーボードの数が多いと、いちいち地球儀キーをタップしてひとつずつキーボードを切り替えるのが面倒になりがちだ。ロングタップメニューから選んだほうが素早く切り替えできるので覚えておこう。

ロングタップ

no. 152 ユーザ辞書に単語を登録しよう
よく使う言葉を登録しておき素早く入力する

1 設定で「ユーザ辞書」をタップする

タップ

2 右上にある「＋」をタップして新規登録

3 「単語」と「よみ」を入力して保存する

「単語」と「よみ」を入力

「よみ」を入力すると「単語」のテキストが予測変換に表示される

よく使用する固有名詞やメールアドレス、住所などは、辞書登録しておけば予測変換から素早く入力することが可能だ。まず「設定」→「一般」→「キーボード」→「ユーザ辞書」をタップする。

ユーザ辞書の登録画面が開くので、右上の「＋」をタップしよう。またこの画面では、登録済みのユーザ辞書が一覧表示される。各単語を左にスワイプすれば削除、タップすれば内容の編集が可能だ。

「単語」と「よみ」を入力し「保存」で登録する。例えば「単語」にメールアドレス、「よみ」に「めーる」と入力しておけば、「めーる」と入力するだけで、メールアドレスが予測変換に表示されるようになる。

no. 153 入力した文章を編集する

主な編集メニューと操作を知っておこう

✔ テキスト編集メニューを表示する

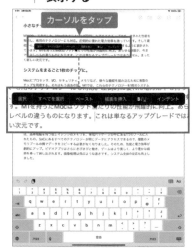

入力した文字をタップするとカーソルが挿入される。もう一度タップすると、カーソルの上部に編集メニューが表示されて、テキストの選択、ペースト、インデントといった操作を行える。

✔ テキストを範囲選択するには

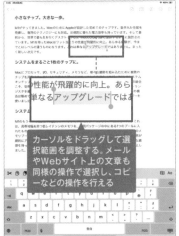

編集メニューで「選択」または「すべてを選択」をタップすれば、テキストを範囲選択できる。範囲選択のカーソルをドラッグして範囲を調整しよう。テキストをダブルタップして単語を範囲選択することもできる。

✔ テキストを範囲選択した際のメニュー

範囲選択すると編集メニューの内容が変わる。カットやコピーの他に、選択した単語をユーザ辞書に登録したり（No158で解説）、共有したりが可能だ。入力や編集を取り消す方法はNo179を参照。

---

no. 154 テキストを選択してドラッグ＆ドロップで編集する

カット＆ペーストが効率的に行える

メモアプリなどでは、範囲選択したテキスト部分をドラッグ＆ドロップで別の場所に移動することができる。テキストの選択範囲をロングタップしてからドラッグ＆ドロップしてみよう。

ロングタップ

選択したテキストが浮き上がったら、ドラッグ＆ドロップで移動できる

no. 155 変換を確定した文章を再変換する

変換ミスを後から簡単に修正できる

変換を確定した文字を選択状態にしてみよう。キーボードの上部分に変更候補一覧が表示され、再変換を行うことが可能だ。入力ミスをした場合でも、すぐに変換し直しができるので便利。

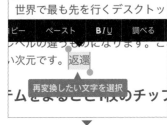

再変換したい文字を選択

選択した文字に対応する変換候補が表示される

no. 156 iOS機器やMacとユーザ辞書を同期する

iCloud Driveをオンにするだけ

ユーザ辞書（No152を参照）に登録した辞書データは、他のiOS機器やMacとも簡単に同期することが可能だ。「設定」でApple ID名をタップしたら、「iCloud」を表示して「iCloud Drive」をオンにするだけでよい。同期前にそれぞれのデバイスで登録していた辞書データは、iCloud Driveをオンにして同期した時点で、自動的に結合される。

「設定」→Apple ID名→「iCloud」で、「iCloud Drive」をオンにしておけば、ユーザ辞書が他のデバイスと同期される

文字入力

no. 157 「∧」をタップして候補一覧を開く

変換候補をまとめて表示する

　キーボードの上部に、変換したい候補が表示されない場合は、変換候補右端の「∧」をタップしてみよう。変換候補の一覧が上に開き、より多くの候補をまとめて確認できるようになる。

上部に変換候補一覧が開き、より多くの変換候補から選択できるようになった

no. 158 Webサイトやメールから辞書登録

テキストを選択しユーザ辞書に登録する

　Webサイトやメール内の単語や文章をユーザ辞書に登録したい場合は、テキストを選択状態にし、表示されるポップアップメニューから「ユーザ辞書」をタップすればよい。単語と読みが入力された状態で登録画面が開くので、「保存」をタップすれば登録できる。ただし、この方法だと半角文字は登録できないので注意。

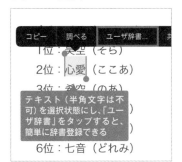

テキスト（半角文字は不可）を選択状態にし、「ユーザ辞書」をタップすると、簡単に辞書登録できる

no. 159 よく使う機能を簡単に呼び出す

キーボードのショートカットバーを利用する

　iPadのキーボード上部には、いくつかのボタンが並ぶショートカットバーが表示されている。ここから操作の取り消し・やり直し（No179）、コピー&ペーストなど、よく使う機能を実行可能だ。

ショートカットバーの各ボタンをタップすると、取り消しややり直しなどの操作を素早く行える

キーボード上部にボタンが並んでいる場所が「ショートカットバー」だ。左側には、「取り消し」「やり直し」「ペースト」のボタンが並ぶ。

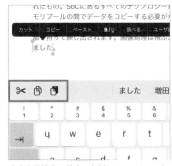

文字を選択中の場合、左側のショートカットボタンの内容が変化する。各ボタンの機能は、左端から「カット」「コピー」「ペースト」だ。

アプリによっては、よく使う機能がショートカットボタンとして表示されていることもある

アプリによっては、ショートカットバー右側にもボタンが表示される。メモアプリの場合は、表や写真の挿入やテキスト設定などが可能だ。

no. 160 スマート全角スペースをオフにする

スペースを全角から半角に変更

　iPadでは、「スマート全角スペース」という機能が搭載されており、文字入力時にスペースキーを押すと、全角スペースと半角スペースを自動で切り替えて入力してくれる。例えば、日本語を入力した直後なら全角スペース、英数字を入力した直後、または英語キーボードを選択している状態であれば半角スペースが入力されるのだ。なお、日本語入力時に常に半角スペースで入力したい場合は、「スマート全角スペース」をオフにしておこう。

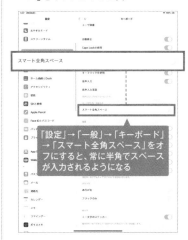

「設定」→「一般」→「キーボード」→「スマート全角スペース」をオフにすると、常に半角でスペースが入力されるようになる

no. 161 直感的にカーソルを移動できる

カーソルをドラッグして動かす

　文字入力中に表示されるカーソルを移動したい場合は、カーソルをそのままドラッグすればいい。ドラッグ中はカーソルが大きくなるので、移動したい位置に動かしてから指を離そう。

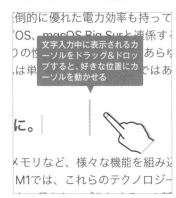

文字入力中に表示されるカーソルをドラッグ&ドロップすると、好きな位置にカーソルを動かせる

文字入力

no. 162 範囲選択がタップ操作だけで可能

2回&3回タップで文章を選択する

　メモアプリなどのテキストを編集できるアプリでは、文字のある場所を2～3回連続でタップすることで、単語や段落全体を範囲選択することが可能だ。テキストを素早く範囲選択したい場合に使ってみよう。ただし、本機能はアプリ側の対応が必要なので、アプリによっては使えないことがある。

テキストのある場所を1回タップすると、タップした場所の付近にカーソルが挿入される。単語をタップした場合は、単語の途中ではなく前後にカーソルが挿入されるようになっている。

テキストのある場所を2回連続でタップすると、その場所の単語が範囲選択される。

テキストのある場所を3回連続でタップすると、その場所の段落全体が範囲選択される。

no. 163 長い文章で変換の区切り位置を調節する

長文の途中で一度変換させる

　長文の入力中に変換させる場合、変換の区切りがおかしくなってうまく変換できないことがある。そんな場合は、変換中のテキスト自体をタップしてカーソルを挿入してみよう。その場所が変換の区切り位置となり、予測変換候補から変換することができる。

no. 164 iPhoneと同じキーボードを使う

フローティングキーボードを利用する

　キーボード右下の「キーボード非表示」キーをロングタップし、「フローティング」を選んでみよう。iPhoneと同じようなキーボードが表示される。フローティングキーボードの最下部をドラッグすれば自由に位置も変更可能だ。元に戻す場合は、フローティングキーボード上をピンチアウト操作すればいい。

キーボードの右下にある「キーボード非表示」キーをロングタップして、表示された「フローティング」をタップしよう。

フローティングキーボードが表示される。見た目はiPhoneのキーボードと同じだ。片手で文字入力をしたい時に使ってみよう。

no. 165 iPhoneと同じフリック入力を使う

フローティングキーボードでフリック入力を利用する

　フローティングキーボード利用時に、キーボードを「日本語かな」に切り替えると、iPhoneと同じように片手でのフリック入力が行える。普段からフリック入力に慣れている人は、こちらの方が素早く文字入力できるはずだ。

No164で解説したフローティングキーボードで「日本語かな」キーボードに切り替えれば、iPhoneと同じフリック入力が可能になる。

no. 166 英語キーボードだけで使える特殊機能

なぞり入力を利用する

　フローティングキーボード利用時に英語(English)キーボードに切り替えると、キーボード上をなぞって英単語を入力できる「QuickPath」機能が使える。例えば「Check」だったら、各文字のキーを順番にスワイプしながらなぞるだけで入力が可能だ。

No157で解説したフローティングキーボードで「英語(English)」キーボードに切り替えると、キーボード上を指でなぞって英単語の入力が可能だ。例えば、「Check」を入力しようと思った場合は、「C」→「H」→「E」→「C」→「K」と指をスワイプするだけで入力できる。いちいちキーをタップするより素早く入力が可能だ。

no. 167
App Storeからキーボードアプリを入手しよう
他社製キーボードを
設定して利用する

標準キーボード以外の 他社製キーボードアプリを 使ってみよう

　iPadOSでは、サードパーティ製のキーボードアプリも利用することができる。ただし、通常のアプリと異なり、インストールするだけでは使えないので注意だ。まずはApp Storeで各種キーボードアプリをインストールしたら、「設定」からキーボードを追加しておこう。あとは、キーボード上の地球儀キーをタップすれば、各種キーボードの切り替えが行える。なお、キーボードアプリによっては、全機能を利用するために「フルアクセス」を許可しておく必要もある。色々なサードパーティ製キーボードを試してみよう。

1 App Storeで キーボードアプリを入手する

App Storeで「キーボード」や「日本語入力」などのキーワードで検索し、キーボードアプリを入手しよう

まずはApp Storeから他社製キーボードアプリを探してインストールしておこう。ここではGoogle製のキーボードアプリ「Gboard」を試してみる。他にも色々とあるので探してみるといい。

2 他社製キーボードを 追加する

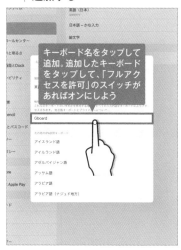

キーボード名をタップして追加。追加したキーボードをタップして、「フルアクセスを許可」のスイッチがあればオンにしよう

「設定」→「一般」→「キーボード」→「キーボード」→「新しいキーボードを追加」をタップ。インストールした他社製キーボード名をタップして追加しておこう。これでキーボードの導入が完了だ。

---

no. 168
両手持ちで文字入力する際に便利
キーボードを
左右に分割する

　ホームボタンのあるiPadのキーボードは、左右2つに分割表示できる。分割したい場合は、キーボード右下にある「キーボード非表示」キーをロングタップして「分割」を選ぼう。元に戻す場合は、キーボード非表示キーをロングタップ→「固定して分割解除」を選ぶ。

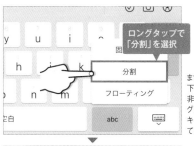

ロングタップで「分割」を選択

分割
フローティング

まずは、キーボード右下にある「キーボード非表示キー」をロングタップ。「分割」でキーボードを分割してみよう。

キーボードが左右に分割されて表示

すると、キーボードが左右に分割される。この状態だと、両手持ちでの入力がやりやすくなるのだ。なお、画面の大きなiPad Proでは、このキーボード分割機能が利用できない。

---

no. 169
分割したキーボードの位置を変える
キーボードの位置を
調整する

　キーボードを分割した場合、キーボードの上下位置を自由に変更可能だ。分割キーボード使用時に、キーボードの右下にある「キーボード非表示」キーを上下にドラッグしてみよう。キーボードが移動するので、入力しやすい位置に調節すればいい。

キーボード非表示キーを上下にドラッグ

キーボード分割時、右下にある「キーボード非表示」キーを上下にドラッグすると、分割キーボードが移動する。なお、キーボードを分割していない時でも、「キーボード非表示」キーをロングタップ→「固定解除」を選択しておけば、同じようにキーボードの位置を調節可能だ。

文字入力

文字入力

no. 170 キーボードを隠して全画面表示に

キーボードが邪魔な際は非表示にする

キーボードで入力している際に、一時的にキーボードを隠したい場合は、キーボード右下のキーをタップしてみよう。キーボードが画面から消え、画面を広く使うことができる。

タップ

キーボードが非表示になる。再度表示させたい場合は、文字入力できる場所をタップすればよい

no. 171 五十音表記を逆にしたい場合に

日本語かなキーボードの配列を変更する

日本語かなキーボードでは、五十音の並び順を左右どちらかに変更できる。「設定」→「一般」→「キーボード」→「あ行が左」をオフにした場合、右側に「あ行」が来るように設定可能だ。

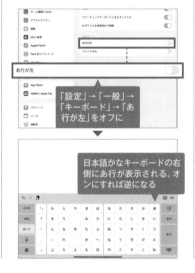

「設定」→「一般」→「キーボード」→「あ行が左」をオフに

日本語かなキーボードの右側にあ行が表示される。オンにすれば逆になる

no. 172 キートップの英字表記を常に大文字にする

小文字キーの表示をオフにする

キーボードの各キーに表示されている英字は、小文字入力時に小文字で、大文字入力時に大文字で表記される。キー上の表記を常に大文字にしておきたい場合は、以下の設定を変更しよう。

「設定」→「アクセシビリティ」→「キーボード」→「小文字キーを表示」をオフに

小文字入力時もキーボードが大文字表記になる

---

no. 173 フリック入力でスピーディに文字入力

キーボードを分割してフリック入力を利用する

「日本語かな」キーボードに切り替えた状態でキーボードを分割してみよう。画面右にフリック入力に対応したテンキーが表示される。画面左には変換候補などが表示されるので、右手で入力しつつ、左手で変換を確定することが可能だ。

「日本語かな」キーボードに切り替えて、キーボード右下の「キーボード非表示キー」をロングタップ。「分割」でキーボードを分割してみよう。なお、キーボードの分割は、ホームボタンのあるiPadでのみ利用できる。

文字キーを上下左右にフリックして入力

すると、iPhoneでおなじみのフリック入力に対応したテンキーが表示されるようになる。上下左右にフリックして文字を入力していこう。

no. 174 知っていると便利な機能

かな入力の逆順キーを使用する

「日本語かな」キーボードを分割表示するとテンキー表示になる。この時表示される「逆順キー」は、テンキー入力時に逆順で文字を変化させたい時に使うキーだ。文字キーを押し過ぎた場合に前の文字に戻すことができる。

逆順キー

「日本語かな」のテンキーは、携帯電話のように文字キーを複数回タップすることでも文字を入力できる。この時、文字を入力した直後に逆順キーを押すと、通常とは逆の順番で文字が入力されるようになる。言葉で説明してもわかりにくいので詳しくは右図で解説しておこう。

「あ」キーを押した時に通常の順番

あ	い	う	え	お

ぁ	ぃ	ぅ	ぇ	ぉ

通常「あ」キーを複数回タップしていくと、上のように文字が変化していく。「あいうえお」順の次に小書き文字が入力されるのだ。

逆順キーを押した時の順番

お	え	う	い	あ

ぉ	ぇ	ぅ	ぃ	ぁ

逆順キーを押すと、逆の順番で文字が変化していく。文字キーを押し過ぎた時など、文字を前に戻したい場合に使うといいだろう。

no. 175　フリック入力のみを使う人に

入力方法をフリックに固定する

　キーボード分割表示またはフローティング表示時の「日本語かな」キーボードで、フリック入力のみ使うという人にオススメの設定を紹介しておこう。「設定」→「一般」→「キーボード」を表示すると、「フリックのみ」という項目があるので有効にする。これにより、テンキーがフリック入力に特化され、携帯電話のようにキーを複数回タップする入力方法が排除されるのだ。その影響により、キーを連続してタップするとその文字が連続入力できるようになる。

キーボード設定の「フリックのみ」を有効にすると、「日本語かな」キーボードの分割またはフローティング表示がフリック入力に特化される。例えば「あ」キーを連続入力すると「あああ」と文字が入力されるようになるのだ。

no. 176　スピーディに同じ文字を入力

日本語かなキーボードで同じ文字を連続入力する

　「日本語かな」キーボードの分割表示時に「1111」や「おおおお」など、同じ文字を連続して入力する際は、文字送りキーを利用してみよう。なお、テンキーでフリック入力のみを使う場合は、No175の設定を行うと文字送りキーの必要がなくなる。

テンキー表示時に「1111」と連続入力したい場合、「1」キーを4回押してもダメ。「1」キーを押したあとにすぐ文字送りキーをタップし、再度「1」キーを押そう。このように同じ文字を連続入力したい場合は、文字送りキーが役立つ。

no. 177　地球儀キーから設定を表示する

キーボード設定をすぐに呼び出す

　キーボード設定を行う場合、「設定」→「一般」→「キーボード」の画面で設定を行う。しかし、この方法だと画面にたどり着くまでが少し面倒だ。そんな時は以下の方法を試してみよう。すぐにキーボード設定画面を表示できる。

キーボードの地球儀キーをロングタップして、「キーボード設定」をタップ。これだけで「設定」アプリのキーボード設定が画面で表示される。

no. 178　メールやSNSで大活躍

顔文字を入力する

　各日本語用のキーボードには、顔文字専用のキーが搭載されている。これをタップすれば、あらかじめ登録されている顔文字が変換候補として表示されるので利用しよう。

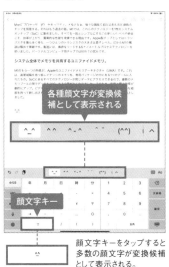

顔文字キーをタップすると多数の顔文字が変換候補として表示される。

no. 179　「取り消す」ボタンを使おう

直前に入力した文章を取り消す

　キーボードで入力した文字や編集内容を、取り消しまたはやり直したい時、iPhoneであれば、本体を振って「取り消す」メニューを表示させる、「シェイクで取り消し」機能が便利だ。これはiPadも同じで、本体を振れば「取り消す」メニューが表示され、直前に行った操作を取り消したり、やり直したりができる。ただ、iPadは大きさも重量もあるので、本体を振る行為はうっかり落としてしまいそうで危険。そこで、iPadでの取り消し操作は、キーボードの上部にあるショートカットバーの一番左端にある「取り消し」ボタンを利用しよう。また、その隣にある「やり直し」ボタンを押せば、取り消した状態を元に戻すことが可能だ。

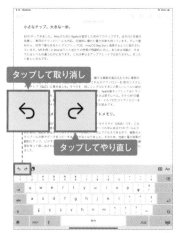

キーボードの上部にあるショートカットバーの左端には、取り消しボタンとやり直しボタンがある。ここをタップすれば、文字入力の取り消しややり直しをスピーディに行える。

「シェイクで取り消し」をオフ

本体を振って取り消す機能を使わないなら、「設定」→「アクセシビリティ」→「タッチ」→「シェイクで取り消し」をオフにしておこう。

no. 180

取り消しややり直しがジェスチャ操作で行える

文字入力で
3本指ジェスチャを使う

1 キーボードの上で 3本指で左右スワイプする

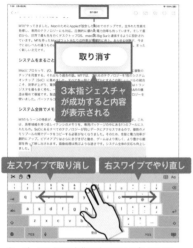

取り消す

3本指ジェスチャが成功すると内容が表示される

左スワイプで取り消し　右スワイプでやり直し

キーボードの上を3本指で左にスワイプしてみよう。直前の操作を取り消すことが可能だ。同じように3本指で右にスワイプするとやり直しができる。素早く取り消しややり直しを行いたい時に便利。

2 キーボードの上で 3本指をピンチインする

3本指をピンチインするとコピー操作ができる

文字を選択状態にしたら、キーボードの上に3本指を乗せてピンチインをしてみよう。選択状態のものがコピーされるのだ。また、2回連続でピンチインすれば、カット操作になる。

3 キーボードの上で 3本指をピンチアウトする

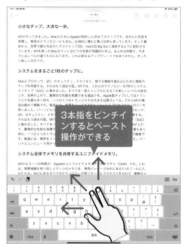

3本指をピンチインするとペースト操作ができる

コピーもしくはカットした直後に、キーボードの上に3本指を乗せてピンチアウト操作をしてみよう。するとペーストが実行され、カーソル位置に先ほどコピーもしくはカットした内容が貼り付けられる。

---

no. 181

ノートパソコンのトラックパッド風にカーソルを操作してみよう

カーソル移動や文章選択を
スムーズに行う

意外と便利な トラックパッドモードを 使いこなしてみよう

　iPadのキーボードには、「トラックパッドモード」という機能が搭載されている。まずは、片手の2本指でキーボードに触れたまま動かしてみよう。キーボード上の文字表示が消えていれば、トラックパッドモードに切り替わったことを示している。あとは、キーボードの上で指を上下左右にドラッグしてみれば、カーソルを自由に移動可能だ。また、トラックパッドモードに切り替えた直後にしばらく指を動かさずにいると範囲選択もできる。なお、スペースキーを1本指でロングタップすることでも、カーソル移動を行える。

キーボード上を片手の2本指で 触れて動かす

トラックパッドモードでカーソル移動が可能になる

2本指で触れて動かす

キーボードを片手の2本指で触れると、キーボードがトラックパッドモードになる。そのまま指を上下左右に動かすと、ノートパソコンのトラックパッドのようにカーソルを自由に動かすことが可能だ。

範囲選択も 2本指で可能だ

トラックパッドモードで範囲選択が可能になる

2本指でタップしてしばらく待つ

2本指でトラックパッドモードにしたら、すぐに指を動かさずにしばらくそのままの状態にしておこう。するとカーソルの形が変わり範囲選択が可能になる。トラックパッド操作で範囲選択をスピーディに行おう。

文字入力

no. 182 優れた認識率で音声入力可能

音声で文字を入力する

　iPadでは、音声で文字入力する機能が搭載されている。本機能を利用するには、各種キーボード上に配置されている音声入力キーをタップしよう。あとはiPadに向かって話しかけていけば文字が自動入力される。終了するには右下のキーボードボタンをタップすればいい。

音声入力キーをタップする

まずは音声入力キーをタップ。音声入力が無効の場合はメッセージが表示されるので、「音声入力を有効にする」をタップ。するとキーボードが音声入力モードに変わる。あとはiPadのマイクに話しかければ、その内容が即座にテキストとして入力されるのだ。右下のキーボードボタンをタップすれば元のキーボードに戻る。認識精度も高く、素早くメモを取りたい時などには便利だ。

句読点や改行などの音声入力方法

入力文字	音声入力
「	かぎかっこ
」	かぎかっことじる
（	かっこ
）	かっことじる
、	てん
。	まる
！	びっくりまーく
？	はてなまーく
・	なかぐろ
…	さんてんりーだー
●	くろまる
○	しろまる
■	くろしかく
□	しかく
@	あっとまーく
改行	かいぎょう
スペース	たぶきー

句読点や記号などを入力する際は、その文字を読み上げれば入力できる。例えば、「君の瞳に、乾杯！」という文章なら、「君の瞳に　てん　乾杯　びっくりまーく」と話せばいい。

no. 183 辞書機能を利用しよう

iPadOS標準の辞書で言葉の意味を調べる

　iPadOSには、辞書機能が搭載されており、選択した単語の意味などをすぐに調べることができる。初期状態では、「スーパー大辞林」、「ウィズダム英和辞典／和英辞典」、「Apple用語辞典」の辞書データが導入されている。その他の言語の辞書データも別途ダウンロードすることで導入が可能だ。

単語を選択して「調べる」をタップ

まずは調べたい単語を選択し、上部の編集メニューから「調べる」をタップ。

内蔵辞書の解説などが表示される

内蔵辞書で選択した単語の解説を確認できる他、WikipediaやWebサイトなど、Siriによって提案された候補も表示される。また「Webを検索」をタップすれば、SafariでGoogle検索が可能だ。

その他の内蔵辞書を追加する

必要な辞書をタップしてダウンロード

その他の内蔵辞書を追加するには、「設定」→「一般」→「辞書」をタップ。さまざまな言語の辞書を無料で入手できる。

Siriからの提案を非表示にする

オフにする

「調べる」で表示されるSiriからの提案が不要なら、「設定」→「Siriと検索」→「検索時の提案」をオフにしておこう。

no. 184 英数字の全角半角を変更する

全角で英数字を入力する

　iPadOSでは、各キーボードで英数字を入力した場合、半角文字で入力されるようになっている。これを全角文字にしたい場合は変換候補から全角のものを選べばいい。その他にも、文字キーをロングタップしたり、「全角」キーを利用したりなど、さまざまな方法で全角文字を入力することができる。

文字変換で半角と全角を切り替え

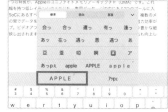

「日本語ローマ字」キーボードで全角英数字を入力したい場合は、一度英数字を入力してから変換候補で全角文字を選択しなおせばいい。

ロングタップでも全角文字を入力できる

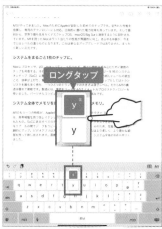

ロングタップ

また、キーをロングタップすることで全角文字を入力できる場合もあるので覚えておこう。

日本語かなキーボードの「全角」キーを利用する

全角

「日本語かな」キーボードの英字入力モードでは、キーボードの左下にある「全角」キーを押せば簡単に全角文字が入力できる。

文字入力

文字入力

no. 185 連続で大文字を入力したい時は

すべて大文字で英語を入力する

「英語（日本）」キーボードでは、シフトキー（上矢印キー）を一度タップすると、次に入力した英字のみ大文字で入力することができる。大文字で続けて入力したい場合は、シフトキーをダブルタップしよう。シフトキーがオンのまま固定され、常に大文字で英字入力するようになる。もう一度シフトキーをタップすれば解除され、元のオフの状態に戻る。なお、シフトキーを固定するには、設定で「Caps Lockの使用」がオンになっている必要がある。

「Caps Lockの使用」を有効にする

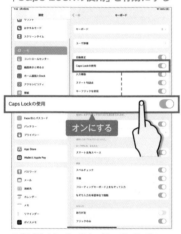

まずは「設定」→「一般」→「キーボード」で「Caps Lockの使用」を有効にする。

シフトキーをダブルタップする

あとはキーボードのシフトキーをダブルタップすれば、連続して大文字が入力可能だ。解除にはもう一度シフトキーを押せばいい。

no. 186 便利だけど意外と邪魔？

文頭の自動大文字処理をオフにする

iPadの英語キーボードでは、文頭に入力したアルファベットが自動的に大文字になる仕様となっている。英語を頻繁に入力する人なら便利だが、日本語中心のユーザーは逆に使いづらい時もあるだろう。これを解除したい場合は、キーボード設定で「自動大文字入力」を無効にしておけばいい。

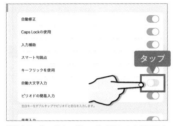

「設定」→「一般」→「キーボード」にある「自動大文字入力」を無効にする。これで文頭のアルファベットが自動で大文字にならなくなる。

no. 187 過去の変換履歴を削除したい

キーボードの変換学習をリセットする

文字入力中に変換した語句は、端末内に変換学習の履歴として保存され、再度同じ語句を入力した際に予測変換候補としてすぐ表示されるようになる。そのためiPadを誰かに貸した場合、他人に見られたくない言葉などが予測変換として表示されてしまうことがあるのだ。変換学習の履歴を削除したいなら、以下の方法でリセットしよう。ただし、過去の変換学習履歴もすべて消えるので注意が必要だ。

まずは「設定」→「一般」→「リセット」の画面を表示。「キーボードの変換学習をリセット」で過去の変換学習履歴をすべて消すことができる。ちなみに、過去に間違って変換した言葉がいつまでも予測変換に表示されてしまう場合にも、このリセット方法が有効だ。

no. 188 カチカチ音を鳴らしたくないなら

キーボードのクリック音をオン／オフする

iPadのキーボードでは、各キーをタップするとクリック音が鳴るようになっている。小さな音だが、周囲が静かな状況だと気になる場合もあるだろう。このクリック音を消すには消音モードにするのが一番手軽だが、通常モードでこの音だけを消したいという人は、サウンド設定の「キーボードのクリック」を無効にしておこう。

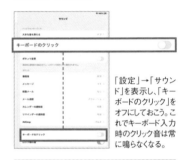

「設定」→「サウンド」を表示し、「キーボードのクリック」をオフにしておこう。これでキーボード入力時のクリック音は常に鳴らなくなる。

no. 189 外部キーボードを使う場合の設定

ハードウェアキーボードの設定を行う

iPadでは、Bluetooth接続の外部キーボードを利用することが可能だ。この時、「設定」→「アクセシビリティ」→「キーボード」にあるハードウェアキーボードの項目で、いくつかの設定変更が行える。「キーのリピート」や「複合キー」、「スローキー」などの設定を行って使いやすい状態にしておこう。

外部キーボード利用時の設定を行うには、「設定」→「アクセシビリティ」→「キーボード」を表示しよう。「キーのリピート」では、キーを押し続けた時のリピート間隔を設定できる。「複合キー」では、CommandキーやOptionキーなどの修飾キーを押したままの状態にする機能が設定可能だ。「スローキー」では、キーを入力してから認識するまでの時間を調整できる。

no. 190　iPad Proならタブキーが使える
タブキーの使い方を覚える

iPad Proのキーボードにはタブキーが搭載されている。タブキーを使えば、テキストの頭位置をタブで揃えたり、表編集中に次のセルに移動する操作が手軽に行えるようになる。パソコンのキーボードにあるタブキーと同じように使ってみよう。

iPad Proの場合、キーボードの左側にタブキーが用意されている。これをタップすればタブが入力可能だ。

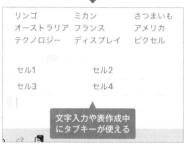

タブキーを使えば、テキストの頭位置をタブで揃えることができる。また、表内でタブキーを押せば、次のセルにカーソルを動することも可能だ。

no. 191　住所や日付を素早く入力する
文字入力の変換技を覚えておこう

予測変換を使えば、住所や日時などを素早く入力できる。例えば、郵便番号をハイフンなしで入力すれば、該当する住所に変換可能だ。また、「ことし」を変換すれば今年の西暦に、「きょう」を変換すれば今日の日付に変換できる。

日本語キーボードで郵便番号をハイフンなしで入力すると、変換候補に住所が表示されるのだ。

覚えておいたほうがいい変換技

変換技	概要
時間	「1234」と入力すれば「12時34分」や「12:34」に変換できる
日付	「24」と入力すれば「2月4日」や「2/4」に変換できる
西暦・年号	「ことし」「きょねん」「らいねん」「さらいねん」と入力すれば対応する西暦・年号に変換できる
今日、昨日など	「きょう」「きのう」「あした」「あさって」「おととい」と入力すれば対応する日付に変換できる
括弧	「かっこ」と入力すれば色々な括弧に変換できる

no. 192　Apple製の外部キーボードを使ってみよう
Smart Keyboardを利用する

iPadで快適に文章を入力できる最強の外部キーボード

iPadでテキストを快適に入力したいなら、Appleが発売している外部キーボード「Smart Keyboard」を別途購入するといい。ホームボタンのないiPad ProやiPad Air(第4世代)用には「Smart Keyboard Folio」というモデルが用意されており、全面カバーとしても使えるようになった。Smart Keyboardはマグネット方式で脱着でき、ペアリングなどの設定なしですぐに使うことができる。なお、トラックパッド付きのキーボードがいいのであれば、「Magic Keyboard」もオススメだ。iPadをノートパソコン感覚で使えるようになる。

12.9インチiPad Pro用Smart Keyboard Folio
¥22,800 (税別)

ホームボタンのないiPad ProやiPad Air(第4世代)用に用意されているApple公式の外部キーボードが、この「Smart Keyboard Folio」だ。以前のSmart Keyboardとは異なり、全面を覆うタイプとなり、カバーとしても使えるようになった。

12.9インチiPad Pro (第4世代)用Magic Keyboard
37,800円 (税別)

トラックパッドとUSB-Cポートを搭載した外部キーボード。トラックパッドでiPadを操作できるようになっている。フローティングカンチレバーにより、画面を見やすい角度に調節しやすいのもポイントだ。

文字入力

no.
193
さまざまな操作をショートカットで快適に実行
Smart Keyboardの
便利なショートカット集

**コピー&ペーストや
取り消し操作も
ショートカットで操作できる**

　Smart KeyboardやMagic Keyboardを利用している場合、アプリによっては各種キーボードショートカットを利用することができる。例えば、「Command+H」を押せば、どんな状況でもホーム画面に戻ることが可能だ。主なキーボードショートカットは以下のようなものがある。「Command」キーの長押しでキーボードショートカットが表示されるので、自分でも調べてみよう。

キーボードショートカットを調べる方法

ショートカットが表示される

Commandキーを長押し

Smart Keyboardを接続した状態で、キーボードのCommandキーを長押ししてみよう。すると画面中央に現在の画面やアプリに応じたキーボードショートカットが表示される。

代表的なキーボードショートカットを覚えておこう

全画面で共通のショートカット

ショートカット	概要
Command+H	ホーム画面に戻る
Command+Tab	アプリの切り替え画面を表示
Command+スペース	Spotlight検索

テキスト入力時などの共通ショートカット

ショートカット	概要
Command+C	コピー
Command+X	切り取り
Command+V	貼り付け
Command+Z	取り消し
Command+A	全選択
Command+Delete	行頭からカーソル位置まで削除
Command+↑	カーソルを先頭に移動
Command+↓	カーソルを末尾に移動
Command+←	カーソルを左端に移動
Command+→	カーソルを右端に移動

メモでの主なショートカット

ショートカット	概要
Command+B	ボールド
Command+I	イタリック
Command+U	アンダーライン
Shift+Command+T	タイトル
Shift+Command+H	見出し
Shift+Command+B	本文
Shift+Command+L	チェックリスト
Command+N	新規メモ
Command+F	メモで検索

Safariでの主なショートカット

ショートカット	概要
Command+R	ページを再読み込み
Command+F	ページを検索
Command+G	次を検索
Shift+Command+G	前を検索
Command+T	新規タブ
Control+TAB	次のタブを表示
Shift+Control+TAB	前のタブを表示

メールでの主なショートカット

ショートカット	概要
Command+N	新規メッセージ
Command+R	返信
Shift+Command+R	全員に返信
Shift+Command+F	転送
Shift+Command+J	迷惑メールにする
Shift+Command+L	フラグ
Control+Command+A	メッセージをアーカイブ

!! 使いこなしヒント
文字の変換は
スペースキーとリターンキーで行える

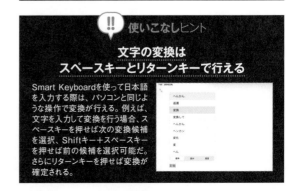

Smart Keyboardを使って日本語を入力する際は、パソコンと同じような操作で変換が行える。例えば、文字を入力して変換を行う場合、スペースキーを押せば次の変換候補を選択、Shiftキー＋スペースキーを押せば前の候補を選択可能だ。さらにリターンキーを押せば変換が確定される。

no. 194
iCloudを使って同期しよう
iPhoneや別のiPadから連絡先データを取り込む

iPhoneやiPadの連絡先データは、iCloudを利用すれば簡単に同期が可能だ。まずは同期元のiPhoneやiPadでiCloudの「連絡先」をオンにしておこう。同期先の端末でも同じようにiCloudの「連絡先」をオンにすれば、自動で連絡先が同期される。複数のiOS端末を持っている人は設定しておこう。

1 iCloudの連絡先をオンにする

まずは同期元の端末で「設定」→Apple ID名→「iCloud」をタップし、「連絡先」をオンにしよう。同期先の端末でも同じようにiCloudの「連絡先」をオンにしておく。

2 すでに連絡先がある場合は結合する

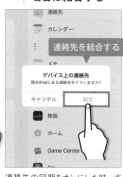

連絡先の同期をオンにした時、すでにiPad内に連絡先が登録されている場合は、上のメッセージが表示される。「結合」をタップしてiCloudの連絡先と結合しよう。

no. 195
「Move to iOS」で簡単転送！
Android端末から連絡先を取り込む

Android端末の連絡先をiPadに移行するには、Apple公式のAndroidアプリ「Move to iOS」を使うのが手軽だ。移行作業は、まずiPadを初期化する必要がある。次に初期設定画面で「Androidからデータを移行」を実行し、Android端末側で「Move to iOS」を起動して移行作業を行おう。

1 iPadを工場出荷時の状態にリセットする

まずは「設定」→「一般」→「リセット」→「すべてのコンテンツと設定を消去」を実行してiPadを初期化。端末内のデータが必要なら事前にバックアップしておくこと。

2 初期設定画面から移行作業を行う

iPadの初期設定を進め、上の画面で「Androidからデータを移行」をタップ。iPadで表示される番号をAndroid側の「Move to iOS」アプリに入力して移行作業を進めよう。

連絡先とFaceTime

no. 196
連絡先アプリの基本的な使い方を覚えておこう
新規連絡先を登録する

ラベルやフィールドなどの項目も自由に編集できる

iPadで連絡先を管理するには、連絡先アプリを利用する。新規連絡先を追加したい場合は、まずサイドバーを表示し、連絡先一覧の画面上部にある「＋」ボタンをタップして項目を入力していこう。ふりがなも登録しておけば、連絡先一覧で五十音順にソートされるようになる。既存の連絡先を編集したい場合は、連絡先の詳細を開いて右上の「編集」をタップ。電話やメールアドレスは、「自宅」「iPhone」といったラベルをタップすれば、他のラベルに変更できる。また各項目の「＋」ボタンをタップすると、複数の電話番号やメールアドレスを追加可能だ。

1 連絡先アプリで新規連絡先を登録する

連絡先アプリを起動したら、画面左端を右にスワイプしてサイドバーを表示。連絡先一覧の右上にある「＋」ボタンをタップしよう。新規連絡先の作成画面が開くので、名前、ふりがな、電話番号や住所などを入力する。入力が終わったら右上の「完了」で登録完了だ。

2 登録してある連絡先を編集する

サイドバーから登録した連絡先名をタップすれば、その連絡先の詳細が表示される。連絡先の内容を変更するには右上の「編集」をタップすればいい。なお、詳細画面のFaceTimeボタンやメールアドレスなどをタップすれば、すぐ通話やメッセージの送信が可能だ。

83

no. 197 連絡先を削除する

iCloudの連絡先も消えるので注意

不要な連絡先を削除するには、連絡先アプリを起動してサイドバーから削除したい連絡先を開き、右上の「編集」をタップ。一番下までスクロールして、「連絡先を削除」をタップすればよい。iCloudの連絡先と同期している場合、iCloud側の連絡先も削除されるので注意しよう。削除した連絡先を復元したい場合はNo202を参照。

1 連絡先の編集画面を開く

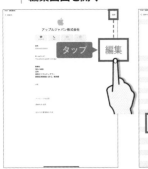

まずは連絡先アプリのサイドバーから削除したい連絡先を選択。連絡先が表示されたら右上の「編集」をタップして編集モードにしよう。

2 「連絡先を削除」をタップして削除する

一番下までスクロールし、「連絡先を削除」→「連絡先を削除」をタップ。すると、この連絡先が削除され、同期しているiCloudの連絡先からも削除される。

no. 198 連絡先の登録項目を追加する

旧姓やニックネームも追加できる

連絡先アプリの編集画面では、電話番号や住所、誕生日といった項目があらかじめ用意されているが、その他の項目を追加したい場合は、下の方にある「フィールドを追加」をタップしてみよう。敬称、姓名の発音、ミドルネーム、旧姓、ニックネーム、役職、部署といった項目を新しく追加できる。

1 編集画面で「フィールドを追加」をタップ

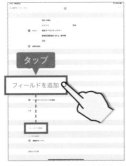

連絡先アプリで連絡先を選択し、右上の「編集」をタップして編集モードにしたら、下の方にある「フィールドを追加」をタップする。

2 追加したい項目をタップする

敬称、姓名の発音、ミドルネーム、旧姓、ニックネーム、役職、部署といった項目が表示される。連絡先に追加したい項目をタップしよう。

no. 199 Googleと連絡先を同期する

保存先をGoogleに変更する

Androidスマホを使っているなら、連絡先はiCloudではなくGoogleアカウントで管理したほうが便利だ。まずは「設定」→「連絡先」→「アカウントを追加」→「Google」でGoogleアカウントを追加しておこう。Googleアカウントの「連絡先」をオンにすれば、Googleの連絡先を同期できる。

1 Googleアカウントを追加して連絡先をオン

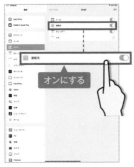

「設定」→「連絡先」→「アカウントを追加」で、「Google」をタップして、Googleアカウントを追加。「連絡先」をオンにすれば同期される。

2 新規連絡先の保存先を「Gmail」に変更

また「設定」→「連絡先」→「デフォルトアカウント」で「Gmail」にチェックしておこう。iPadで作成した連絡先が、Googleアカウントに保存されるようになる。

no. 200 連絡先を他のユーザーへ送信する

AirDropやメールで送信できる

自分の連絡先を相手に送信するには、相手がiPhoneやiPadであれば「AirDrop」(No079で解説)機能で簡単に交換できる。AirDrop非対応のスマホなどと交換する場合は、メールやメッセージで送ろう。または、QRコード作成アプリで連絡先のQRコードを作成して読み取ってもらってもよい。

1 「連絡先を送信」をタップする

まずは、連絡先アプリで送信したい連絡先の詳細画面を表示する。次に、画面の下の方にある「連絡先を送信」をタップしよう。

2 送信方法を選択する

AirDrop、もしくはメッセージやメールなどから送信方法を選択する。メッセージやメール送信の場合は、連絡先のvcfファイルが添付された状態で送信される。

連絡先とFaceTime

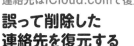

no. 201 重複した連絡先を結合する

連絡先のリンク機能を利用する

連絡先アプリで同じ連絡先が重複している場合は、連絡先をリンクさせておこう。リンク元の連絡先で「編集」→「連絡先をリンク」をタップし、リンク先の連絡先を選択すれば、電話番号やメールアドレスなどが結合される。

☑ 「連絡先をリンク」で結合する

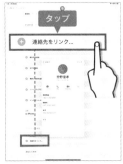

タップ

＋ 連絡先をリンク...

同じ連絡先が重複している場合は、ひとつを選んで「編集」→「連絡先をリンク」をタップ。重複しているもうひとつの連絡先を選択してタップしよう。続けて「リンク」を実行する。

☑ リンクした連絡先を確認する

リンクされた連絡先

softwarename@gmail.com 狩野歩

softwarename@gmail.com 狩野信孝

リンクした連絡先を開くと、電話番号やメールアドレスがひとつにまとめられているはずだ。リンクを解除したい場合は、「編集」をタップ。「リンク済み連絡先」から個別に解除できる。

no. 202 誤って削除した連絡先を復元する

連絡先はiCloud.comで復元できる

iPadでiCloudの連絡先を誤って削除してしまうと、即座に同期され他のiOSデバイスなどからも消えてしまうが、実はiCloud.comで復元することが可能だ。パソコンのWebブラウザでiCloud.com（https://www.icloud.com/）にアクセスし、iPadと同じApple IDでサインイン。「アカウント設定」→「連絡先の復元」で復元したいデータを選べばよい。

☑ iCloudで「連絡先の復元」をクリック

連絡先の復元

ブラウザでiCloud.comにアクセスしApple IDでサインインしたら、「アカウント設定」を開く。ページ下にある「連絡先の復元」をクリックしよう。

☑ 復元したい日時を選んで復元を実行

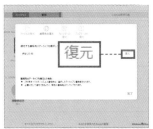

復元

連絡先のバックアップが一覧表示される。復元したい日時のデータを選び、「復元」をクリックすれば連絡先が復元される。ただし、iCloudバックアップが行われていないと復元データが作成されない。

連絡先とFaceTime

no. 203 連絡先を素早くスクロールする

索引をタップでその行に移動

連絡先アプリの左欄には、50音／アルファベット順の索引が用意されており、タップすれば素早くその行に移動できる。ただし連絡先名にふりがなが入力されていないと索引に反映されないので、あらかじめ連絡先にはふりがなを入力しておこう。ふりがななしの連絡先は、索引の一番下「#」行から探すか、または上部の検索欄でキーワード検索すればヒットする。

タップでその行に移動

連絡先一覧の右端に表示されている、50音／アルファベット順の索引をタップすれば、その行の連絡先に移動できる。

no. 204 連絡先ごとに着信音を設定する

連絡先アプリで個別に変更しよう

相手によって着信音や通知音を変えたい場合は、連絡先アプリで変更したい相手を選んで「編集」をタップしよう。「着信音」でFaceTime通話の着信音、「メッセージ」でメッセージの通知音を変更できる。着信／通知音は最初からいくつか内蔵されているほか、iTunes Storeから購入したり、自分で好きな曲の着信音ファイルを作成してiTunesで転送することも可能だ。

連絡先アプリで変更したい相手を選び、「編集」をタップ。「着信音」でFaceTime通話の着信音、「メッセージ」でメッセージの通知音を変更できる。

no. 205 メール本文から未登録の連絡先や予定を検出する

連絡先やカレンダーの候補を表示

「設定」の「連絡先」→「Siriと検索」にある「Siriからの連絡先の提案を表示」と、「カレンダー」→「Siriと検索」にある「Siriからの提案をAppで表示」をオンにしておけば、メール内容から判断された未登録の連絡先やイベントが候補として検出され、メール上部に表示されるようになる。これをタップすれば、素早く連絡先アプリやカレンダーアプリに登録することが可能だ。

オンにする

オンにする

no. 206

ブラウザでiCloud.comにアクセスしよう

パソコンを使って連絡先を登録、編集する

複数の連絡先の追加や削除を素早く行える

No194で解説したように、iPadの「設定」→Apple ID名→「iCloud」→「連絡先」をオンにしておけば、連絡先がiCloudで同期されるようになる。iCloudで同期すると、iCloud.com（https://www.icloud.com/）でも連絡先データの閲覧、編集が可能だ。新規に多数の連絡先を入力する際は、パソコンのブラウザで効率的に作業するのがオススメ。ちなみに、連絡先を削除したい場合、連絡先アプリだとひとつずつ編集画面を開いて個別に削除する必要があるが、iCloud.com上なら複数の連絡先を選択してまとめて削除できる。

1 パソコンのブラウザでiCloud.comにアクセス

パソコンのWebブラウザでiCloud.comにアクセスし、iPadと同じApple IDでサインイン。「連絡先」をクリックすると、連絡先が一覧表示される。連絡先を新規作成したり編集したりすれば、すぐにiPadの連絡先にも反映される。

2 複数の連絡先をまとめて削除する

複数の連絡先を選択

iCloud.comの連絡先画面では、ShiftやCtrl（Macではcommand）キーを使って連絡先を複数選択し、左下の歯車ボタンから「削除」を選ぶか、Back Space（Macではdelete）キーを押すことで、連絡先をまとめて削除できる。

連絡先とFaceTime

no. 207

グループ編集はiCloud.comで

連絡先をグループ分けする

連絡先のグループ作成や、グループ振り分けは、iPadの連絡先アプリでは行えず、iCloud.comで操作する必要がある。「連絡先」画面を開いたら、画面下部の「+」→「新規グループ」をクリックして新規グループ作成。作成したグループに連絡先を振り分けるには、中央欄から連絡先を複数選択して、左欄のグループ名にドラッグしよう。

新規グループを作成する

ブラウザでiCloud.com にアクセスし、「連絡先」を開いたら、画面下部の「+」→「新規グループ」でグループを新規作成できる。

ドラッグ＆ドロップ

グループに連絡先を振り分ける

作成したグループに連絡先を振り分けるには、中央欄で連絡先を選択状態にして、そのまま左欄のグループ名にドラッグすればよい。

no. 208

通知のタイミングも変更できる

家族や友人の誕生日を通知する

あらかじめ連絡先アプリで誕生日を登録しておき、「設定」→「カレンダー」→「デフォルトの通知の時間」→「誕生日」で通知のタイミングを設定しておけば、誕生日の通知が表示されるようになる。通知タイミングは当日9時、1日前の9時、2日前の9時、または1週間前から選択可能だ。

連絡先アプリで誕生日を登録しておく

誕生日を追加

タップ

連絡先アプリで連絡先の編集画面を開き、「誕生日を追加」をタップすれば、この連絡先の誕生日を設定できる。誕生日はカレンダーアプリにも反映される。

誕生日の通知タイミングを設定する

通知タイミングを選択

「設定」→「カレンダー」→「デフォルトの通知の時間」→「誕生日」をタップし、通知するタイミングを選択しよう。設定した日時に誕生日が通知される。

no. 209

iOSデバイス同士で無料通話を楽しもう

FaceTimeで音声通話、ビデオ通話を利用する

Wi-Fiでもモバイル回線でもどちらでも通話できる

iPadには、ネット回線を通じて無料でビデオ通話や音声通話ができる、「FaceTime」アプリが標準で用意されている。通話相手はiPhone／iPad／Macユーザーに限られるが、Wi-Fiはもちろん、モバイルデータ通信時でも使用可能だ。積極的に活用してみよう。FaceTimeを利用するには、まず「設定」で右のように発着信用アドレスを確認しておこう。あとはFaceTimeアプリを起動し、「+」ボタンで相手の連絡先を追加。音声通話なら「オーディオ」、ビデオ通話なら「ビデオ」ボタンをタップして発信すればいい。ビデオ通話中は前面／背面カメラの切り替えや消音なども行える。なお、一度FaceTimeでやり取りした相手は履歴として残るので、すぐに再発信が可能だ。

FaceTimeの設定を済ませてビデオ／音声通話を行う

1 発着信用のアドレスを確認する

基本的に、Apple IDのアドレスが、そのままFaceTimeの発着信アドレスになる。複数アドレスを追加している場合は、使うアドレスにチェック

「設定」→「FaceTime」をタップ。Apple IDでサインインしており、「FaceTime」のスイッチがオンなら、FaceTimeを利用できる。「FACETIME着信用の連絡先情報」でFaceTime着信用、「発信者番号」で発信用のアドレスを確認しよう。

2 他の発着信アドレスを追加する

メールまたは電話番号を追加

Apple ID以外の発着信アドレスを追加するには、「設定」からApple ID名を開き、「名前、電話番号、メール」→「編集」をタップ。「メールまたは電話番号を追加」をタップすれば、FaceTimeやiMessageで使えるアドレスを追加できる。

連絡先とFaceTime

3 FaceTimeアプリで通話相手を探す

通話したい相手を連絡先から追加

通話の方法を選択する

FaceTimeアプリを起動したら、画面上の「+」をタップ。さらに宛先欄の「+」をタップして連絡先を開き、キーワード検索などで通話相手を探そう。宛先に相手の連絡先を追加したら、通話方法を「オーディオ」または「ビデオ」ボタンで選択すれば発信される。

4 通話履歴から発信する場合

通話方法を選ぶ場合はここをタップ

前回と同じ方法で通話する場合はここをタップ

通話の方法を選択する

一度通話した相手は、FaceTimeアプリの最初の画面で履歴が表示される。履歴をタップすれば、前回と同じ通話方法で発信が可能だ。発信方法を変えたい場合は、「i」ボタンをタップして詳細を表示し、FaceTimeの各種ボタンをタップしよう。

5 ビデオ通話中の画面のメニュー

自分の映像

相手の映像を写真撮影する（双方でFaceTime Live Photosがオンの場合）

各種操作メニューは上に引き上げて追加の操作ボタンを表示できる

ビデオ通話中は、右上に自分の映像が小さく表示される。画面をタップすると左下にメニューが表示され、消音や前面／背面カメラの切り替え、通話終了などが操作可能だ。また、右横のシャッターボタンを押せば、相手の映像を写真撮影できる。

no. 210 FaceTimeとメッセージを拒否
FaceTimeの着信拒否を設定する

FaceTimeで特定の相手からの着信を拒否したい場合は、FaceTimeアプリの通話履歴から「i」をタップして連絡先の詳細を開き、下の方にある「この発信者を着信拒否」をタップすればよい。なお、この着信拒否設定は「設定」→「FaceTime」→「着信拒否した連絡先」でも管理可能だ。

1 拒否したい相手の連絡先詳細を開く

タップ

2 「この発信者を着信拒否」をタップして拒否

タップして着信拒否。もう一度タップすれば着信拒否を解除

FaceTimeで過去に着信した相手は着信拒否することができる。まずはFaceTimeアプリを起動し、通話履歴から拒否したい相手の「i」ボタンをタップしよう。

下の方にある「この発信者を着信拒否」→「連絡先を着信拒否」をタップ。着信拒否した相手は、「設定」→「FaceTime」→「着信拒否した連絡先」で管理できる。

no. 211 定型メッセージで応答できる
FaceTimeに応答できない際はメッセージで返信する

FaceTimeの着信中にすぐ応答できない時は、着信画面の「メッセージを送信」をタップしよう。「現在電話に出られません。」といった定型文があらかじめ用意されており、タップするだけでメッセージで送信できる。「カスタム」をタップすれば任意のメッセージを送ることも可能だ。

1 FaceTimeの通知をタップする

タップ

2 「メッセージを送信」で定型文を送信

メッセージを送信できる

FaceTimeの着信があると、画面上部に通知が表示される。着信に応答できないことをメッセージで伝えたい場合は、この通知表示部分をタップしよう。

全画面で着信画面が表示されるので、「メッセージを送信」をタップ。あらかじめ用意された定型文をタップすればすぐに送信される。定型文は編集も可能だ（No212で解説）。

no. 212 設定で好きな定型文に変更できる
「メッセージを送信」の定型文を編集する

No211で解説したように、FaceTimeの着信中に「メッセージを送信」をタップすれば、定型文でメッセージを送信できるが、この定型文は自分で好きな内容に変更することも可能だ。「設定」→「FaceTime」→「テキストメッセージで返信」をタップし、デフォルトの定型文を書き換えよう。

1 「テキストメッセージで返信」をタップ

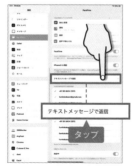

テキストメッセージで返信

タップ

2 不要な定型文の内容を書き換える

移動中なので後でかけなおします

定型文を編集できる

FaceTimeの「メッセージを送信」で送信できる定型文を編集するには、まず「設定」→「FaceTime」→「テキストメッセージで返信」をタップ。

デフォルトの定型文から不要なものを選び、好きなメッセージに書き換えよう。書き換えたテキストが「メッセージを送信」の定型文として表示されるようになる。

no. 213 あとで通知するようリマインダー登録
応答できない際は「あとで通知」を利用する

FaceTimeの着信画面で「あとで通知」をタップすれば、1時間後やここを出るときなどに通知するよう、リマインダーに登録できる。「設定」→「連絡先」→「自分の情報」で自分の連絡先を設定しており、自宅や勤務先住所も登録していれば、自宅を出たとき／職場に着いたときにも通知が可能だ。

1 「あとで通知」をタップする

「ここを出るとき」は、「設定」→「プライバシー」で位置情報サービスがオンのとき表示され、場所を移動した際に通知される

あとで通知

2 リマインダーアプリで確認する

リマインダーが登録される

FaceTimeの着信中に「あとで通知」をタップすると、1時間後／ここを出るときなどの条件で通知するようリマインダーに登録可能だ。表示される条件は状況によって変わる。

「リマインダー」アプリを起動すると、「あとで通知」で登録したタスクが作成されているはずだ。タスクを選択して「i」ボタンで詳細を開けば、場所や日時を変更できる。

連絡先とFaceTime

no. 214 自分の映像に特殊効果を付ける
FaceTimeの画面に エフェクトを加える

2018年モデル以降のiPad Proをはじめとする一部機種では、FaceTimeのビデオ通話中にエフェクトが利用可能だ。ビデオ通話画面の操作メニューから「エフェクト」をタップしてみよう。アニ文字(ミー文字)、フィルタ、テキスト、図形などのボタンからエフェクトを適用することができる。

1 操作メニューから 「エフェクト」をタップ

2 エフェクトが 適用される

FaceTimeのビデオ通話中に画面をタップして左下の操作メニューを表示。「エフェクト」をタップすれば、各種エフェクトのボタンが表示される。

各エフェクトのボタンをタップすると効果の一覧が表示されるので適用したいものをタップ。これで自分側の映像にエフェクトが適用される。

no. 215 顔を隠したい時にも使える
FaceTimeでアニ文字や ミー文字、ステッカーを使う

FaceTimeのエフェクトは、アニ文字やミー文字にも対応している。顔認証技術により、口の動きや表情、顔の向きに応じてアニ文字やミー文字も変化するので、顔を隠しながら自然な会話が可能だ。また、ステッカーがあらかじめ導入されていれば、顔の周りにペタペタと貼り付けることもできる。

1 ミー文字や ステッカーを適用

2 発信時にあらかじめ ミー文字を使う

FaceTimeのエフェクトからミー文字やステッカーを適用した例。ステッカーは顔に貼り付いたような形で位置が動き、大きさや角度なども変えられる。

こちらから発信する場合、発信画面で相手が出るまでにエフェクトを適用しておけば、最初からアニ文字やミー文字を使うことができる。顔を隠したいときに便利。

no. 216 グループFaceTimeを利用する
複数人で 同時通話を行う

FaceTimeでは、複数人での通話を同時に行える「グループFaceTime」が利用可能だ。FaceTimeの発信時に「＋」ボタンで通話相手を複数追加してから発信するか、すでに誰かと通話している状態から参加者を追加すれば、グループ通話が開始される。なお、最大同時参加人数は32人だ。

1 通話中に 参加者を追加する

2 グループ通話が 開始される

通話中に操作メニューを引き上げ、「参加者を追加」から連絡先を追加しよう。もしくは、発信前に「＋」ボタンで連絡先を複数追加してもいい。

グループ通話中には、相手の画面が複数表示され、状況に応じて大きさや位置が可変する。ビデオ通話だけでなく、オーディオのみのグループ通話も可能だ。

no. 217 FaceTime中にURLや写真を送信
通話中にメッセージを やり取りする

FaceTimeの通話中に、WebサイトのURLや写真などを相手に送りたくなった場合は、FaceTimeからメッセージアプリを起動しよう。FaceTimeの画面がピクチャ・イン・ピクチャ機能で小さくなり(No220で解説)、メッセージアプリが起動。通話しながらメッセージをやり取りすることが可能だ。

1 操作メニューから 会話を開始

2 メッセージアプリが 起動する

FaceTimeで通話中にメッセージを送りたくなったら、操作メニュー表示を上に引き上げよう。「○○さんとの会話」の横にあるメッセージボタンをタップする。

FaceTimeの画面がフローティング状態になり、通話を維持しながら、メッセージアプリが起動する。フローティング画面はドラッグで位置を変更することが可能だ。

no.218 FaceTimeアプリを起動せずに発信

メールやメッセージアプリからFaceTimeを発信する

FaceTimeで通話するのに、いちいちFaceTimeアプリを起動しなくても、メールアプリやメッセージアプリの画面などからでも素早く発信することが可能だ。メールの場合は差出人や宛先名をタップ、メッセージの場合も宛先アイコンをタップして、FaceTimeアイコンをタップすればよい。

メールアプリの場合、メールを開いて差出人や宛先名をタップ。FaceTimeオーディオ／ビデオのアイコンをタップすれば発信できる。

no.219 ボタンを押すだけで消音される

FaceTimeの着信音を即座に消す

会議中や電車内など、応答できない状況でFaceTimeの着信音が鳴ってしまった場合は、慌てずに電源／スリープボタン、または音量ボタンの上下どちらかを押そう。即座に着信音を消すことができる。ただし、この状態では着信自体を拒否したわけではなく、まだ相手からの着信が続いている。「メッセージを送信」（No211で解説）や「あとで通知」（No213で解説）で応答を拒否するか、または電源／スリープボタンを2回押せばすぐに応答を拒否できる。

電源／スリープボタンを押して消音。2回押せば応答拒否

音量ボタンの上下どちらかを押しても消音できる

no.220 ホームボタンを押して画面を小型化

ビデオ通話を行いながら他のアプリを利用

FaceTimeのビデオ通話中にホーム画面に戻ると、FaceTimeの画面が小型化し、通話を継続しながらWeb閲覧やメール確認ができる（ピクチャ・イン・ピクチャ機能）。小型化した画面は自由に移動や拡大縮小ができるほか、画面左下のボタンをタップすれば元のFaceTime画面に戻ることが可能だ。

FaceTimeの画面に戻る場合はここをタップ

ビデオ通話中にホーム画面に戻ると、FaceTime画面が小さくフローティング状態で表示される。ドラッグで移動したり、ピンチイン／アウトで自由なサイズに変更可能だ。右上のボタンを押せば、元のFaceTime通話画面に戻る。

no.221 FaceTime通話中の映像を保存

相手端末のカメラでLive Photosを撮影

FaceTimeの通話中に、画面右のシャッターボタンをタップすると、前後1.5秒の映像を記録するLive Photosを撮影できる。保存される映像は相手からの送信映像となり、シャッターをタップした際は、相手側の画面にも「Live Photosが撮影されました」とメッセージが表示される。

Live Photosを撮影するには、自分だけでなく相手の端末でもオンになっている必要がある

FaceTimesでLive Photosを撮影したいのであれば、「設定」→「FaceTime」を開き、「FaceTime Live Photos」をオンにしておこう。

no.222 誰が発言しているかをわかりやすくする

グループ通話中に話している人を大きく表示

FaceTimeを使った複数人のグループ通話では、話している人のタイル（通話相手の画面）が自動的に大きくなる。これにより誰が話しているかがわかりやすくなるのだ。この機能は、「設定」→「FaceTime」→「発言中」で設定可能だ。オンになっていれば機能が有効になっているので確認しよう。

「発言中」をオンにする

「設定」→「FaceTime」の「発言中」をオンにしておくと、FaceTimeのグループ通話中に話している人のタイルが自動的に大きくなる。

no.223 アイコンタクト機能で目線のズレを修正

ビデオ通話中に自然なアイコンタクトを実現

FaceTimeでのビデオ通話中は、iPadのフロントカメラではなく画面の映像を見ながら話すのが普通だ。しかし、これだと目線がカメラからずれてしまうため、お互いの映像の目線は若干下向きや横向きになってしまう。この目線のズレをリアルタイムな映像処理で解決するのが「アイコンタクト」機能だ。なお、本機能は最新のiPad Proなど一部機種のみで使える。

「設定」→「FaceTime」の「アイコンタクト」をオンにしておくと、ビデオ通話時の目線のズレを自動修正できる。ただし、目の周りの映像が歪むこともあるので、気になるようならオフにしておこう。

連絡先とFaceTime

no. 224

「メール」アプリで複数アカウントをまとめて管理しよう

自宅や会社のメールアドレスを iPadに設定する

自宅や会社の メールアカウントは 「その他」から追加

iPadに標準搭載されている「メール」アプリは、自宅で使う個人用のプロバイダメールや会社のメール、Gmail（No225で解説）やiCloudメール（No226で解説）といったWebメール、通信会社のキャリアメールなど、複数のアカウントを登録して、まとめて管理できる便利なアプリだ。まずは、自宅や会社のメールアカウントを追加する手順を覚えておこう。「設定」→「メール」→「アカウント」→「アカウントを追加」→「その他」→「メールアカウントを追加」から登録を行う。サーバ情報は手動で入力する必要があるので、プロバイダや会社から指定されている、POP3サーバやSMTPサーバのホスト名やパスワードを準備しておこう。

メールアプリに 自宅や会社のアカウントを登録しよう

1 「アカウントを追加」 をタップする

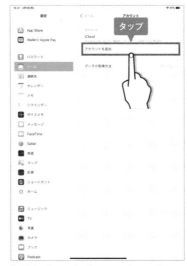

「設定」→「メール」→「アカウント」をタップすると、iPadに追加済みのメールアカウントが一覧表示される。新しくアカウントを追加するには、「アカウントを追加」をタップする。

2 「その他」からメール アカウントを追加

自宅のプロバイダメールや、会社のメールアカウントを追加する場合は、一番下の「その他」をタップする。続けて「メールアカウントを追加」をタップしよう。

3 メールアカウント情報を 入力する

新規アカウントの登録画面になる。メールアプリで受信したいアカウントの名前やメールアドレス、パスワードを入力したら、右上の「次へ」をタップ。

4 POPに変更して サーバ情報を入力

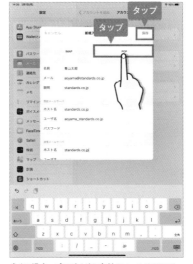

多くの場合、プロバイダや会社のメールはPOPサーバで受信するので、上部のタブを「POP」に切り替える（IMAP対応のメールサーバであれば「IMAP」で設定）。プロバイダや会社から指定されたPOP3サーバとSMTPサーバのホスト名やユーザ名、パスワードを入力していき、「保存」をタップ。

5 メールアカウントの 追加を確認

サーバとの通信が確認されると、元の「メール」→「アカウント」画面に戻る。「アカウント」欄に、先ほど追加したメールアカウントが表示されていることを確認しよう。

no. 225 Gmailをステップに設定する

Googleアカウントでログインするだけ

GmailをiPadに設定する

Gmailアカウントはほぼ自動的に設定できる

Gmailのアドレスをステップで利用する方法は非常に簡単。自宅や会社メールを設定する場合と同じく、「設定」→「メール」→「アカウント」→「アカウントを追加」をタップして開いたら、「Google」をタップしよう。あとはGoogleアカウントでログインするだけ。メールだけでなく、Googleアカウントの連絡先やカレンダーとも同期することが可能だ。ただしGmailをメールアプリで利用する場合、新着メールはリアルタイムで通知されず、一定間隔またはメールアプリを起動した時点で受信する。

✓ 「Google」でアカウントを追加する

「設定」→「パスワードとアカウント」→「メール」→「アカウント」→「Google」をタップし、Googleのアカウントとパスワードを入力。「メール」のスイッチがオンになっていることを確認して「保存」をタップするとアカウントが追加される。

‼️ 使いこなしヒント

Gmailをプッシュ通知で受信したいなら公式アプリを使おう

APP **Gmail**
価格／無料
カテゴリ／仕事効率化
作者／Google, Inc.

Gmailをメールアプリで受信する場合は、15分／30分／1時間ごとに新着チェックするか、またはメールアプリを起動した時点で受信する「フェッチ」しか設定できない。Gmailの新着メールを受信するまでのタイムラグが気になるなら、リアルタイムのプッシュ通知に対応した「Gmail」公式アプリを使おう。

---

no. 226 iCloudメールを作成してiPadで利用する

メールアプリでリアルタイム受信

iCloudメールは、Apple IDでサインインするだけで利用できるメールサービス。iPhoneとiPadなど、複数のiOS端末で同じメールボックスを同期して利用することも簡単だ。標準メールアプリで新着メールをリアルタイムに受信できるプッシュ方式にも対応している。

1 iCloudの設定でメールをオンに

「設定」の一番上にあるApple ID名をタップし、続けて「iCloud」をタップ。iCloudメールをまだ作成していないなら、「メール」項目がオフになっている。オンにして、表示されるメッセージで「作成」をタップしよう。

2 メールアドレスを作成する

Apple ID取得時に同時にiCloudメールを作成し、そのアドレスをIDとして使用することも可能

「（好きな文字列）@icloud.com」がiCloudメールアドレスになる。一度作成したiCloudメールのアドレスは変更できないので注意しよう。

---

no. 227 メールアカウントを停止、削除する

受信をやめたい場合は

追加したアカウントのメールを、一時的に受信したくない場合は、「設定」→「メール」→「アカウント」でアカウント名をタップし、プロバイダメールの場合は「アカウント」を、GmailやiCloudなら「メール」のスイッチをオフにすればよい。受信を再開したい場合は、スイッチをオンにするだけだ。

1 アカウントを一時的に停止

スイッチをオフ

スイッチをオフ

一時的に受信を止めたい場合は、停止したいアカウント名をタップし、「アカウント」（GmailやiCloudの場合は「メール」）をオフにすればよい。

2 アカウントを削除する

タップ

このアカウントをiPadで使わないなら、「アカウントを削除」をタップすれば削除できる。削除したアカウントを再度使いたい場合は、改めて追加し直す必要がある。

メール

no. 228
メールアプリの基本操作を知ろう

新規メールを
送信する

1 新規メールを作成して送信する

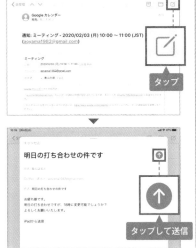

右上のボタンをタップすると、新規メール作成画面が開く。宛先は「+」をタップして連絡先から選ぶか、名前やアドレスの一部を入力すれば候補から選択できる。右上の矢印ボタンをタップして送信する。

2 複数の相手に同じメールを送信するには

「Cc/Bcc,差出人」をタップすれば、CcおよびBcc欄が表示される

複数の相手に同じメールを送信するには、「宛先」欄のアドレスをリターンキーで確定させ、別の宛先を追加すればよい。また「Cc/Bcc、差出人」欄をタップすると、「Cc」「Bcc」に宛先を入力できる。

使いこなしヒント
差出人アカウントを変更するには

タップ

複数アカウントを追加している場合は、メール作成時に「差出人」欄をタップすると、他の差出人アカウントに変更できる。また「設定」→「メール」→「デフォルトアカウント」でアカウントを選択しておけば、そのアカウントがメール作成時の標準の差出人になる(No250を参照)。

no. 229
複数メールの同時作成も可能

新規作成を保留して
その他のメール操作を行う

作成中のメールを下にスワイプして作成画面を最小化

メールの作成途中にメールボックスを確認したり、他のメールをチェックしたくなったら、作成途中のメールの画面上部を下へスワイプしてみよう。画面下部に最小化され、他のメールを開いたり、別の新しいメールを作成することが可能だ。元の作成中のメール画面に戻るには、画面下部に最小化され、件名が表示されている部分をタップすればよい。作成途中のメールが複数ある場合は、一覧表示され、必要なものを選択できる。なお、作成途中で最小化されたメールは、メールアプリを終了しても消去されない。

1 メールを最小化して他の作業を行う

作成中のメール画面上部を下にスワイプして最小化

最小化された件名をタップすれば元の作成画面に戻る

メール作成中に他のメールをチェックしたり、別のメールを作成したい場合は、いちいち下書き保存しなくても、メールを下にスワイプすれば最小化できる。最小化された件名をタップすれば、元の作成画面に戻る。

2 複数の画面を開いている場合は

タップして開く

「X」をタップ、または画面を左にスワイプで削除

作成中の画面が複数ある場合は、このように一覧表示されるので、戻りたい画面をタップすればよい。不要なタブは「X」をタップするか、またはサムネイルを左にスワイプすれば削除できる。

93

no. 230 複数メールを まとめて削除できる

メールを削除する

受信トレイに溜まったメールは個別にゴミ箱に移動して削除できるだけでなく、メール一覧で「編集」をタップすれば、複数メールを選択して削除したり、すべてのメールを選んで一括削除することも可能だ。

1 メールを個別に ゴミ箱に入れる

Gmailアカウントの場合は、ゴミ箱ではなくアーカイブボタンが表示される

メールを個別に削除する場合は、削除したいメールを開いて、上部のゴミ箱ボタンをタップ。

2 複数のメールをまとめて ゴミ箱に入れる

削除したいメールを選択

ゴミ箱

画面を左から右にスワイプしてメール一覧を開き、上部の「編集」をタップ。削除したいメールを複数選択して下部の「ゴミ箱」をタップすれば、選択したメールをまとめてゴミ箱に移動できる。

3 すべてのメールを ゴミ箱に入れる

すべてを選択

メール一覧を開いて上部の「編集」をタップし、続けて上部の「すべてを選択」をタップすれば、すべてのメールが選択状態になる。この状態で下部の「ゴミ箱」をタップすれば、すべてのメールを一括削除できる。

no. 231 ゴミ箱内のメールは 復元できる

ゴミ箱に入れたメールを 受信トレイに戻す

ゴミ箱に入れたメールは、左欄でメールボックスを開き、各アカウントの「ゴミ箱」フォルダを開けば確認できる。「編集」でメールを選択し、「移動」→「受信トレイ」を選択すれば、受信トレイに戻せる。

1 ゴミ箱のメールを選択して 「移動」をタップ

移動

メールボックスで各アカウントのゴミ箱フォルダを開き、「編集」で受信トレイに戻したいメールを選択。「移動」をタップしよう。

2 「受信」をタップして 受信トレイに戻す

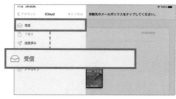

受信

「受信」をタップすれば、選択したゴミ箱内のメールが受信トレイに移動する。別アカウントのメールボックスへ移動させることもできる。

no. 232 「返信」「全員に返信」 をタップする

受信したメールに 返信する

返信したいメールを開き、右下にある矢印ボタンをタップすれば、返信メニューが開く。「返信」をタップで差出人にのみ返信、「全員に返信」で宛先に含まれているすべての連絡先宛に返信できる。

タップ

no. 233 「転送」を タップする

受信したメールを 転送する

転送したいメールを開き、右下にある矢印ボタンをタップ。「転送」をタップすれば、元のメールを引用した状態で転送メール作成画面が開き、他の宛先にメールの内容を転送することができる。

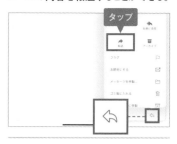

タップ

no. 234 元のメール内容を 分かりやすくする

メールの返信／転送時に 引用マークを付ける

「設定」→「メール」→「引用のマークを増やす」をオンにすると、返信メールや転送メール作成時に、元のメールの内容が分かりやすくなるように、文章の前に縦ラインが入り、文字色も変わって表示される。オフにすると、元の文章は返信テキストと同じ黒文字で引用される。

1 引用のマークを増やす

引用のマークを増やす

「設定」→「メール」→「引用のマークを増やす」をタップし、スイッチをオンにする。

2 返信や転送メールに 引用マークが付く

引用テキストにマークが付いた

返信／転送メール作成時は、引用テキストの前に縦ラインが入って文字色も変わり、元のメールの内容が分かりやすく表示される。

メール

no. 235
ミュート機能を利用しよう
頻繁に届くメールスレッドの通知をオフにする

やり取りが頻繁に行われるメールスレッド（No267で解説）の宛先に自分が含まれていると、通知が大量に届いて邪魔になる。そんな時は「ミュート」を設定しておこう。そのスレッドの受信通知がオフになる。またミュートにしたスレッドを、自動でアーカイブ／削除する設定も可能だ。

1 メールスレッドのミュートをオン

メールスレッドを開いて、右下にある矢印ボタンをタップ。開いたメニューで「ミュート」をタップしておけば、このスレッドの通知がオフになる。

2 ミュートしたスレッドの操作を設定

「設定」→「メール」→「ミュートしたスレッドの操作」をタップすると、スレッドの新着メールを自動的に開封済みにするか、アーカイブ／削除するかを選択できる。

no. 236
iCloud Driveからも貼付可能
メールに写真などのデータを添付する

メール作成画面の本文内をダブルタップし、ポップアップ表示されたメニューの「写真またはビデオを挿入」をタップすれば、写真アプリから写真やビデオを貼付できる。また「書類を追加」をタップすれば、iCloud Drive、Dropbox、Googleドライブなどからファイルを添付可能だ。

1 本文内をダブルタップする

本文内をダブルタップし、表示されたメニューの「写真またはビデオを挿入」か「書類を追加」をタップ。また、キーボードに備わるボタンでも同じ操作を行える。

2 添付する写真やファイルを選択

「写真またはビデオを挿入」は写真アプリから、「書類を追加」はiCloud Driveなどから添付ファイルを選択できる。

no. 237
手書きのスケッチを手軽に送信
メールに描画を添付する

メールの作成画面では、写真や添付ファイルとは別に、手書きのスケッチを挿入することができる。文字だけでは伝えにくいとき、ちょっとした手書きの図やイラストを添えてメールすることができる。なお、挿入された描画は、PNGの画像ファイルとして添付される。

1 本文内をダブルタップ

作成中のメール本文内をダブルタップし、表示されたメニューの「描画を挿入」をタップ。すぐにスケッチ機能が起動する。

2 ツールを選んで描画を作成

ツールを選んでイラストなどを手書きしよう。画面右下の「＋」で、テキストや図形を挿入可能。書き終わったら、画面左上の「完了」→「描画を挿入」をタップする。

no. 238
フォントやカラーも変更できる
メールの文字を装飾する

メール本文の文字は、装飾を施すことも可能だ。装飾したい文字や文章を選択したら、キーボード上部の「Aa」ボタンをタップしよう。フォントや文字サイズを変更できるほか、太字、斜体、下線、取り消し線、文字色や配置の変更、箇条書き、インデントなどの書式設定を行える。

1 文章を選択し「Aa」をタップ

装飾したい文章を選択し、キーボード上部の「Aa」ボタンをタップすると書式設定メニューが表示される。各項目をタップして文章の見た目を整えよう。

2 装飾を選んで適用する

このように、太字や下線を適用したり、フォントや文字サイズやカラーを変更できる。ただし、受信環境によっては再現されない書式もあるので気を付けよう。

no. 239 最大5GBまで送信可能
サイズの大きいファイルをMail Dropで送信

メールに添付できるファイルのサイズは、サービスやキャリアによって最大2MBや10MBと決まっているが、メールアプリの「Mail Drop」機能を使えば最大5GBのファイルを受け渡し可能。添付ファイルは一時的にiCloudに保存され、相手には30日間ダウンロード可能なリンクが送信される。

1 大容量のファイルをメールに添付

メール送信時、添付ファイルが大きすぎる場合は警告されるので「Mail Dropを使用」をタップしよう。100MB以上のファイルはWi-Fi接続でないと送信できない。

2 リンクからダウンロードする

Mail Dropで送信されたメールの「タップしてダウンロード」や「Click to Download」をタップしてダウンロード。30日以内ならいつでもダウンロードできる。

no. 240 未開封やフラグ、ゴミ箱移動が可能
メールを左右にスワイプして各種操作を行う

メール一覧画面では、メールを左右にスワイプすることでさまざまな操作が可能だ。メールを左から右にスワイプすれば、未開封メールを開封、または開封済みメールを未開封にでき、右から左いっぱいまでスワイプすればゴミ箱へ移動、半分ほどでスワイプを止めればフラグやその他操作を行える。

1 右にスワイプして開封／未開封に

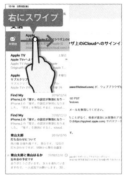

未開封メールを右へスワイプすると開封済みにできる。また、開封済みのメールを右へスワイプすると未開封に戻すことができる。

2 半分スワイプでメニューを表示

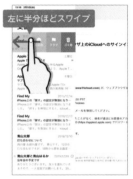

メールを右から半分程度までスワイプして「その他」「フラグ」「ゴミ箱」から選択。「その他」は、返信ボタンをタップした時とほぼ同じメニューが表示される。

no. 241 スワイプ操作のメニューを変更
メールのスワイプオプションを設定する

No240で紹介したメールのスワイプ操作で表示されるオプションメニューは、「設定」→「メール」にある「スワイプオプション」で変更することが可能だ。ただし、適用できるのは「開封済みにする」「フラグ」「メッセージを移動」「アーカイブ」など一部操作に限られる。

1 「スワイプオプション」をタップ

「設定」→「メール」にある「スワイプオプション」をタップし、「左にスワイプ」または「右にスワイプ」をタップする。

2 スワイプ操作時のメニューを変更

メールを左右にスワイプした際の表示メニューを、なし、開封済みにする、フラグ、メッセージを移動、アーカイブなどに変更できる。

no. 242 Bccに自分のアドレスを自動追加
送信メールを常に自分宛にも送信する

「設定」→「メール」で「常にBccに自分を追加」をオンにしておくと、メール作成時のBcc欄に自分のアドレスが自動で追加され、送信したメールが常に自分宛にも届くようになる。POPで設定したメールアカウントの送信メールを、他の端末でも確認したい場合に役立つ。

1 「常にBccに自分を追加」をオンにする

「設定」→「メール」画面を開き、下の方にある「作成」欄の「常にBccに自分を追加」をオンにしておく。

2 Bccに差出人アドレスが自動追加される

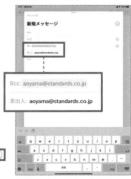

メール作成時の「Bcc」欄に、差出人と同じメールアドレスが自動で追加され、送ったメールが自分にも届くようになる。

メール

no. 243

未開封メールをすばやく抽出

フィルタ機能で目当ての メールのみ表示する

メール一覧画面では、左下に用意されているフィルタボタンをタップするだけで、未開封メールのみを抽出して素早く確認することができる。抽出するフィルタの条件は変更可能で、適用するアカウントを選択できるほか、フラグ付きや自分宛て、添付ファイル付きなどを設定できる。

1 フィルタボタン をタップする

2 フィルタの条件 を変更する

適用中のフィルタ: 未開封

メール一覧の左下にあるフィルタボタンをタップしてみよう。デフォルトでは未開封のメールのみに絞り込んで一覧表示してくれる。

フィルタ有効時に表示される「適用中のフィルタ」部分をタップすると、フィルタの条件を変更できる。適用アカウントや項目、宛先などを選択可能だ。

no. 244

重要度に合わせて設定しよう

アカウントごとに 通知の設定を変更する

メールの通知設定は、登録済みのメールアカウントごとに個別に設定することが可能だ。「設定」→「通知」→「メール」でアカウントを選択し、それぞれの通知方法を設定しよう。重要度の低いアカウントは通知自体をオフにし、重要なアカウントはバナー表示するなど工夫しよう。

1 通知を変更する アカウントを選択

アカウントを選択してタップ

2 通知設定を 細かく設定

メルマガ受信用アカウントは通知を無効にし、仕事用アカウントはバナーを表示させるといった設定が可能

「設定」→「通知」→「メール」でアカウントを選択してタップ。なお、この画面でメール全体の通知のオン／オフや、VIP、通知のグループ化設定も行える。

アカウントごとに「通知を許可」を設定可能。また、通知方法やサウンド、バッジ、プレビュー表示も個別に設定できる。重要度に合わせて変更しよう。

メール

no. 245

メールを開かずに操作できる

通知表示からメールの 開封や削除を行う

「設定」→「通知」→「メール」で、各アカウントの通知設定を行えるが、「バナー」を有効にしていると、新着メールが届いた際に画面上部のバナーで通知される。このバナーを下にドラッグすれば、メールを開かずに、すぐにゴミ箱に移動したり、開封済みにすることが可能だ。

1 通知バナーを 下にドラッグする

下にドラッグ

2 メールアプリを 開かずに処理する

開封済みにする

メールの通知を許可し、通知設定で「バナー」を有効にしていると、画面上部のバナーで新着メールが通知される。このバナーを下にドラッグしてみよう。

メールのプレビューの下に、「ゴミ箱」や「開封済みにする」メニューが表示され、メールアプリを開かず、ゴミ箱への移動や開封処理を行える。

no. 246

追加候補やリンクから登録

メールの内容から 連絡先や予定を登録する

メールアプリでは、メール本文内に記載された電話番号や日時が自動で検出され、画面上部に表示される。これをタップするだけで、電話番号を連絡先に追加したり、カレンダーに予定を登録することが可能だ。または、本文内のリンクをロングタップして連絡先やカレンダーに追加することもできる。

1 メール上部の 候補から追加する

Siriが1件のイベントを検出 2020年2月15日 土曜日の19:30〜23:00 追加

2 本文のリンク メニューから追加する

連絡先に追加

メール本文に記載された日時や署名を認識すると、上部に追加候補メニューが表示される。これをタップするだけで、連絡先やカレンダーに追加できる。

メール本文の日時や電話番号はリンク表示になるので、これをロングタップすれば、「イベントを作成」「連絡先に追加」などのメニューが表示される。

no. 247 タップするだけでプレビュー表示
メールの添付ファイルを開く

オフィス文書やPDF、写真などのファイルが添付されたメールの本文の「タップしてダウンロード」をタップすると、添付ファイルをダウンロードできる。オフィス文書やPDFは、表示されるファイル名をタップしてプレビュー表示。写真は、ファイル名をタップすれば本文内に表示される。

1 添付ファイルをプレビューする

2 添付ファイルが写真の場合は

本文中のファイル名をタップしてプレビュー表示。プレビュー画面の共有ボタンから、ファイルを別アプリで開いたり、マークアップ機能（No248で解説）を利用できる。

写真が添付されている場合は、ダウンロード後、ファイル名をタップすると本文内にそのまま表示される。ロングタップして各種操作を行おう。

no. 248 「マークアップ」機能で手書き入力
添付の写真やPDFに指示を書き込んで返信

メールアプリでは、添付された写真やPDFファイルに注釈などを書き込んで、そのまま返信することができる。まず添付ファイルをダウンロードし、プレビューを開いたら、画面右上のマークアップボタンをタップしよう。Apple Pencilがあれば、書き込みもよりスムーズに行える。

1 マークアップを起動する

2 注釈を書き込み返信する

添付ファイルや写真をタップしプレビューを開いたら、画面右上のマークアップボタンをタップ。手書きで注釈を入れたり、テキストを入力できる画面になる。

画面下部でペンなどのツールを選んで、PDFや写真上に指示などを書き込もう。右下の「＋」でテキスト入力も行える。最後に「完了」をタップする。

no. 249 アカウント別の署名も可能
メールに署名を付ける

「設定」→「メール」→「署名」をタップして署名を入力しておけば、メール入力時に自動的に自分の名前や電話番号が記入されるようになる。全アカウント共通で使う署名を設定しておくか、またはアカウントごとに個別に署名を設定することも可能だ。

共通の署名を入力する

アカウント別の署名を入力する

「設定」→「メール」→「署名」をタップして「すべてのアカウント」にチェックすると、全アカウント共通で使う署名を入力できる。標準では「iPadから送信」と入力されている。

メールアカウントによって署名を使い分けたい場合は、「アカウントごと」にチェックしよう。アカウントごとの署名欄が表示され、個別に設定できる。

no. 250 一番良く使うアドレスを設定しておこう
デフォルトの差出人アドレスを設定する

複数のメールアカウントを使っていると、受信したメールに返信する際は、相手がメールの宛先として設定したアドレスが返信メールの差出人アドレスに設定される。ただし新規メールを作成したり、「写真」など他のアプリからメールを作成する場合は、「設定」→「メール」→「デフォルトアカウント」で選択されたアカウントが標準の差出人として選択されるので注意しよう。最もよく利用する、メインのアドレスを設定しておくとよい。

送信時のデフォルトアカウントにチェック

「設定」→「メール」→「デフォルトアカウント」をタップし、標準の差出人にしたいアカウントにチェックを入れておこう。

no. 251 「キャンセル」で保存できる

すぐに送信しない
メールは下書き保存する

作成中のメールをすぐに送信しないなら、左上の「キャンセル」をタップして「下書きを保存」をタップすれば、下書きとして保存しておける。保存した下書きは、新規メール作成ボタンのロングタップで呼び出せる。

1 作成中のメールを下書き保存する

作成中のメールを下書き保存したい場合は、左上の「キャンセル」をタップし、続けて「下書きを保存」をタップすればよい。

2 下書き保存したメールを呼び出す

新規メール作成ボタンをロングタップすれば、下書き保存したメールが一覧表示される。下書きをタップして開けば再編集して送信できる。

no. 252 全メールを手軽に検索できる

メールをキーワードで
検索する

左欄の最上部にある検索欄で、メールをキーワード検索できる。現在表示中のメールボックスだけでなく、すべてのメールボックスから検索可能だ。

no. 253 フラグを付けて管理しよう

重要なメールに
印を付ける

重要なメールには、右下の矢印ボタンから「フラグ」をタップして、フラグを付けておこう。フラグを付けたメールには、メール一覧や宛先の横に旗のマークが表示されるようになる。またメールボックス一覧にある「フラグ付き」フォルダを開くと、フラグを付けた重要なメールのみを閲覧できる。

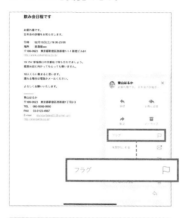

no. 254 7色を使い分けて整理できる

フラグの色を
変える、外す

No253の「フラグ」を付ける際は、旗マークのカラーを変更することもできる。右下の矢印ボタンのメニューから「フラグ」をタップした時点で、その下に7色のカラーメニューが表示されるはずだ。好きな色のフラグを付けて、重要なメールを色分けしておこう。なお、一度付けたフラグを外すには、カラーメニューの一番右端にある、斜線の入ったフラグをタップすればよい。

no. 255 ワンタップでまとめて開封

すべての未開封メールを
まとめて開封済みにする

メールは一通一通個別に開いて開封済みにしなくても、左欄上部の「編集」→「すべてを選択」をタップし、続けて下部の「マーク」→「開封済みにする」をタップするだけで、すべての未読メールをまとめて既読にできる。未読メール数の表示が邪魔ならこの方法で消そう。

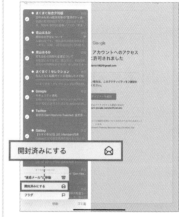

no. 256 未開封状態にも戻せる

一度開いたメールを
未開封にする

開封済みのメールを未開封に戻したい場合は、左欄上部の「編集」をタップし、未開封にしたいメールにチェックする。続けて下部の「マーク」をタップし、「未開封にする」をタップすれば、選択したメールが未開封に戻る。メールを選択せずに、「すべてを選択」→「マーク」→「未開封にする」で全メールを未開封に戻すこともできる。

no. 257 メールボックスを使いやすくする
メールボックスの表示や順番を整理、変更する

メールアプリのメールボックス一覧には、「全受信」や「フラグ付き」といった、複数アカウントのメールをまとめて表示できるメールボックスが用意されている。このメールボックス一覧に表示する項目や並び順は、上部の「編集」ボタンをタップして変更することが可能だ。

1 メールボックスの編集ボタンをタップ

2 表示する項目や順番を変更する

3本線ボタンをドラッグして表示順を並べ替える

表示させたいメールボックスにチェック

画面左上のボタンをタップしてサイドメニューを開いていき、メールボックス一覧を開いたら、上部の「編集」ボタンをタップする。

メールボックス一覧に表示させたい項目にチェックしておこう。また右端にある三本線ボタンをドラッグして、表示順を変更することもできる。

no. 258 素早く選択するテクニック
複数のメールを選択する

複数のメールを選択してまとめて操作するには、メール一覧の「編集」をタップし、操作したいメールにチェックしていけばよい。また、メール一覧画面で2本指を使って上下にスワイプするだけで、複数メールを素早く選択できる。一度指を離して、別のメールから選択し続けることも可能だ。

1 複数のメールを編集ボタンで選択

タップして個別に選択するか、左端のチェックボックスの列を下にスワイプすると、まとめて選択できる

2 複数のメールを2本指で素早く選択

2本指で上下にスワイプ。ひとつ飛ばしの選択も可能

メール一覧上部の「編集」ボタンで、複数メールを選択可能になる。左端のチェックボックスの列を下にスワイプすると、まとめて素早く選択できる。

編集ボタンをタップしなくても、2本指で上下にスワイプするだけで、素早く選択したり解除することが可能だ。

no. 259 各アカウントのメールボックスで確認
アカウントごとの送信済みメールやゴミ箱を確認する

メールボックス一覧画面では、よく使うメールボックスの下に、各アカウントのメールボックスが表示されている。アカウントごとの送信済みメールやゴミ箱に入れたメールを確認したい場合は、それぞれの「送信済み」「ゴミ箱」フォルダをタップして開けばよい。

1 アカウントごとのフォルダを開く

送信済み
迷惑メール
ゴミ箱
アーカイブ

2 よく使うメールボックスに追加

タップ

メールボックスを追加...

アカウント一覧画面で、各アカウントごとの「送信済み」や「ゴミ箱」フォルダをタップ。それぞれの送信済みメールやゴミ箱に入れたメールを確認できる。

「編集」→「メールボックスを追加」をタップすれば、指定したアカウントの送信済みやゴミ箱フォルダを、よく使うメールボックスに表示することもできる。

no. 260 「すべての送信済み」を追加しよう
複数アカウントの送信済みメールもまとめてチェック

送信済みメールは、No259で解説した通りアカウントごとの「送信済み」を開いて確認しなければならない。そこで、メールボックス一覧の「編集」をタップし、「すべての送信済み」にチェックしておこう。すべてのアカウントの送信済みメールを、まとめて確認できるようになる。

1 「すべての送信済み」にチェック

すべての送信済み

2 送信済みメールをまとめて確認

すべての送信済み

メールボックス一覧の上部「編集」をタップし、よく使うメールボックスの「すべての送信済み」にチェックを入れたら、「完了」をタップしよう。

よく使うメールボックスに「すべての送信済み」が表示されるようになった。これをタップすれば、すべてのアカウントの送信済みメールをまとめて確認できる。

メール

no. 261　各アカウントに追加できる
メールボックスを新たに追加する

1 「新規メールボックス」をタップ

2 新しいメールボックスを作成する

名前を入力

作成する場所を指定

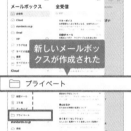

新しいメールボックスが作成された

メールボックス一覧画面で、上部の「編集」をタップし、続けてメールボックス欄の一番下に表示される「新規メールボックス」をタップしよう。

「名前」にメールボックス名を入力し、「メールボックスの場所」で新規メールボックスを作成するアカウントやメールボックスを選択したら、「保存」で作成できる。

no. 262　他のアカウントにもコピーできる
メールを別のメールボックスに移動する

　No261で作成したメールボックスにメールを移動するには、メールを開いて上部のフォルダボタンをタップし、移動先のメールボックスを選択すればよい。他のアカウントのフォルダやラベルにコピーしたり、ゴミ箱内のメールを受信トレイに戻す（No231で解説）といったことも可能だ。

1 フォルダボタンをタップする

2 移動先のメールボックスを選択

移動先のメールボックスをタップ

他のフォルダやラベルにメールを移動するには、まず移動したいメールを開き、上部メニューのフォルダボタンをタップする。

左欄にメールボックス一覧が表示されるので、移動したいメールボックスをタップ。左上の「アカウント」から、他のアカウントのフォルダにコピーすることも可能だ。

no. 263　「未開封」フォルダを表示させる
未開封のメールだけをまとめて表示する

　未読メールのみをすばやくチェックしたい場合は、「未開封」メールボックスを追加しておこう。メールボックスの一覧画面で、上部「編集」をタップ→「未開封」にチェックすればよい。No243で解説している通り、フィルタ機能を使って未開封メールのみ抽出する方法もある。

1 「未開封」メールボックスを追加

2 未開封メールをまとめて確認

メールボックス一覧の上部「編集」をタップし、よく使うメールボックスの「未開封」にチェックを入れたら、上部の「完了」をタップしよう。

よく使うメールボックスに「未開封」が表示されるようになった。これをタップすれば、すべてのアカウントの未読メールのみが一覧表示される。

no. 264　連絡先をVIPに追加
重要な相手のメールをVIPフォルダに振り分ける

　メールの差出人や宛先をタップして「VIPに追加」をタップすると、その相手からのメールは、メールボックスの「VIP」フォルダに振り分けられるようになる。重要な相手からのメールを見逃さないように活用しよう。なおVIPに登録した連絡先を確認したい場合は、メールボックス一覧で、VIPフォルダの「i」ボタンをタップ。VIPリストに登録したユーザーが一覧表示され確認できるほか、ユーザーを追加・削除したり、VIPからのメールの通知方法も変更できる（No265で解説）。

VIPへの追加とVIPリストの確認

VIPに追加

差出人や宛先をタップ→「VIPに追加」で、その連絡先をVIPに追加できる。VIPに登録した連絡先は、VIPフォルダの「i」ボタンをタップすれば確認できる。

no.265 VIPメールの通知を設定する
重要なメールのみ通知させる

「設定」→「通知」→「メール」の「VIP」をタップすると、VIPに追加（No264で解説）した相手からのメールの通知設定を変更できる。その他のメールの通知はオフにしてしまい、「VIP」のみ通知を許可しておけば、他のメールの通知に埋もれず重要なメールの見落としを防げる。

1 「VIP」の通知設定画面を開く

VIPに連絡先が登録されていないと、この「VIP」項目は表示されない

2 VIPメールの通知設定を変更する

VIPの通知を他より目立つよう設定できる

No264の手順に従って、通知を見逃したくない重要なメール相手を「VIP」に追加しておき、「設定」→「通知」→「メール」の「VIP」をタップしよう。

VIPの相手からのメールのみ、通知音を鳴らしたり、バナーを「持続的」にするなどの設定を施しておけば、重要なメールの見逃しを防ぐことができる。

no.266 メールのプレビュー行数を変更する
メール内容の一部を表示

メールアプリで受信メールの一覧を表示する際、送信者名やタイトルの他に、メール内容を一部表示（プレビュー）してくれる。デフォルトではプレビュー表示が2行となっているが、この行数は設定アプリの「メール」→「プレビュー」で、「なし」から最大5行まで変更することが可能だ。

1 メールのプレビュー行数を設定する
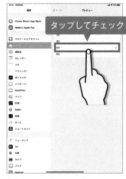
タップしてチェック

2 設定した行数でプレビュー表示される

ここでは4行に設定。プレビューだけでメールの内容がある程度わかるようになった

「設定」→「メール」→「プレビュー」をタップすると、メールのプレビュー行数を変更できる。「なし」から最大5行まで表示させることが可能だ。

メール一覧画面を開くと、設定した行数でメール内容の書き出し部分が表示されるようになる。自分が見やすい行数に設定しておこう。

---

no.267 メールのスレッド表示を有効にする
着信順に表示したい場合は

「設定」→「メール」→「スレッドにまとめる」がオンだと、同じトピックについてやり取りした一連のメールをまとめて表示、確認できる。便利だが、複数回やり取りしたメールが1つの件名でまとめて表示されてしまうので、着信順に1つずつメールを表示したい場合は、スイッチをオフにしよう。

「>」をタップすれば一連のメールが展開して表示される

「スレッドにまとめる」がオンだと、一連のやり取りのメールが受信ボックスでひとつのスレッドにまとまり、「>」マークが表示される。

no.268 スレッドの詳細設定を行う
表示方法を細かく指定

「設定」→「メール」では、スレッド（No267で解説）の表示設定も可能だ。「開封メッセージを閉じる」は開封したメッセージをスレッド上でコンパクトに表示。「最新のメッセージを一番上へ」はスレッド内で新しい順に表示。「スレッドを全部そろえる」は送信メールも含めてスレッド表示する。

「設定」→「メール」→「スレッドにまとめる」の下にある3つのスイッチで、スレッドの表示方法を変更できる。自分で見やすいように設定しておこう。

no.269 メールの受信拒否を設定する
指定相手からのメールをブロック

差出人名をタップして連絡先の詳細を開き、「この連絡先を受信拒否」→「この連絡先を受信拒否」をタップしておけば、この相手からのメールを受信拒否できる。また「設定」→「メール」→「受信拒否送信者オプション」で、「ゴミ箱へ入れる」を選択すれば、受信してすぐに削除されるようになる。

タップ

差出人名をタップして、「この連絡先を受信拒否」をタップすればこの相手からのメール受信を拒否できる。「この連絡先の受信拒否を解除」で解除できる。

no. 270 メールの受信間隔を変更する

新着メールの取得タイミングを設定

メールアプリを使う場合、iCloudメールなら新着メールがすぐに通知される「プッシュ」方式で受信できるが、その他のプロバイダメールやGmailは、新着メールを定期的にサーバへ問い合わせて受信する「フェッチ」方式でしか受信できない。ただし、「設定」→「メール」→「アカウント」→「データの取得方法」で、「フェッチ」欄を「自動」にチェックしておけば、iPadを充電中かつWi-Fiに接続中の場合のみ、プッシュ未対応のメールでもほぼリアルタイムで受信できる。また、受信間隔を手動（メールアプリ起動時に問い合わせ）／1時間／30分／15分ごとに設定することも可能だ。

「自動」にチェックがおすすめ

no. 271 アカウントごとに個別のサウンドを設定する

重要な相手は通知音を変えよう

「設定」→「メール」→「通知」（または「設定」→「通知」→「メール」）で、アカウントを選択すると、「サウンド」欄でアカウントごとに通知音を変更できる。「なし」で無音に設定することも可能だ。なお、「設定」→「サウンド」ではメールの送信音も変更できる（No097で解説）。

1 通知音を変更したいアカウントを選択

2 好きなサウンドにチェックする

タップ

「設定」→「メール」→「通知」（または「設定」→「通知」→「メール」）で、通知音を変更したいアカウントを選択したら、「サウンド」をタップしよう。

好きな通知音にチェックして変更しよう。「なし」にチェックして無音にしたり、「着信音/通知音ストア」でiTunes Storeから通知音を購入することもできる。

no. 272 メール削除前に確認するようにする

うっかり削除を防止する

通常はメールのゴミ箱ボタンをタップすると、すぐにそのメールはゴミ箱に移動されるが、「設定」→「メール」にある「削除前に確認」のスイッチをオンにしておけば、ゴミ箱ボタンをタップした際に、すぐゴミ箱に移動せず確認メッセージが表示されるようになる。

1 「削除前に確認」をオンにする

削除前に確認

オンにする

2 削除前に確認メッセージを表示

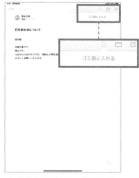

ゴミ箱に入れる

メールをうっかり削除したりアーカイブしてしまうのを防ぐには、まず「設定」→「メール」にある「削除前に確認」のスイッチをオンにしておこう。

メールの表示画面で、ゴミ箱やアーカイブボタンをタップすると、本当にゴミ箱に入れる（アーカイブする）か、確認のメッセージが表示されるようになる。

no. 273 HTMLメールの画像リンクを自動で読み込む

メール内の画像を自動表示

「設定」→「メール」にある「サーバ上の画像を読み込む」のスイッチをオンにしておくと、画像が埋め込まれたHTMLメールを受信した際に、自動的に画像を表示する。オフにした場合は、HTMLメールの画面に表示される「すべての画像を読み込む」をタップすれば、画像を表示することが可能だ。

1 「画像を読み込む」をオンにする

サーバ上の画像を読み込む

オンにする

2 オフにした場合はメールごとに読み込み

読み込まれていない画像があります。
すべての画像を読み込む

Apple TV+がついに登場。
今すぐ観よう。

Apple TV+のすべてを楽しもう

「設定」→「メール」にある「サーバ上の画像を読み込む」のスイッチをオンにしておけば、HTMLメールを開いた際に、埋め込まれた画像も自動的に読み込んで表示する。

「画像を読み込む」のスイッチをオフにした場合は、HTMLメールを開いて上部にある「すべての画像を読み込む」をタップすれば、画像が表示される。

メール

no.
274

iPadではiMessage専用アプリ

メッセージアプリの使い方

iPhoneやMacとチャットのようにやりとりできる

「メッセージ」は、やり取りが会話形式で表示されるLINEのようなアプリだ。iPhoneでは「SMS」「MMS」「iMessage」の3種類のサービスを自動で切り替えて利用できるアプリなのだが、iPadではWi-Fi ＋ CellularモデルでもSMSとMMSを利用できず、iMessageのみの対応となる（iPhoneがあればSMSやMMSを転送してiPadで送受信することもできる）。iMessageは、機能を有効にしたiOSおよびiPadOSデバイスまたはMac相手にしかメッセージをやり取りできないという制限があるが、サービス自体は無料で利用でき、写真やビデオも特に制限なく添付できる（ただし容量が大きいファイルは圧縮される）ので、iPhoneユーザーなどと連絡を取ることがあれば活用しよう。

メッセージ

メッセージアプリの使い方と注意点

新規メッセージの作成画面を開く

詳細画面を開き、添付された写真やビデオを一覧表示できる。また、現在地を送信したり共有することもできる

下部にメニューを開く

メッセージ入力欄

写真やビデオを撮影して送信する

ロングタップでオーディオメッセージを録音、送信できる。メッセージ入力欄にメッセージを入力した場合は、青丸に矢印の送信ボタンに変わる

各種メニューバー。端末内の写真やビデオの送信、App Storeでのステッカーや対応アプリ入手、ミー文字の利用、インストールしたステッカーやアプリの利用が可能

☑ iPadで送信できるのはiMessageアドレスのみ

宛先が青文字ならiMessageで送信できる（No277で解説）

iPhoneならSMSやMMSでAndroidともやり取りできるが、iPadで送信できるのはiMessageのみ。iMessage機能を有効にしているiPhoneやiPad、Macとしかメッセージをやりとりできない点に注意しよう。

☑ メッセージのやりとりは吹き出しで表示される

メッセージで送信した内容は、チャットのように吹き出しで表示される。吹き出しをダブルタップすると、そのメッセージに対して「ハート」や「笑」などの小さなアイコンですばやくリアクションできる（Tapback機能、No291を参照）。

☑ メッセージの詳細画面でできること

上部ユーザー名をタップし、「i」をタップすると詳細画面が開く。写真などの添付ファイルが一覧表示され、ロングタップで選択して保存や削除ができるほか、「現在地を送信」「位置情報を共有」で現在地の共有（No303、304を参照）も可能だ。

no. 275 無料で使えるメッセージサービス
iMessageを使える ように設定する

メッセージアプリを使って、iPhone／iPadなどのデバイスやMacを相手にメッセージをやり取りできるサービスが「iMessage」だ。利用するには、設定で「メッセージ」をタップして開き、Apple IDでサインインすればよい。送受信アドレスも自由に追加・変更できる（No276で解説）。

1 Apple IDで サインインする

2 iMessageが 有効になった

iMessageの利用にはApple IDが必要だ。「設定」→「メッセージ」でApple IDを入力し、サインインを済ませよう。

iMessageが有効になった。一時的に利用しない場合は、「iMessage」のスイッチをオフにすればよい。送受信アドレスの確認と変更はNo276を参照。

no. 276 複数のアドレスを追加できる
iMessageの着信用 アドレスを変更する

「iMessage」で宛先にできるのは、iPhoneの電話番号か、Apple ID、Apple IDに関連付けられた送受信メールアドレスのみ。Androidスマートフォンやパソコンには送信できない。この送受信アドレスは、Apple IDに関連付けることで好きなアドレスを追加できる。

1 送受信アドレスを 確認・選択する

2 他の送受信アドレ スを追加する

連絡先欄の「編集」をタップして、「メールまたは電話番号を追加」をタップすれば、新しいアドレスを追加できる

メッセージの送受信アドレスは、「設定」→「メッセージ」→「送受信」で確、変更できる。送受信に使いたいものだけチェックしておこう。

Apple ID以外の送受信アドレスは、「設定」上部のApple IDを開き、「名前、電話番号、メール」→「編集」をタップして追加する。

no. 277 iMessageアドレスは青文字
iMessageの送受信 可能な相手の確認方法

宛先に名前や電話番号、アドレスを入力すると、その宛先がiMessage着信用として設定されているかを問い合わせ、iMessageで送信可能な相手であれば青文字で表示される。その他のアドレスは赤文字になり、iPadからはメッセージを送信できないので注意しよう。

✔ 青く表示された 宛先には送信可能

青文字のアドレスにはiMessageを送信可

✔ 赤く表示された 宛先には送信不可

青く表示された宛先には送信可能。赤く表示された宛先には送信できない

iMessageの着信用として確認された電話番号やメールアドレスは、青文字で表示される。この宛先にはメッセージを送信できる。

iMessage着信用以外のアドレスや電話番号を入力すると、宛先が赤文字になる。送信をタップしてもこの宛先には送信されず、未配信となる。

no. 278 新規iMessageを作成
メッセージを 送信する

左欄上部にある新規メッセージ作成ボタンをタップすると、右欄に新規iMessageの作成画面が開く。上部の宛先欄で、No277の通りiMessageに対応した青文字の宛先を入力したら、下部のメッセージ入力欄にメッセージを入力、「送信」をタップすれば送信できる。

✔ 新規メッセージ作成 アイコンをタップ

✔ メッセージを入力して 「送信」をタップ

宛先を入力

メッセージを入力

タップして送信

メッセージアプリを起動したら、まず左欄右上の新規メッセージ作成ボタンをタップしよう。右欄に新規メッセージの作成画面が開く。

宛先欄にiMessageのアドレスを入力し、下部のメッセージ入力欄にメッセージを入力。送信欄右端の「↑」をタップすれば送信できる。

no. 279 音声で手軽にやりとり
オーディオメッセージを送信する

メッセージアプリでは、オーディオメッセージの送信も非常に簡単だ。メッセージ入力欄右の音声ボタンをロングタップするだけで録音が開始され、指を離すと録音を停止する。そのまま上にスワイプで送信。手軽に音声でメッセージを伝えることができる。

1 オーディオメッセージを録音、送信する

メッセージ入力欄の右にある音声ボタンをロングタップすると録音開始、指を離すと録音停止。録音した音声は上にスワイプするか、または矢印をタップで送信できる。

2 オーディオメッセージを再生する

メッセージ内の再生ボタンをタップすれば音声を再生できる。また、メッセージ下部の「保存」をタップして保存すれば、再生後も自動消去されない（No307を参照）。

no. 280 カメラで撮影することもできる
メッセージで写真やビデオを送信する

メッセージ入力欄左のカメラボタンをタップすると、写真やビデオを撮影して送信できる。またメッセージ入力欄下部のメニューから写真ボタンをタップすれば、端末内やクラウド上の写真やビデオを選択して送信できる。写真が見当たらない場合は、「すべての写真」から探そう。

1 写真またはカメラボタンをタップ

下部メニューバーの写真ボタンをタップすると、端末内の写真やビデオを選択したら。またカメラボタンをタップすれば、写真やビデオを撮影して送信できる。

2 写真やビデオを送信する

メッセージ入力欄に写真やビデオが追加されるので、「↑」をタップして送信しよう。サムネイル右上の「×」をタップすれば削除できる。

no. 281 フィルタなども適用できる
写真を編集して送信する

メッセージで写真を送信する（No280で解説）際は、サムネイルをタップして「編集」をタップすることで、写真に簡単な編集を加えることができる。写真編集メニューの機能と操作はNo413で詳しく解説するが、画質補正や切り抜き、フィルタの適用など、一通りの操作が可能だ。

1 プレビュー画面で「編集」をタップする

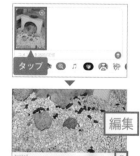

メッセージアプリで送信する写真を選択したら、入力欄のサムネイルをタップ。プレビューが表示されるので、右下の「編集」をタップしよう。

2 写真に自動補正などの編集を加える

自動補正や傾き補正、切り抜き、フィルタなどの編集メニューが用意されている。右上のチェックをタップすれば、編集を適用して元のプレビュー画面に戻る。

no. 282 マークアップ機能を使おう
写真に手書きの文字や指示を加えて送信する

メッセージで写真を送信する（No280で解説）際は、サムネイルをタップした後「マークアップ」をタップすることで、写真に手書き文字やテキストを書き込んで送信できる。ツールバーでペンの種類やカラーを変更できるほか、テキストや署名の入力、図形や矢印の挿入、拡大鏡も利用できる。

1 「マークアップ」をタップする

メッセージアプリで送信する写真を選択したら、入力欄のサムネイルをタップ。プレビューが表示されるので、左下の「マークアップ」をタップしよう。

2 写真に書き込んで保存する

表示されるマークアップツールバーでペンの種類やカラーを選択し、画像に手書きしよう。右上の「保存」をタップすると元のプレビュー画面に戻って送信できる。

メッセージ

no. 283

メッセージ表示時に特殊効果を付ける

メッセージに動きや
エフェクトを加えて送信する

1 メッセージを入力し送信ボタンをロングタップ

2 「吹き出し」エフェクトで送信する

3 「スクリーン」エフェクトで送信する

iMessageでは、吹き出しや背景にさまざまな特殊効果を追加する、メッセージエフェクトを利用できる。まずメッセージを入力したら、送信ボタン（「↑」ボタン）をロングタップしてみよう。

上部「吹き出し」タブでは、最初に大きく表示される「スラム」や、吹き出しや画像をタップするまで表示されない「見えないインク」など、吹き出しに効果を加えるエフェクトを選択して送信できる。

上部「スクリーン」タブに切り替えると、背景に風船や紙吹雪をアニメーション表示させるなど、派手なエフェクトを追加できる。エフェクトの種類は画面を左右にスワイプすれば切り替えできる。

no. 284

吹き出しにドラッグして配置することも可能

ステッカーでキャラクターや
イラストを送信する

1 あらかじめステッカーを入手しておく

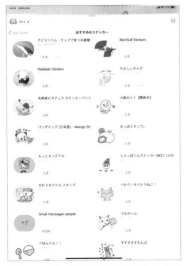

2 ステッカーを選択して送信する

3 好きな場所にステッカーを配置する

iMessageでは、専用のイラストやアニメーションを「ステッカー」として送信できる。LINEの「スタンプ」とほぼ同じ機能だ。No292の手順に従い、App Storeから好きなステッカーを入手しておこう。

入力欄下のメニューバーを左にスワイプすると、入手したステッカーや対応アプリが表示される。送信したいステッカーを選択し、送信（「↑」）ボタンで送信しよう。

ステッカーをタップしたまま吹き出しにドラッグすれば、その吹き出しに対するアクションとしてステッカーを送信できる。ステッカーから指を離して配置した時点で自動送信される。

no. 285
スケッチやジェスチャーで送信しよう
アニメーションの メッセージを送信

入力欄下のメニューバーにあるハートボタンをタップすると、「Digital Touch」の入力モードになる。手書きしたスケッチをそのままアニメーションで送信できるほか、画面を2本指で押し続けるとハートの鼓動になるなど、さまざまなジェスチャーでアニメーションを送信できる。

1 Digital Touchの 入力画面を開く

入力欄左にあるAppボタンをタップし、下部メニューのハートボタンをタップすると、「Digital Touch」の入力モードになる。

2 スケッチした内容を アニメーションで送信

入力欄をロングタップしたり2本指で押し続けると、ファイアボールや、ハートビートを送信できる。指を離した時点ですぐ送信されるので要注意

左の丸ボタンでカラーを変更し、中央の入力欄に手書きでスケッチを入力して送信ボタンをタップすると、筆跡通りに再生されるアニメーションを送信できる。

no. 286
長文をまとめて絵文字に
入力したメッセージを 後から絵文字に変換

「メッセージ」アプリでは普通に絵文字キーボードや変換候補から絵文字を入力するほかに、いったん文章を最後まで入力して一気に絵文字変換できることも覚えておこう。文章を入力した後、キーボードを「絵文字」に切り替えると、絵文字変換可能な語句がオレンジ色で表示される。

1 文章入力後に絵文字 キーボードに切り替え

メッセージ入力欄に文章を入力した後に、絵文字キーボードに切り替えると、絵文字変換可能な語句がオレンジで表示される。

2 絵文字に変換可能な 語句をタップ

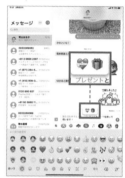

オレンジの語句をタップし、絵文字を選択しよう。もちろん、絵文字が不要な語句はそのままにしておいてよい。再度タップして文字に戻すこともできる。

no. 287
顔の動きに合わせて表情が動く
ミー文字を 利用する

ホームボタンのないiPad Proのメッセージアプリでは、自分の顔の動きに合わせて表情が動くキャラクターを音声と一緒に送信できる、「ミー文字」を利用できる。下部メニューバーのミー文字ボタンをタップし、キャラクターを選択して録画しよう。ウインクや舌を出す表情も再現できる。

1 ミー文字を 選んで録画する

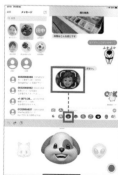

メッセージ入力欄下のメニューバーでミー文字ボタンをタップし、キャラクターを選択。カメラに自分の顔を向けて、赤い丸ボタンをタップすれば録画開始。

2 録画したミー文字 を送信する

タップして送信

メッセージを喋りながら表情を変えれば、自動的にミー文字の表情も変わる。録画終了したら、青い矢印ボタンで相手に送信しよう。

no. 288
自分そっくりのキャラを作ろう
新しいミー文字を 作成する

ホームボタンのないiPad Proのメッセージアプリでは、ミー文字（No287で解説）機能のひとつとして、自分でパーツを自由に組み合わせたキャラクターも作成できる。肌、ヘアスタイル、顔の形など豊富なパーツが用意されているので、自分そっくりの分身キャラに仕上げよう。

1 「新しいミー文字」 をタップする

タップ

メッセージ入力欄下のメニューバーでミー文字ボタンをタップし、一番左の「＋」（新しいミー文字）ボタンをタップしよう。

2 顔のパーツを 選択していく

肌やヘアスタイルなど豊富なパーツを組み合わせて、自分そっくりの分身キャラを作成しよう。作成したミー文字は、他のキャラクターと同様に利用できる。

no. 289 手書きキーで入力切り替え
手書き文字を送信する

キーボードの右下の手書きキーをタップすると手書き入力モードになる。手書き文字を入力し、右上の「完了」をタップするとメッセージ入力欄に表示されるので、送信ボタンをタップしよう。相手には書いた筆跡通りのアニメーションとして送信される。

メッセージ入力欄をタップすると、キーボードの右下に手書きキーが追加されているので、これをタップ。

手書き入力モードになった。左下の時計ボタンで履歴を表示でき、右下のキーボードボタンでキーボードに戻る。

no. 290 「イメージ」画面で選択できる
GIF画像を送信する

メッセージ入力欄左のAppボタンをタップし、下部メニューから「イメージ」ボタンをタップすると、GIF画像が一覧表示されタップして送信できる。「イメージを検索」欄でキーワード検索も可能だ。

no. 291 吹き出しをダブルタップ
Tapbackで素早くリアクションする

相手のメッセージに「ハート」や「いいね」などで手軽に反応したい場合は、吹き出しや写真をダブルタップして、メッセージ上部に表示されるTapbackメニューから選択しよう。吹き出しに対してボタンでリアクションできる。

吹き出しをダブルタップすると、吹き出しの上にTapbackメニューが表示されるので、ボタンを選んでタップ。

no. 292 iMessage用アプリを探そう
ステッカーや対応アプリをApp Storeから入手する

ステッカー（No284で解説）や、iMessage対応アプリ（No295で解説）を入手するには、メッセージアプリ内のメニューからApp Storeにアクセスすればよい。iMessage専用のApp Storeページが表示され、ステッカーやアプリを入手・購入できる。

メッセージ入力欄左のAppボタンをタップし、下部に開いたメニューからAppボタンをタップしよう。

iMessage向けのApp Storeページが表示され、アプリやステッカーを入手、購入できる。

no. 293 吹き出しをロングタップ
メッセージの内容をコピーする

メッセージの内容をコピーしたい場合は、吹き出しをロングタップし、下部に表示されるメニューから「コピー」をタップすればよい。テキストだけでなく、画像や手書き文字などをコピーすることもできる。

メッセージのロングタップメニューから「コピー」をタップ。コピーしたメッセージは、入力欄をロングタップして「ペースト」で貼り付けできる。

no. 294 個別の開封済み操作も可能
メッセージをまとめて開封済みにする

メッセージ一覧の上部「編集」→「メッセージを選択」をタップし、「すべて開封済みにする」をタップすると、未読のメッセージスレッドがすべて開封済みになる。スレッドにチェックして「開封済み」で個別に開封済みにすることも可能だ。

メッセージ一覧の上部にある「編集」→「メッセージを選択」をタップ。

左下に表示される「すべて開封済みにする」をタップすれば、すべてのスレッドを開封済みにできる。

メッセージ

no.
295

iMessage対応アプリで連携させよう

対応アプリの情報を
メッセージで送信する

メッセージアプリ内で
さまざまな
アプリと連携

　No292の通り、メッセージアプリでApp Storeにアクセスすると、iMessage対応アプリを入手したり購入できる。ダウンロードしたアプリはメッセージアプリのメニューバーに表示され、iMessage上で起動、連携することが可能だ。例えば「Evernote」なら、保存したノートを相手に送信して共有できる。また「エキサイト翻訳」は、iMessage上で翻訳したテキストをそのまま送信できる。「乗換案内」は、最後に検索した経路の画面メモを送信することが可能だ。他にも連携可能なアプリは多いのでチェックしてみよう。

1 iMessage対応アプリを
インストール

メッセージアプリからApp Storeにアクセスし（No292を参照）、iMessage対応アプリをインストールしよう。アプリはメッセージ入力欄下のメニューバーから起動できる。

2 iMessage対応アプリを
利用する

「乗換案内」アプリなら、最後に検索した経路が表示され、相手にメッセージとして送信できる。他に普段よく使っているアプリも、iMessageに対応していないか確認しておこう。

---

no.
296

左欄上部の検索欄を使おう

メッセージの内容を
検索する

　メッセージを検索したい場合は、左欄上部の検索欄をタップしよう。よく使う連絡先や、やり取りした写真、位置情報などを探し出せるほか、過去のメッセージ内容をキーワードで全文検索できる。検索結果のスレッドをタップすると、キーワードを含むメッセージ画面が表示される。

1 検索欄にキーワード
を入力して検索

左欄上部の検索欄をタップすると、やり取りしたすべての写真などを素早く探せる。またキーワードを入力すればメッセージを全文検索できる。

2 検索結果を
タップして表示

検索結果のスレッドをタップすると、そのメッセージの画面が表示される。過去のやり取りを確認するのに、いちいち上までスクロールするより手っ取り早い。

---

no.
297

個別またはまとめて削除

メッセージのやり取りを
削除する

　不要なメッセージは、吹き出しのロングタップメニューから個別に削除できる。ただし、自分のメッセージアプリ上の表示が消えるだけで、相手のメッセージからも削除されるわけではない。左欄のスレッドを左にスワイプしてゴミ箱ボタンをタップすれば、スレッドごと削除できる。

✓ メッセージを
個別に削除する

削除したいメッセージをロングタップし「その他」をタップする。吹き出しにチェックが入っているのを確認してゴミ箱をタップ。続けて「メッセージを削除」で削除できる。

✓ メッセージを
スレッドごと削除する

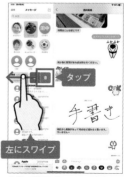

左欄で削除したいスレッドを左にスワイプするか、「編集」→「メッセージを選択」でスレッドを選択して、表示されるゴミ箱ボタンをタップすればスレッドごと削除できる。

no. 298 グループメッセージを利用する

メンバーの追加や削除も可能

2人以上の宛先を入力してメッセージを送ると、自動的にグループメッセージ画面になり、参加メンバーのメッセージのやり取りが同じ画面に表示されるようになる。上部ユーザー名をタップし「i」をタップすれば、グループに名前を付けられるほか、あとからメンバーを追加／削除することも可能だ。

1 グループ名を付ける

複数の宛先を選択してメッセージを送れば、グループメッセージになる。また「i」をタップして「名前と写真を変更」をタップすると、でグループ名を付けられる。

2 メンバーを追加または削除する

「連絡先を追加」をタップすると、後からグループにメンバーを追加できる。メンバーを外したい場合は、名前を左にスワイプし、「削除」をタップ。続けて「削除」をタップ。

no. 299 グループで特定の相手やメッセージに返信する

返信の対象を分かりやすくしよう

グループメッセージで同時に会話していると、誰がどの件について話しているか分かりづらい。特定のメッセージに返信したい時はインライン返信機能を使おう。また特定の相手に話しかけるにはメンション機能を使う。それぞれ、どの話題や誰に対しての返信か分かりやすくなる。

1 特定のメッセージに返信する

メッセージをロングタップして「返信」をタップすると、元のメッセージと返信メッセージがまとめて表示されるようになり、どの話題についての会話か分かりやすい。

2 特定の相手に話しかける

名前を指定することで、相手がスレッドの通知をオフにしていても通知され（No309で解説）、メッセージへの注意を促せる

特定の相手に話しかけるには、入力欄に相手の名前を入力してタップ。ポップアップ表示された相手の名前をタップし、続けてメッセージを入力すればよい。

no. 300 よくやり取りする相手を一番上に固定する

最大9人まで固定できる

メッセージでよくやり取りする特定の相手やグループは、見やすいようにリスト上部にピン固定できる。最大9人（グループ）までの配置が可能だ。ピン固定した相手からメッセージが届くと、アイコンの上にフキダシのように表示され、メッセージの内容がひと目で分かるようになる。

1 ピンボタンをタップして固定

右にスワイプ

よくやり取りする相手は、スレッドを右にスワイプして表示されるピンボタンをタップすると、リスト上部にアイコンで表示されるようになる。

2 リスト上部に固定して配置される

ピン固定した相手が上部に配置される。ピン固定した相手からの新着メッセージは、アイコン上にフキダシで表示される

リスト上部に最大9人（グループ）までピン固定できる。左上の「編集」→「ピンを編集」をタップし、各アイコンの「ー」ボタンをタップすると、ピン固定を解除できる。

no. 301 メッセージの詳細な送受信時刻を確認する

メッセージ画面を左にスワイプ

メッセージアプリで、同じ相手と短時間に連続してメッセージをやりとりすると、最初のメッセージの上にのみ送受信時刻が表示され、そのあとのメッセージには時刻が表示されない。約15分ほど間隔を空けて、改めて送受信したメッセージには、また1通目にのみ時刻が表示される仕様になっている。これは表示されないだけで、きちんとすべてのメッセージには送受信時刻が記録されている。画面を左にスワイプすれば、それぞれの吹き出しの横に送受信時刻が表示されるはずだ。

メッセージの送受信時刻を確認する

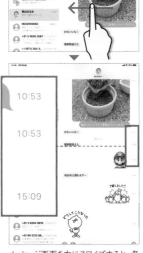

メッセージ画面を左にスワイプすると、各メッセージの右に送受信時刻が表示される。

no. 302 メッセージの件名欄を表示する
件名付きでメッセージを作成

メッセージの画面は、デフォルトだと本文のやり取りのみが表示されるが、実は件名を付けて送信することもできる。「設定」→「メッセージ」で「件名欄を表示」をオンにすれば、メッセージ作成時に件名の入力欄が表示されるはずだ。件名欄に入力した文字は太字で表示される。

1 「件名欄を表示」をオンにする

2 件名欄が追加され件名を入力できる

メッセージでもメールと同じように件名付きで送信したい場合は、「設定」→「メッセージ」→「件名欄を表示」のスイッチをタップしてオンにしよう。

メッセージ入力欄の上に「件名」欄が追加され、通常のメールと同じように件名を付けてメッセージを送信できる。送信した件名は太字で表示される。

no. 303 メッセージで現在地を知らせる
待ち合わせにも便利

上部のユーザー名から「i」をタップして詳細画面を開き、「現在地を送信」をタップすれば、自分の現在地をマップで相手に知らせることができる。あらかじめ「設定」→「プライバシー」→「位置情報サービス」をオンにしておき、メッセージの位置情報利用も許可しておこう。

1 「現在地を送信」をタップする

2 現在地のマップが送信される

あらかじめ設定の位置情報サービスをオンにした上で、メッセージ画面上部のユーザー名をタップして「i」をタップ。詳細画面で「現在地を送信」をタップしよう。

現在地のマップが送信され、簡単に自分の居場所を伝えることができる。送信したマップはタップすれば、マップアプリで開いたり経路検索を行える。

no. 304 他のユーザーと位置情報を共有する
共有期間も設定できる

上部のユーザー名をタップし「i」→「位置情報を共有」をタップすれば、自分の位置情報を相手と共有できる。共有期間は1時間／明け方まで／無制限から選択。あらかじめ「設定」→「プライバシー」→「位置情報サービス」→「自分の位置情報を共有」→「位置情報を共有」をオンにしておこう。

1 「位置情報を共有」をタップ

2 相手が位置情報を共有した場合

相手の位置情報が表示される

「i」で詳細画面を開き、「位置情報を共有」をタップ。共有期間を1時間／明け方まで／無制限から選択すれば、自分の位置情報を相手と共有できる。

相手が「位置情報を共有」で共有を開始した場合は、このように詳細画面の上部にマップが追加され、相手の現在地を確認することができる。

no. 305 通知表示からメッセージの返信を行う
アプリを起動せずにすばやく返信

新着メッセージがバナーで通知されたら、下にドラッグしてみよう。メッセージ画面が開き、キーボード上部にメッセージ入力欄も表示される。アプリを起動しなくても、そのまま返信が可能だ。ロック画面や通知センターでは、通知をロングタップするとメッセージ画面が開いて返信できる。

新着メッセージのバナー通知から返信

下にドラッグ

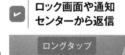

ロック画面や通知センターから返信

ロングタップ

バナー通知の場合は、バナーを下にドラッグすれば、メッセージ画面とメッセージ入力欄が表示され、アプリを起動しなくてもそのまま返信できる。

ロック画面や通知センターの場合は、通知をロングタップすれば返信を入力できる。また右上の「…」ボタンから、通知の管理も行える。

メッセージ

no. 306
相手に既読通知を送る
メッセージの開封証明を送信する

「開封証明を送信」をオンにすると、LINEの既読表示のようにメッセージを読んだかどうかを相手に伝えることができる。メッセージが読まれると、送信メッセージの吹き出し下の「配信済み」が「開封済み」に変わり、既読を確認できる。

☑ 「開封証明を送信」をオンにする

「設定」→「メッセージ」→「開封証明を送信」をオンにしておくと、受信したメッセージを閲覧した際に、相手に開封通知するようになる。

☑ 相手の「開封証明を送信」がオンの場合

相手の「開封証明を送信」がオンであれば、相手がメッセージを読んだ時点で、送信メッセージの下部の表示が「配信済み」から「開封済み」に変わる。

no. 307
音声の自動消去設定も
メッセージの保存期間を設定する

設定の「メッセージ」→「メッセージの保存期間」で、メッセージの保存期間を「30日間」「1年間」「無制限」に変更できる。また、オーディオメッセージはデフォルトだと送信または再生して2分後に消去されるが、「有効期限」をタップすれば消去しないよう設定を変更できる。

1 メッセージ履歴の保存期間を設定

「設定」→「メッセージ」→「メッセージの保存期間」をタップすると、メッセージ履歴の保存期間を「無制限」「30日間」「1年間」に変更できる。

2 オーディオメッセージの保存期間

同じ画面の下の方にある、オーディオメッセージの「有効期限」で、送信または再生したら2分後に消去するか、「なし」で消去しないかを選択できる。

---

no. 308
「i」ボタンをタップして確認しよう
送受信した写真やリンクをまとめて見る

上部ユーザー名をタップして「i」をタップし、「写真」や「リンク」の「すべて表示」をタップすると、その相手と過去にやり取りした写真やビデオ、リンクが一覧表示される。写真やビデオは、選択して端末内に保存することも可能だ。なお左上の検索欄をタップすると、すべてのメッセージから送受信した写真やリンクを探し出せる（No296で解説）。

上部ユーザー名をタップして「i」をタップし、「写真」や「リンク」の「すべて表示」をタップ。

no. 309
自分宛てのメッセージを通知させる
「自分に通知」機能を利用する

大人数で頻繁にメッセージをやり取りするようなグループでは、通知を非表示（No312で解説）にしておきたいが、自分宛てのメッセージを見逃すのは困る。そんな時は「設定」→「メッセージ」→「自分に通知」をオンにしておこう。グループの通知を非表示にしていても、自分を名指ししたメッセージ（No299で解説）だけは通知してくれるようになる。

オンにしておくと、通知が非表示の時でも自分を指名したメッセージは通知を受け取れる。

no. 310
メッセージ一覧をスッキリした表示に
連絡先の写真を表示させない

メッセージ一覧には、相手の名前の左側に連絡先の写真が表示されるが、相手が写真を設定していないと、単にイニシャルのアイコンが並ぶだけだ。表示が邪魔なら、「設定」→「メッセージ」→「連絡先を表示」のスイッチをオフにしておこう。なお、リスト上部にピン固定した場合（No300で解説）は、その連絡先の写真やイニシャルがアイコン表示される。

オフにすると、メッセージ一覧の写真やイニシャルのアイコンが消えてスッキリした表示になる。

メッセージ

no. 311 画像などの転送も可能
メッセージを転送する

メッセージの吹き出しをロングタップし、「その他」をタップ。転送したいメッセージにチェックして右下の転送ボタンをタップすれば、そのメッセージが入力された状態で新規メッセージが開き、宛先を選んで転送できる。スタンプなどは転送できないが、画像や送信された現在地の転送も可能だ。

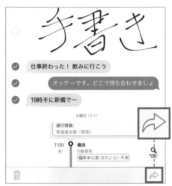

吹き出しのロングタップメニューから「その他」をタップして、転送したいメッセージにチェック。右下の転送ボタンをタップすれば転送できる。

no. 312 通知を非表示に設定しておこう
特定の相手のメッセージだけを通知しない

着信拒否にするような相手ではないが、頻繁にメッセージが送られてきて通知がわずらわしい、といった場合は、その相手のメッセージスレッドを左にスワイプし、ベルボタンをタップしておこう。これで、この相手からのメッセージのみ、通知なしでメッセージを受信できるようになる。通知はされないが、バッジは表示されるため、新着メッセージがあることは確認できる。

メッセージのスレッドを左にスワイプしてベルボタンをタップすれば、通知が表示されず通知音も鳴らない。メッセージ画面で「i」をタップして詳細を開き、「通知を非表示」をオンにしてもよい。

no. 313 FaceTimeの着信もまとめて拒否
メッセージの着信拒否を設定する

メッセージアプリで「i」をタップして詳細を開き、続けて「情報」をタップ。「この発信者を着信拒否」→「連絡先を着信拒否」をタップすれば、相手からのメッセージだけでなく、FaceTime通話も着信しなくなる。

1 着信拒否したい相手の名前をタップ

メッセージ画面で上部ユーザー名の「i」タップし、開いた画面で「情報」をタップする。

2 「この発信者を着信拒否」をタップする

「この発信者を着信拒否」→「連絡先を着信拒否」をタップすれば、メッセージとFaceTimeを着信拒否できる。もう一度タップすれば解除される。

no. 314 連絡先以外からのiMessageをフィルタ
不明な相手からのメッセージを振り分ける

「設定」→「メッセージ」で「不明な差出人をフィルタ」をオンにしておくと、連絡先に登録されている相手以外からのiMessageの通知をオフにし、フィルタ画面の「不明な差出人」リストに自動で振り分けてくれる。

「設定」→「メッセージ」で「不明な差出人をフィルタ」をオン。連絡先以外からのiMessageは、自動で「不明な差出人」リストに振り分けられる。

no. 315 2分おきに繰り返し通知する
メッセージの通知を繰り返す

「設定」→「通知」→「メッセージ」→「通知を繰り返す」で、メッセージの新着通知を2分おきに1〜10回繰り返すよう設定できる。また、「しない」を選べば繰り返し通知を無効にできる。

no. 316 データ通信量を節約できる
メッセージの添付画像を低解像度にする

「設定」→「メッセージ」→「低解像度モード」をオンにしておくと、メッセージで送信する画像が低解像度になり、通信量を節約できる。

no. 317 ホーム画面のバッジ表示が邪魔なら
メール／メッセージのバッジを非表示にする

「設定」→「通知」→「メール」（または「メッセージ」）で、「バッジ」をオフにしておけば、未読メール数を示すアイコンのバッジが非表示になる。

メッセージ

no. 318 Safariでキーワード検索を行う

iPad標準のWebブラウザで検索してみよう

アドレス欄にキーワードを入力して検索しよう

iPadでWebサイトを見るための標準Webブラウザが「Safari」だ。初期状態では、ホーム画面の一番下にあるDock欄にアプリが配置されている。タップしてアプリを起動したら、まず上部のアドレス欄をタップしよう。このアドレス欄はURL入力だけでなく、キーワード検索欄も兼ねた「スマート検索フィールド」となっている。調べたいキーワードを入力すれば、Googleの検索結果が表示されるので、検索結果のリンクをタップして目的のページを表示しよう。画面が小さくて見づらい場合は、ピンチアウトで拡大表示が可能だ。

1 Safariを起動してキーワードやURLを入力する

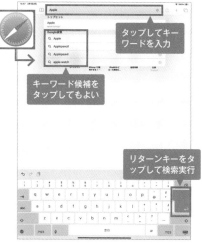

タップしてキーワードを入力／キーワード候補をタップしてもよい／リターンキーをタップして検索実行

まずはSafariを起動しよう。上部の検索欄は「スマート検索フィールド」と呼ばれ、URL入力欄と検索欄が統合されている。調べたいキーワードを入力してリターンキーをタップするか、またはキーワード候補から選んでタップしよう。

2 Googleの検索結果が表示される

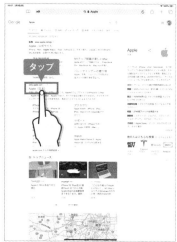

Googleの検索結果から目当てのサイトを選択してタップすれば、そのページが表示される。なお、検索欄にURLを入力した場合は、アドレスに問題なければ直接サイトを開くことができる。

Safari

no. 319 Webサイトのリンクを操作する

リンクのロングタップ操作を覚えよう

SafariでWebページ上のリンクを開くには、リンク部分をタップすればいい。すると、現在開いているタブでリンク先のページが表示される。また、リンクをロングタップすると、「開く」や「新規タブで開く」（No.336で解説している設定によっては「バックグラウンドで開く」になる）、「リーディングリストに追加」などのメニューが表示され、各種操作が可能だ。

1 リンクをロングタップする

ページ内のリンクをロングタップすると、リンク先のページがプレビュー表示される。さらに、「新規タブで開く」や「コピー」、「共有」などのメニューが表示される。

2 リンクを共有することもできる

表示されたメニューから「共有」を選択すれば、さらに共有メニューが表示される。リンク先のアドレスをAirDropやメッセージ、メールなどで送信可能だ。

no. 320 新規タブでサイトを開く

複数サイトの表示をタブで切り替え

Safariの右上にある「+」をタップすると、今見ているサイトのタブを残したまま、新しいタブを開ける。リンク先を新しいタブで開きたい場合は、リンクをロングタップして「新規タブで開く」をタップしよう。タブ一覧画面を表示すれば、現在開いているすべてのタブの画面を確認可能だ。

1 「+」をタップして新しいタブを開く

タップ

右上の「+」をタップすると新しいタブが開く。または、リンクをロングタップして「新規タブで開く」を選ぶと、新しいタブでそのページを開くことができる。

2 開いているタブ一覧を表示する

右上のタブボタンをタップすると、今開いているタブの画面が一覧表示される。タブを切り替えるには各画面をタップ、「×」ボタンでタブを閉じることが可能だ。

no. 321 リンク先を別のタブで素早く開く方法
2本指でリンクをタップし新規タブで開く

SafariでWebページを閲覧している際に、リンク先を別のタブで開きたいと思う機会は多い。しかし、いちいちロングタップして「新規タブで開く」を選ぶのは面倒だ。そこで覚えておきたいのが、「リンクを2本指でタップする」技。これだけでリンク先のページを新規タブで開くことができる。

1 リンクを2本指でタップする

SafariでWebページを表示し、別タブで開きたいリンクがあったら、リンク部分を2本指でタップしてみよう。

2 リンク先のページが新規タブで開く

すると、今表示しているタブの隣に新しいタブが作成され、リンク先のページが表示される。No336の設定で、新規タブをバックグラウンドで開くことも可能だ。

no. 322 タブバーを表示させよう
開いているタブを画面上部に一覧表示する

Safariのタブを切り替えるのにタブボタン（No320で解説）で一覧表示しなくても、画面上部のタブバーからタブを選んでタップすれば、素早く切り替えができる。タブを複数開いているにも関わらずタブバーが表示されない場合は、「設定」→「Safari」→「タブバーを表示」をオンにしよう。

1 「タブバーを表示」をオンにする

Safariの画面上部にタブバーが表示されない場合は、「設定」→「Safari」で「タブバーを表示」をオンにしておこう。

2 タブバーからタブを切り替える

Safariの画面上部にタブバーが表示される。タブを選んでタップするだけで、表示する画面を切り替えることが可能だ。

no. 323 タブボタンをロングタップしてみよう
開いているすべてのタブをまとめて閉じる

Safariではタブを無制限に開くことができるが、あまりタブを開きすぎると目的のタブが探しにくくなる。定期的に不要なタブは閉じるようにしよう。とはいえ、たくさんタブを開いているときは1個1個タブを閉じていくのが面倒。そんな時は、以下の方法ですべてのタブをまとめて閉じてしまおう。

1 タブボタンをロングタップ

Safariをしばらく使っていると、複数のタブを開きすぎてしまいがちだ。今開いているすべてのタブを一気に閉じたいのであれば、右上のタブボタンをロングタップしてみよう。

2 タブをすべて閉じよう

「○個のタブをすべてを閉じる」というメニューが表示されるので、これをタップ。さらに確認表示がされるので「〜のタブを閉じる」をタップしよう。これですべてのタブが閉じる。

no. 324 タブをドラッグすればOK
タブを並べ替える

タブの並び順を変更したい場合は、No322の通りタブバーを表示させておくと簡単だ。タブをタップしたまま左右にドラッグするだけで入れ替えができる。または、右上のタブボタンをタップしてタブ一覧を開き、移動したいタブをロングタップして好きな位置にドラッグしてもよい。

1 タブをドラッグして並び替え

タブバーを表示させていれば、タブをロングタップし、そのまま左右にドラッグすることで、他のタブと場所を入れ替えることができる。

2 タブ一覧画面でドラッグ

または、タブボタンをタップしてタブ一覧画面を開き、移動したいタブをロングタップ。そのまま好きな位置にドラッグすれば並べ替えができる。

no. 325

Split ViewやSlide Overでリンク先のページを開く

リンクをドラッグして
マルチタスクで開く

2つのページを
分割表示して
同時に閲覧できる

　Safariでは、「Split View」や「Slide Over」機能による画面分割表示が可能だ。ページのリンクをロングタップして、画面の左右端までドラッグ&ドロップしてみよう。すると、リンク先のページがSplit Viewで分割表示され、2つのページを同時に閲覧できるようになる。また、ドラッグ&ドロップで指を離す場所を画面左右端から少し内側にすれば「Slide Over」でページが分割表示される。この機能をうまく使えば、2つのショッピングサイトを同時に閲覧して販売価格を比較するなど、いろいろと活用できるので試してみよう。

1 リンクをロングタップして
画面端にドラッグする

Safariで任意のページを開き、リンク部分をロングタップしよう。メニューが表示されても、そのまま指を画面から離さず画面の左右どちらかの端にドラッグ。するとSafariのアイコンが表示される。

2 リンク先のページが
分割された画面で開く

画面の左右端で指を離せば「Split View」、左右端より少しだけ内側で指を離せば「Slide Over」となり、分割画面でリンク先のページを表示できる。2つのページを同時に閲覧したい時に便利だ。

Safari

---

no. 326

誤って閉じたタブを復元

最近閉じたタブを
開き直す

　過去にアクセスしたWebページは「履歴」（No341で解説）に残されているが、少し前に閉じたばかりのタブなら、いちいち履歴から復元する必要はない。新規タブ作成の「＋」ボタンをロングタップすれば、「最近閉じたタブ」が一覧表示されるので、これをタップすれば復元できる。

1 「＋」ボタンを
ロングタップ

誤ってタブを閉じてしまった場合は、いちいち履歴から探さなくても、もっと簡単に復元する方法がある。まず、右上の「＋」ボタンをロングタップしよう。

2 最近閉じた
タブから復元

最近閉じたタブが表示され、タップすれば素早く開き直せる。なお、最近閉じたタブの一覧は、Safariを完全終了（No512で解説）することでリセットできる。

no. 327

タブ一覧画面で検索

タブの検索機能を
利用する

　タブを開きすぎて、目的のタブがどこにあるのかわからなくなってしまったら、タブのキーワード検索機能を利用しよう。右上のタブボタンをタップしてタブ一覧を開くと、左上に検索欄が用意されているはずだ。この検索欄で、タブの見出し部分をキーワード検索することができる。

1 タブボタンを
タップする

タブを開きすぎると、タブバーに表示される見出しもほとんど隠れてしまい、どこになんのタブがあるのか見つけづらい。そんな時はタブボタンをタップしよう。

2 左上の検索欄で
キーワード検索

タブ一覧画面の左上に検索欄が用意されている。キーワードを入力すれば、見出しと一致するタブのみを絞り込んで表示できる。

no. 328 使っていないタブを自動で消去する

定期的にタブを消去したいなら

Safariのタブは、自分で閉じない限り残っていくため、いつのまにか大量のタブが開いたままの状態になりがちだ。タブをいちいち閉じていくのが面倒なら、タブを自動的に閉じる機能を使ってみよう。1日や1週間、1か月など、一定期間使っていないタブを自動で閉じるようにすることが可能だ。

1 設定から「タブを閉じる」をタップ

タップ

自動でタブを閉じる機能を使うには、あらかじめ設定が必要だ。「設定」を起動して、「Safari」→「タブを閉じる」をタップしよう。

2 タブを閉じるまでの期間を設定

タブを自動的に閉じまでの期間を設定する

「手動」、「1日後」、「1週間後」、「1か月後」の4つが選べるので、好きなものを選択しよう。通常は「1週間後」がオススメだ。

no. 329 後で読みたいサイトをリーディングリストに保存

オフラインでも読める

気になる記事を時間のある時にゆっくり読みたい時は、共有ボタンから「リーディングリストに追加」をタップしよう。表示中のページが、オフラインでも読める状態で保存される。保存したページは、ブックマーク一覧の「リーディングリスト」タブから開くことが可能だ。

1 「リーディングリストに追加」をタップ

リーディングリストに追加 ⚭

タップした後、「オフライン表示用の～」と表示されたら「自動的に保存」を選択する

右上の共有ボタンをタップし、「リーディングリストに追加」をタップ。表示中のページが、オフライン状態でも読める状態で保存される。

2 リーディングリストに保存した記事を読む

タップ

ブックマークボタンをタップし、中央の「リーディングリスト」タブを開くと、保存したページが一覧表示され、タップすれば閲覧できる。

---

no. 330 リーダー機能で記事内容をテキスト表示

文章を読みやすく表示する

ニュースサイトなど長文を提供するサイトで、スマート検索フィールドの左にあるボタンをタップし、「リーダー表示を表示」を選ぼう。すると、読みやすいシンプルな表示に切り替わる。

リーダー表示を表示

タップ

リーダー表示になる。文字サイズやフォントも変更可能だ

no. 331 サイト上の画像を保存する

画像上をロングタップ

Webサイト上の写真や図版を保存したい場合は、画像をロングタップしよう。表示されたメニューの「"写真"に追加」をタップすれば、画像がダウンロードされて「写真」アプリに保存される。

"写真"に追加

タップ

写真アプリに保存される

no. 332 URLの.comや.co.jpを素早く入力する

「.jp」キーをロングタップ

SafariやChromeなどブラウザのアドレスバーに入力する際や、メールアプリの宛先を入力する際は、「.jp」キーのロングタップで「.com」「.co.jp」「.net」といった候補が表示され、素早く入力可能だ。なお、「.jp」キーは、英語キーボード、または日本語ローマ字キーボードで利用でき、日本語かなキーボードや絵文字キーボードでは利用できない。

「.jp」キーをロングタップし、指をスライドさせて候補から選択して入力

.edu .net .co.jp .com .org
.jp

Safari

no. **333** よく使うサイトを
素早く開く

気に入ったサイトを
ブックマークに登録する

よくアクセスするサイトは、ブックマークに登録しておくと便利だ。登録方法は簡単。サイトを表示して、共有ボタンから「ブックマークを追加」をタップするだけ。ブックマークを追加するフォルダも選択できるが、「ブックマークを追加」画面からは新規フォルダを作成できないので、No335を参考にあらかじめフォルダを作成しておこう。

1 「ブックマークを追加」を
タップする

まずブックマーク登録したいサイトを表示し、右上の共有ボタンをタップ→「ブックマークを追加」をタップする。

2 場所を指定して
「保存」をタップ

ブックマークに登録するサイト名やURLを確認し、「場所」欄でブックマークの保存先フォルダを選択。あとは右上の「保存」をタップしよう。

3 ブックマークに登録した
サイトを開く

左上のブックマークボタンをタップすると、ブックマークに登録したサイトが一覧表示され、タップすればすぐにアクセスできる。

no. **334** 複数のサイトを
一気に登録できる

開いているタブを
すべてブックマーク登録

Safariでタブを複数開いている場合、すべてのタブのサイトをまとめてブックマークに登録することができる。Safariのブックマークボタンをロングタップしたら、「○個のタブをブックマークに追加」を選択しよう。あとはNo333と同様にブックマーク保存すればいい。複数のサイトを一気にブックマークしておきたい時などに活用しよう。

1 ブックマークボタンを
ロングタップする

Safariで複数のタブを開いた状態にし、上上にあるブックマークボタンをロングタップ。「○個のタブをブックマークに追加」をタップしよう。

2 場所を指定して
「保存」をタップ

ブックマークに登録するサイト名を確認し、「場所」欄でブックマークの保存先フォルダを選択。右上の「保存」をタップして保存しよう。

3 ブックマークに登録した
サイトを開く

これで複数のサイトがまとめて保存される。登録したブックマークは、Safariの左上にあるブックマークボタンをタップすれば確認できる。

no. **335** お気に入りサイトを
わかりやすく管理

ブックマークを
整理する

ブックマークに登録したサイトが増えてきたら、ブックマークをわかりやすく整理しておこう。左上のブックマークボタンをタップ→「編集」で、ブックマークの編集モードになる。各ブックマークは右端の三本線ボタンをロングタップしてからドラッグすると並び替えできるほか、各ブックマークをタップすればブックマーク名や場所（フォルダ）を変更、「ー」をタップすれば個別に削除できる。フォルダの作成は「新規フォルダ」をタップすればOKだ。

1 ブックマーク画面で
「編集」をタップ

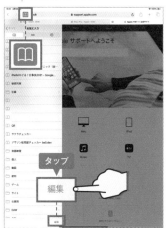

タップ

編集

よく使うサイトをブックマーク登録しても、数が多すぎて探すのに時間がかかっては意味がない。左上のブックマークボタン→「編集」でわかりやすく整理しておこう。

2 ブックマークを
編集する

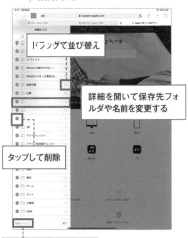

ドラッグで並び替え

詳細を開いて保存先フォルダや名前を変更する

タップして削除

新規フォルダを作成する

Safari

no. 336 リンクを開く際の動作を設定する
新規タブをバックグラウンドで開く

リンクのロングタップメニューで「新規タブで開く」をタップすると、通常は開いた新規タブにすぐ切り替わるが、読み込み完了までしばらく待たなければならない。この待ち時間が嫌なら、「新規タブをバックグラウンドで開く」をオンにしておこう。現在のページを表示したままでリンク先が別のタブで開くようになる。表示中のページを読んでいる間に、バックグラウンドで開いたリンク先のページが読み込み完了するので、ストレスなく新しいページに切り替えできる。

「新規タブをバックグラウンドで開く」をオン

❷バックグラウンドでタブが開く

❶リンクを二本指でタップするか、ロングタップして「バックグラウンドで開く」をタップ

「設定」→「Safari」で「新規タブをバックグラウンドで開く」のスイッチをオンにしておくと、「バックグラウンドで開く」でリンクがバックグラウンドで開くようになる。

no. 337 広告ブロック機能を利用する
別途対応アプリが必要

Safariには、Webサイトの広告表示をブロックする「コンテンツブロッカー」機能が用意されている。ただしSafari単体では動作せず、別途「280blocker」などの広告ブロックアプリが必要だ。広告をブロックすることで、余計な画像を読み込むことなくページ表示が高速になるので、ぜひ導入しておこう。なお、月に一度は、アプリの「ブロックルールの更新をする」をタップして広告フィルタを最新版に更新しておくとよい。

設定でコンテンツブロッカーを有効にする

有効にしたいコンテンツブロッカーをオンにする

「広告をブロック」のオンは必須。他の2つもオンにするのが推奨設定だが、「SNSアイコンを非表示」、「最新の広告への対応」は必要に応じてオフにしてもよい

APP

280blocker

価格／500円
カテゴリ／ユーティリティ
作者／Yoko Yamamoto

アプリをインストールしたら、「設定」→「Safari」→「コンテンツブロッカー」をタップ。「280blocker」のスイッチをオンにしておこう。「280blocker」を起動し、3つのスイッチをオンにすれば設定完了だ。

no. 338 パソコン向けのサイトに表示を変更する
モバイル向けで表示される場合に

iPadのSafariでWebページを開くと、サイトによっては、パソコンで表示するのとは異なる、モバイル向けのWebページが表示される。これをパソコンで見るのと同じ画面に変更したい場合は、スマート検索フィールド左のボタンをタップし、「デスクトップ用Webサイトを表示」をタップしよう。

1 デスクトップ用の表示に切り替える

スマート検索フィールド横の「ぁあ」ボタンをタップして、「デスクトップ用Webサイトを表示」をタップ。これで表示が切り替えられる。

2 常にデスクトップ用の表示にする場合

オンにする

常にデスクトップ用の表示にしたい場合は、「設定」→「Safari」→「デスクトップ用Webサイトを表示」→「すべてのWebサイト」をオンにしておこう。

no. 339 アクセス履歴の残らないプライベートブラウズを使用
iPadを貸し借りして使う場合などに

Safariで閲覧履歴や検索履歴、自動入力などの記録を残さずにブラウジングしたい場合は、プライベートブラウズ機能を利用しよう。右上のタブボタンをタップし、「プライベート」をタップすると、ブラウザのスマート検索フィールドが黒くなり、履歴などを残さずにページを閲覧できるようになる。

1 「プライベート」をタップする

タップ　プライベート

タブボタンをタップし、「プライベート」→「完了」で、プライベートブラウズになる。再度「プライベート」をタップすれば通常モードに戻る。

2 プライベートブラウズが開始

プライベートブラウズ中に開いたタブは、次にプライベートブラウズにした時に復元されるので、すべてタブを閉じてから通常モードに戻ろう。

Safari

no. 340 ページ内の文字列を ハイライト表示

表示サイト内を キーワード検索する

表示中のページ内で特定の文字列を探したい場合は、まず右上の共有ボタンから「ページを検索」をタップ。キーワードを入力すれば、一致する文字列が黄色でハイライト表示され、「∨」または「∧」キーで次の／前の結果に移動できる。または、スマート検索フィールド（アドレスバー）からでもページ内をキーワード検索可能だ。

1 「ページを検索」を タップ

ページ内をキーワード検索するには、まず右上の共有メニューボタンをタップし、「ページを検索」をタップする。

2 キーワードが ハイライト表示される

キーワードを入力すれば、一致する文字列が黄色や白色でハイライト表示される。「∨」および「∧」キーで前後の文字列に移動、「完了」でページ内の検索を終了する。

3 スマート検索フィールド から検索

スマート検索フィールドにキーワードを入力し、一番下にある「"○○"を検索」をタップしてページ内を検索することも可能だ。

no. 341 過去のアクセスを 一覧する

サイト閲覧履歴の 確認と消去

以前表示したページに再びアクセスしたくなったら、閲覧履歴を確認しよう。履歴から項目を選べば、現在のタブでそのページが表示される。また、履歴を消去することも可能だ。

1 ブラウザの 閲覧履歴を表示する

ブックマークボタンをタップして、履歴アイコン（時計マーク）をタップすると、閲覧履歴が表示される。各履歴をタップすれば、そのページが現在開いているタブで表示される。

2 閲覧履歴を 消去する

閲覧履歴を消去したい場合は、閲覧履歴の画面を開き、下の「消去」をタップ。消去の対象を「直近1時間」や「今日」などから選べばいい。

no. 342 ブックマークを ホーム画面に配置

ホーム画面から特定の サイトにアクセスする

よくアクセスするWebサイトがあるなら、Safariのブックマークをホーム画面に配置しておこう。いちいちSafariのブックマークを開かなくても、ワンタップでアクセスできるようになる。

よく使うサイトを表示し、共有ボタンから「ホーム画面に追加」→「追加」をタップ

作成されたショートカットをタップするだけでサイトが開く

no. 343 気になるサイトを 友人に教えるには

サイトをメールや メッセージで送信する

気になるサイトを友人に伝えたい場合は、サイトを開いた状態で共有ボタンをタップし、「メッセージ」または「メール」をタップしてみよう。メッセージの場合は、URLが入力された状態で新規作成画面が開き、送信できる。メールの場合は、表示中のサイトの名前を件名に、URLを本文に入力した状態で新規作成画面が開き、送信が可能だ。

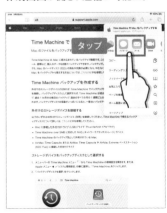

no. 344

Safariの自動入力を活用しよう

さまざまな情報の 自動入力機能を利用する

連絡先、クレジットカード、ログインIDなどの情報を自動入力できる

「設定」→「Safari」→「自動入力」では、Safariの自動入力機能を有効にできる。「連絡先の情報を使用」をオンにすると、名前や住所の入力フォームに自分の連絡先情報を自動入力。「クレジットカード」をオンにすると、登録済みのクレジットカード情報を入力フォームに自動入力可能だ。なお、一度ログインしたWebサービスのユーザー名とパスワードを自動入力したい場合は、「設定」→「パスワード」の「パスワードを自動入力」をオンにしておこう。ただしNo345の解説の通り、保存したユーザーIDやパスワード、登録したクレジットカード番号などは設定画面で確認できてしまうので、必ずFace IDやTouch ID、パスコードを設定した状態にして保護すること。

Safariの自動入力を有効にする

Safariの自動入力機能を使う場合は、「設定」→「Safari」→「自動入力」を開いて、「連絡先の情報を使用」と「クレジットカード」をオンにしよう

Safariでパスワードの自動入力を有効にするには、「設定」→「パスワード」→「パスワードを自動入力」→「パスワードを自動入力」をオンにしておこう（No053で解説）。

「連絡先の情報を使用」をオンにする場合は、この「自分の情報」をタップして自分の連絡先を選択するか、または「設定」→「連絡先」→「自分の情報」で自分の連絡先を選択しておこう。

「クレジットカード」をオンにする場合は、「保存済みクレジットカード」→「クレジットカードを追加」をタップし、クレジットカード情報を入力しておこう。「カメラで読み取る」をタップすれば、カメラでカードを撮影して名義人や番号を自動取得できる。

☑ 連絡先の情報を使用

連絡先を自動入力

自動入力する連絡先を選択

「連絡先の情報を使用」がオンだと、名前や住所といった入力フォーム内をタップした際に、キーボード上部に「連絡先を自動入力」が表示される。これをタップすれば、自分の連絡先情報を自動で入力してくれる。オンラインショップなどの住所登録時に役立つ機能だ。

☑ クレジットカード

カード情報を自動入力

「クレジットカード」がオンだと、クレジットカード番号の入力フォーム内をタップした際に、キーボード上部に「カード情報を自動入力」と表示される。これをタップすれば、登録済みのカード情報を選択して自動入力が可能だ。ここから未登録のカードの番号をカメラで読み取ることもできる。

☑ ユーザ名とパスワード

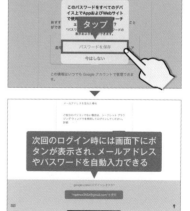

次回のログイン時には画面下にボタンが表示され、メールアドレスやパスワードを自動入力できる

「設定」→「パスワード」→「パスワードを自動入力」がオンだと、Webサービスにログインした際に「パスワードを保存しますか？」と確認される。「パスワードを保存」をタップしておけば、次回のログインからユーザー名とパスワードを自動入力できる。

no. 345　ユーザー名やパスワードを確認
Safariに保存された各種パスワードを管理する

No229で解説した通り、パスワードの自動入力がオンだと、Safariでログインしたサイトのユーザー名やパスワードが記録され、次回からは自動入力してくれるようになる。この保存されたユーザー名とパスワードは、「設定」→「パスワード」で表示可能だ。Safariに保存しておきたくないログイン情報があれば、「編集」で個別に選択して削除しておこう。また、安全でないパスワードなどが存在する場合、「セキュリティに関する勧告」が表示される。必要であれば個別にパスワード変更などの対応をしておくこと。

パスワードを確認しよう

表示したいサイト名をタップする

「設定」→「パスワード」をタップしてFace IDなどの認証を済ますと、ログイン情報が保存されたサイトが一覧表示される。サイト名をタップすると、ユーザー名／パスワードが丸見えになるので注意しよう。

no. 346　iCloudタブで同期しよう
iPhoneなどで開いたページを表示する

「設定」の一番上に表示されるApple IDの名前をタップして開き、「iCloud」の「Safari」をオンにしておくと、他のiOS端末およびMacのSafariで開いているタブをiPad上でも開くことができる。他のデバイスでも同一のApple IDでサインインし、Safariの同期をオンにしておこう。

1　iCloud設定でSafariを有効に

オンにする

「設定」の一番上のApple IDをタップして開き、「iCloud」の「Safari」を有効にする。同期する他の端末でも同じようにSafariのiCloud同期を有効にしておこう。

2　他端末で開いているタブを確認する

他の端末で開いているタブが表示される

iPadのSafariを起動し、画面右上の「＋」ボタンをタップ。新規タブでお気に入りが表示され、その下に「Siriからの提案」として他端末で開いているサイトが表示される。

no. 347　「DuckDuckGo」にも変更可能
標準で使用する検索エンジンを変更する

Safariのスマート検索フィールドにキーワードを入力すると、標準ではGoogle検索の結果が表示されるが、設定で検索エンジンを変更することもできる。Google以外に選択できるのは、「Yahoo」、「Bing」、「DuckDuckGo」、「Ecosia」の4つ。「DuckDuckGo」や「Ecosia」は、検索履歴などのユーザー情報を収集しない、プライバシー保護を重視した検索エンジンだ。同じキーワードで検索しても、検索エンジンによって検索結果や連携サービスなどが違ってくるので、自分で使いやすいものを選択しておこう。

Safariの検索エンジンを変更する

これはDuckDuckGoの画面

「設定」→「Safari」→「検索エンジン」で、他の検索エンジンに変更できる。ただしGoogle以外で選択できるのは、Yahoo! JAPANのサービスと連携する「Yahoo」、マイクロソフトの独自検索エンジン「Bing」、ユーザー情報を収集しない「DuckDuckGo」、「Ecosia」の4つ。

no. 348　不要な広告表示を排除しよう
ポップアップで開くウィンドウをブロックする

サイトによっては、アクセスするとポップアップ機能で別ページが開き、広告などを表示することがある。これを防ぐには、「設定」→「Safari」→「ポップアップブロック」をオンにしておけばよい。「コンテンツブロッカー」機能（No337で解説）とあわせて有効にしておくとさらに効果的だ。

1　「ポップアップブロック」をオンにする

オンにする

ポップアップで新しいページが開かないようにするには、「設定」→「Safari」→「ポップアップブロック」のスイッチをオンにしておく。

2　オフにした場合も警告が表示される

このサイトではポップアップウィンドウが開きます　　開かない　許可

ポップアップブロックをオフにした場合でも、「このサイトではポップアップウィンドウが開きます」と警告が表示され、「開かない」か「許可」を選択できる。

Safari

no. 349 クイックWebサイト検索機能を利用しよう
特定のWebサイト内を素早く検索する

1 クイック検索機能をオンにしてサイト内で検索

オンにする

1〜2回検索する

特定のWebサイト内を素早く検索するには、まず「設定」→「Safari」→「クイックWebサイト検索」でスイッチをオンにする。続けてSafariを起動し、好きなWebサイト（ここではAmazon）で1〜2回適当な検索を行う。

2 WEBサイトショートカットにサイトが登録される

amazon.co.jp

Amazonのドメイン「amazon.co.jp」が追加された

すると、「クイックWebサイト検索」のスイッチの下にある、「WEBサイトショートカット」に、検索したWebサイトのドメインが追加される。これで準備は完了だ。

3 クイックWebサイト検索を行う

ama ケーブル

amazon.co.jpを検索
Q amazon.co.jpで"ケーブル"を検索

Amazonの場合は、「amaケーブル」のように入力。検索候補の一番上の「amazon.co.jpで"ケーブル"を検索」をタップすると、Amazonの検索結果ページが表示される

Safariのスマート検索フィールドに、WEBサイトショートカットに記録されたドメインの3文字以上とキーワードの組み合わせを入力。すると、そのサイト内で検索が行える。大手サイトだけでなく、検索機能を備えた個人ブログでも利用可能だ。

---

no. 350 手書きメモなども書き込める
WebサイトをPDFとして保存する

Safariでは、共有ボタンから「マークアップ」をタップして「完了」から保存するだけで、表示中のWebページを見えていない部分も含めてPDF化できる。保存したPDFは、「ファイル」アプリ（No494で解説）で確認可能だ。なお、スクリーンショット後（No039）にサムネイルをタップして、画面上の「フルページ」を選ぶことでもページ全体のPDF化ができる。

1 「マークアップ」をタップする

マークアップ

タップ

2 書き込んで保存しよう

完了

下部メニューでペンの種類やカラーを選択

SafariでPDF化したいサイトを開き、共有ボタンをタップ。メニューから「マークアップ」をタップしよう。見えない部分も含め1ページのPDFとして保存できる。

左上の「完了」をタップすれば、そのままPDFファイルとしてiCloud Driveや端末内に保存可能だ。右上のペンアイコンで、PDF内に手書き文字なども書き込める。

---

no. 351 iCloud Driveなどに保存できる
Webサイト上のファイルをダウンロードする

Safariでは、各種ファイルのダウンロードが可能だ。ファイルのリンクを開いた時に「〜をダウンロードしますか?」と表示されたら「ダウンロード」をタップしよう。または、現在タブ上で開いているファイルをダウンロードしたい場合は、共有メニューから「"ファイル"に保存」を選択すればいい。

1 Safariでファイルを保存する

タップ

SafariでZIPなどのダウンロードしたいファイルを開いたら、「ダウンロード」をタップする。なお、ファイルをタブで開いている時は、共有ボタン→「"ファイル"に保存」をタップしよう。

2 ダウンロードしたファイルを確認する

ファイルがダウンロードされ、iCloud Driveの「ダウンロード」フォルダに保存される。ダウンロードしたファイルは、Safariのダウンロードボタンから確認可能だ。

Safari

no. 352 トップページのブックマークを追加、変更する

「お気に入り」に保存すればOK

Safariの共有メニューで「お気に入りに追加」したブックマークは、「お気に入り」フォルダ内に保存され、新規タブを開いたトップページにも表示される。特によく使うサイトを登録しておこう。また、設定で「お気に入りバーを表示」をオンにすると、タブの上にお気に入りのブックマークが表示される。

1 保存場所を「お気に入り」にする

共有メニューから「お気に入りに追加」を選んで保存すれば、ブックマークが新規タブのトップページに表示されるようになる。

2 お気に入りバーを表示する

お気に入りバー

「設定」→「Safari」→「お気に入りバーを表示」をオンにすると、お気に入りバーが表示されてブックマークにアクセスしやすくなる。

no. 353 「お気に入り」のフォルダを変更する

他のブックマークフォルダを指定

「設定」→「Safari」→「お気に入り」では、No352で解説した「お気に入り」フォルダを、他のブックマークフォルダに変更することが可能だ。Safariで新規タブを開いた際は、ここで指定したフォルダ内のブックマークがトップページに一覧表示されるようになる。

1 設定で「お気に入り」をタップする

お気に入りフォルダを、他の好きなブックマークフォルダに変更するには、「設定」→「Safari」→「お気に入り」をタップ。

2 変更したいフォルダを選択

ブックマークフォルダを選択

「お気に入り」以外のブックマークフォルダにチェックを入れれば、そのフォルダがお気に入りとして扱われる。ただし「お気に入りバー」のブックマークは変更されない。

Safari

no. 354 検索候補の表示をオン／オフにする

よく使われるキーワードがわかる

「設定」→「Safari」で「検索エンジンの候補」をオンにしておくと、スマート検索フィールドでキーワードを入力した際に、よく検索される関連キーワードが候補として表示される。

オンにする

検索エンジンの候補

検索候補が表示される

no. 355 トップヒットを事前に読み込む

一致の可能性が高いページを検出

「設定」→「Safari」で「トップヒットを事前に読み込む」をオンにしておけば、スマート検索フィールドにキーワードを入力した際に、ブックマークや履歴から判断して、最も一致する可能性が高いページを「トップヒット」に表示し、事前にページを読み込むようになる。

オンにする

no. 356 クレジットカード情報をカメラで読み取る

カード番号を自動で入力

ネットショップなどでクレジットカード番号の入力欄をタップすると、キーボード上部に「クレジットカードを読み取る」が表示される（カード情報を登録済みなら、No344の通り「カード情報を自動入力」が表示される）。これをタップするとカメラが起動し、画面の枠内にクレジットカードを合わせれば、クレジットカード番号を読み取って自動入力することが可能だ。

カード番号入力欄をタップ

クレジットカードを読み取る

no.
357

膨大な数のアプリから役立つモノを探し出す

App Storeで
欲しいアプリを検索する

アプリをインストールして iPadの真価を 引き出そう

「App Store」からは、さまざまな機能を持ったアプリをiPadへ追加インストールが可能だ。アプリには無料のものと有料のものがあり、膨大な数がリリースされている。カテゴリやランキング（No359で解説）をチェックし、さらにキーワード検索を使って欲しい機能を持ったアプリを見つけ出そう。App Storeの利用にはApple ID（No049で解説）が必須。サインインしていない場合は「設定」アプリを開き、画面左上の「iPadにサインイン」からサインインしておこう。有料アプリは、Apple IDに登録したクレジットカードかキャリア決済（No363で解説）、App Store & iTunesギフトカード（No364で解説）で料金を支払う。まずは、App Storeと各アプリページの見方を確認しておこう。

App Storeの利用方法

App Storeを起動し 各画面をチェック

タップして支払い情報などの管理を行える

App Storeは、下部のメニューで5つの画面を切り替えて利用する。また、画面右上にある自分のApple IDアイコンをタップすれば、Apple IDのアカウント画面が表示され、支払い情報の管理などを行える。

キーワード検索を行う

検索

Q ゲーム、App、ストーリーなど

下部メニューの一番右にある「検索」をタップすると、検索ボックスが表示され、アプリのキーワード検索を行える。例えば、「ノート」や「スケジュール」などはもちろん、「写真　加工」や「ピアノ　作曲」など、複数のキーワードで目当てのアプリを絞り込める。より具体的なワードで検索すれば、おすすめやランキングに登場しないながらも、自分に最適なベストアプリが見つかることも。

画面下部のメニュー

画面下部のメニューは、左から本日のおすすめを紹介する「Today」、ゲームアプリに特化した「ゲーム」、新着アプリやカテゴリ別、ランキング（No359で解説）などをチェックできる「App」、月額600円でゲームが遊び放題になる「Arcade」（No375で解説）、ストア内をキーワード検索できる「検索」となる。

アプリの情報を チェックする

アプリ名の近くにある購入ボタン。「入手」は無料でインストールできるアプリ。気軽にインストールして試してみよう。価格が表示されているものは有料アプリだ。それぞれのインストール方法は、No361、362で解説している。

評価とレビュー
4.5
5段階評価中
11件の評価

ユーザーからの評価が5段階（5つ星）で表示される。横にはレビュー件数も掲載されている。点数とレビュー数、両方高い物が多くのユーザーに使われており評価も高いアプリだ。獲得点数の分布グラフやレビューの内容も掲載されているのでチェックしておこう。

おすすめやランキング、カテゴリやキーワード検索結果の中から目当てのアプリをタップして詳細情報を表示する。価格やレビューを参考にインストールするかどうかを判断しよう。画面をスクロールすると、サイズやApp内課金の有無、互換性、類似アプリも確認可能だ。

画面をスクロールして、アプリの詳細な情報やデータを確認しよう

App Store

no. 358 アプリの検索結果をフィルタで絞り込む

目的のアプリを効率よく探し出す

アプリのキーワード検索結果から、さらに絞り込みを行いたい場合は、フィルタ機能を利用しよう。検索結果画面左上にある「フィルタ」をタップすると、端末、価格、カテゴリ、並び順序、年齢といった5つの項目から絞り込みができる。無料アプリを探したい場合は「価格」を「無料」にすればいい。

1 フィルタの項目をそれぞれ選択

まずはApp Storeの検索機能でキーワード検索を行う。検索結果の画面で左上にある「フィルタ」をタップしよう。5つの項目が表示されるので、フィルタ（絞り込み）を有効にしたい項目をタップして設定する。

2 フィルタ適用で検索結果が変わる

フィルタを適用すると、より的確な検索結果が表示される。的外れなアプリが多いと感じたら、「カテゴリ」を設定してみよう。また、「並び順序」を「評価」にすると、優良アプリから順に表示される。

no. 359 アプリのランキングをチェックする

人気アプリがひと目でわかる

画面最下部の「App」をタップして少し下にスクロールすると、「トップ有料」と「トップ無料」の項目が表示される。ここから、有料アプリ、無料アプリのランキングをチェック可能だ。また、「すべて表示」をタップしたあと、画面右上の「すべてのApp」をタップすれば、カテゴリ別のランキングに変更できる。

1 有料／無料のランキングを表示

「App」画面を下にスクロールし、「トップ有料」もしくは「トップ無料」の右にある「すべて表示」をタップ。すると、200位までのランキングを表示することができる。

2 カテゴリ別のランキングを表示

ランキング画面右上の「すべてのApp」をタップすれば、カテゴリ別の有料および無料アプリランキングを表示することが可能だ。

no. 360 アプリの情報を共有する

友人におすすめしたい時にも

App Storeには、ブックマークやウィッシュリストのように気になったアプリを保存しておく機能がない。後でアプリをチェックしたい場合は、共有機能から、メモアプリや「あとで読む」系のアプリへ記録しておこう。また、他のユーザーにメールやSNSでおすすめアプリを紹介したい時にも利用できる。

1 共有ボタンをタップする

アプリの詳細情報画面を表示したら、右上の共有ボタンをタップし、共有したいアプリを選択。ここでは「メモ」アプリを選択してみる。

2 アプリを選択し共有する

すると上のような画面になる。「保存」をタップすれば、アプリ情報をメモとして残すことが可能だ。メールやメッセージでアプリ情報を送信することもできる。

no. 361 無料アプリをインストールする

まずは無料アプリを試してみよう

App Storeには、無料ながらも十分な機能を持ったアプリが数多くリリースされている。App Storeを初めて使う人は、まずはこれらの無料アプリをチェックしてみよう。無料アプリをインストールしたい場合は、アプリの情報画面で「入手」の表示をタップ。顔認証や指紋認証、Apple IDのパスワードを求められたら入力して処理を進めよう。インストールが完了すると、ホーム画面にアプリのアイコンが追加されている。なお、無料アプリは、Apple IDの支払い情報（No051で解説）を登録していなくてもインストール可能だ。

「入手」ボタンをタップしてインストールする

インストールしたいアプリの「入手」ボタンをタップ。顔認証や指紋認証、Apple IDのパスワードを要求されたら入力して「OK」をタップしよう。インストールが完了するとボタンが「開く」に変化するので、タップしてすぐにアプリ起動できる。ホーム画面にアプリが追加されたことも確認しよう。

App Store

no. 362
無料アプリと同じ操作で購入できる
有料アプリを購入して インストールする

有料のアプリの導入方法も特別な操作は必要なく、簡単に購入、インストールできる。価格の表示部分をタップし、顔認証や指紋認証、Apple IDのパスワードを求められたら、入力して処理を進めよう。通常はApple IDに登録したクレジットカード情報を利用するので、アプリを購入する度に支払い情報を入力する必要はない。Appleのギフトカードによる購入方法は、No364で解説している。また、キャリア決済（No363で解説）も利用可能だ。なお、Androidとは異なり払い戻しはできないので、しっかり検討してから購入すること。

✔ **価格ボタンをタップしてインストールする**

¥370

インストールしたいアプリの価格表示をタップ。顔認証や指紋認証、Apple IDのパスワードを要求されたら入力して「OK」をタップしよう。インストールが完了するとボタンが「開く」に変化するので、タップしてすぐにアプリを起動できる。ホーム画面にアプリが追加されたことも確認しよう。

no. 363
キャリア決済を利用しよう
通信料と合わせて 料金を支払う

App StoreやiTunes Storeでの購入料金を、スマホや携帯電話の月々の利用料と合算して支払うことができる「キャリア決済」。docomo、au、SoftBankのスマートフォン、携帯電話を契約しているユーザーが設定できるサービスで、iPad単体では利用できない。設定するには、まず「設定」の一番上にあるApple ID名をタップし、続けて「支払いと配送先」をタップする。「お支払い方法を追加」から「キャリア決済」にチェックを入れ、電話番号を入力して「確認」をタップ。入力した電話番号のSMSで確認コードを受け取り、設定を完了させておこう。なお、Apple IDの支払い情報がスマホ、携帯電話の利用料とひも付くため、例えばdocomoと契約中のiPadでのアプリ購入代金を、SoftBankのiPhone利用料と合算するといった使い方ができる。

docomo、au、SoftBankと契約中のスマホ、携帯電話の番号が必須となる

no. 364
プリペイドカードを利用する
ギフトカードで 有料アプリを購入する

家電量販店やコンビニなどで購入できる「App Store & iTunesギフトカード」は、1,500円、3,000円、5,000円、10,000円の4種類があり、カードに記載されたコードを読み込んでApple IDに金額をチャージできる。チャージしたクレジットは、App StoreやiTunes Storeなどで利用可能だ。

1 | ギフトカードを 購入する

購入したカードは台紙から剥がし、銀色の部分を剥がす（爪を使ってめくり取ることができる）。コードが現れたら、iPadのApp Storeを起動し「App」画面の一番下までスクロール。「コードを使う」をタップし、続けて「カメラで読み取る」をタップしてカードのコードをスキャンする。

2 | チャージされ 支払いが可能に

カードの金額がApple IDに登録された。アプリや音楽を購入すると、自動的に金額が差し引かれていく。もちろん同じApple IDでサインインすれば、他のiPadやiPhoneでも支払いに利用できる。

no. 365
不要なアプリをiPadから削除
アプリを アンインストールする

不要になったアプリは、ホーム画面から削除すればiPadからアンインストールできる。アプリ内のデータ（例えばノートアプリで作成した書類やゲームアプリのセーブデータなど）もすべて削除されるので注意しよう。なお、アンインストールしたアプリは、App Storeから簡単に再インストール可能だ。

✔ **アプリをロングタップして削除する**

アプリをロングタップすると、メニューが表示されるので「Appを削除」をタップしよう。続けて「削除」をタップすれば、そのアプリがアンインストールできる。

✔ **削除したアプリを再インストールする**

アンインストールしたアプリは、App Storeでクラウドアイコンをタップすれば、簡単に（有料アプリも無料で）再インストールできる。

App Store

no. 366

リストから再インストールも行える

購入済みアプリを一覧表示する

App Storeの画面右上にある自分のApple IDアイコンをタップし、「購入済み」をタップすると、これまでに購入（無料アプリのインストールも含む）したすべてのアプリが一覧表示される。クラウドマーク（雲の絵柄）をタップすればすぐに再インストールが可能だ。なお、ここに表示されるのは、サインインしているApple IDで購入したすべてのアプリなので、同じアカウントを使って別のiPadやiPhoneで購入したアプリも含まれる。もちろん、別の端末で購入した有料アプリも無料でインストールすることが可能だ。

✔ **すべての購入済みアプリを表示する**

「すべて」は、過去に購入、インストールしたすべてのアプリ。「このiPad上にない」は、一度購入、インストールしたものの現在端末にインストールされていないものを表示する。ファミリー共有使用時は、購入した家族ごとのリストを表示できる。

no. 367

アプリ選びの参考になるように

使用したアプリの評価やレビューを投稿する

アプリのレビューは、他のユーザーの参考になるよう自分でも積極的に投稿してみよう。5段階評価のみの投稿も可能だ。

1 評価とレビューを投稿する

インストール済みアプリの情報ページで、「評価とレビュー」欄にある5つの☆をスワイプして評価を行う。また、「レビューを書く」をタップして、アプリの使用感を書き込もう。なお、レビュアー名は、支払い情報に入力した請求先の名前になるので要注意。パソコンのiTunesで「アカウント」→「マイアカウントを表示」でニックネームを設定可能だ。

2 投稿したレビューを削除する

左にスワイプして「削除」をタップ

App Storeの画面右上にある自分のApple IDアイコンをタップし、続けてApple IDの名前をタップ。アカウント情報画面で「評価とレビュー」をタップすると、過去に投稿したレビューが一覧表示される。各レビューは、左にスワイプして「削除」をタップすれば削除可能だ。

no. 368

最新バージョンに更新する

アプリをアップデートする

新機能の追加や不具合の修正を反映させる

iPadのアプリの多くは、開発者によって不具合の修正や改良、新機能の追加が施された最新バージョンに無料でアップデートできる。App Storeアプリのアイコン右上に「①」といったような数字のバッジが表示されたら、インストールしているアプリの内1本が、最新版に更新可能な合図。複数の場合は、その数がバッジで表示される。手動でアップデートしたい場合は、App Storeを起動し、右上にある自分のApple IDアイコンをタップ。さらに「すべてをアップデート」をタップしよう。これで複数アプリのアップデートを一括処理できる。

1 アップデートがバッジで通知される

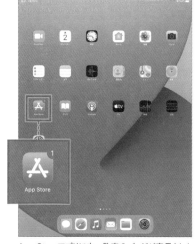

App Storeアプリに赤い数字のバッジが表示されたら、アップデートが配信された合図。App Storeを起動し、アップデートの処理を行おう。また、No369で解説している自動アップデートについてもあらかじめチェックしておこう。

2 App Storeでアプリをアップデートする

タップして一括アップデート

App Storeを開くと、右上にある自分のApple IDアイコンにも数字のバッジが表示されているはずだ。これをタップするとアカウント画面が開くので、「すべてをアップデート」をタップ。これで複数のアップデートを一括処理できる。

App Store

no. 369 更新の手間がなくなる便利設定

アプリを自動でアップデートする

アプリのアップデートは、設定で自動化することも可能だ。ただし、アップデートしたアプリに不具合が発生する場合も稀にあるので、更新内容を確認した上でアップデートしたい場合は、手動のままにしておこう。

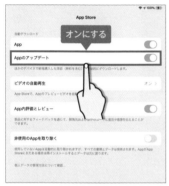

アップデートを自動化するには、「設定」→「App Store」の自動ダウンロード欄にある「Appのアップデート」をオンにすればいい。これにより、アプリの最新版が公開された場合は自動的にアップデートが行われるようになる。

no. 370 不具合の報告や解決できないトラブル時に

アプリの開発者に問い合わせを行う

アプリの利用中に不具合を発見した際や、どうしても解決できないトラブルに見舞われたときは、アプリ開発者に直接問い合わせてみよう。App Storeのアプリインストールページの「Appサポート」をタップすれば、問い合わせサイトにアクセスできる。また、「デベロッパWebサイト」から開発者のサイトを開き、問い合わせページを探すことも可能だ。

「Appサポート」という項目があればタップ。開発者が用意したサポートページへアクセスできる。

no. 371 紹介ビデオの自動再生をオン／オフできる

App Store内でビデオを自動再生させる

App Storeに掲載されているアプリによっては、プレビュー用の紹介ビデオが用意されていることがある。これを自動的に再生させたい場合は、「設定」→「App Store」→「ビデオの自動再生」をオンにしておこう。

「設定」→「App Store」→「ビデオの自動再生」をオンにすると、アプリの紹介ビデオが自動再生されるようになる(デフォルトでオンになっている)。モバイルデータ通信の容量を節約したい場合は、「オフ」や「Wi-Fiのみ」にしておくといい。

no. 372 誤った購入を防ぐために

アプリ購入時に毎回パスワードを要求

App StoreやiTunes Storeでのアイテム購入時にFace(Touch) IDで認証(No092で解説)しない場合、Apple IDのパスワード入力が必要だ。ただし、一度入力すると15分以内の購入、インストールにはパスワード入力が省略されるため、有料アプリを誤って購入してしまう恐れもある。誤購入が不安な場合やセキュリティを万全にしたい場合は、15分にかかわらず、毎回パスワードを要求する設定に変更しよう。

「設定」→自分のApple ID名→「メディアと購入」→「パスワードの設定」を開き、「パスワードを常に要求」か「15分後以降は要求」かを選択する。また、その下の「無料ダウンロード」欄の「パスワードを要求」をオンにすると、無料アイテムのダウンロード時にもパスワードを要求するよう設定できる。

no. 373 App Storeのギフト機能を使う

アプリを家族や友人にプレゼントする

有料アプリを家族や友人にプレゼントしたい時は、App Storeの「ギフト」機能を利用する。アプリの詳細情報画面の共有ボタンをタップし、続けて「Appを贈る」をタップしよう。なお、無料アプリはギフトに対応していない。

「Appを贈る」をタップし、送信先のメールアドレスやメッセージを入力しよう。プレゼントする日付の指定も可能だ。

no. 374 ストレージ節約のための便利機能

非使用のアプリを自動で取り除く

アプリを次々とインストールしすぎてストレージを圧迫しがちという場合は、「非使用のAppを取り除く」機能を利用しよう。使っていないアプリを自動で取り除き、ストレージの確保とホーム画面の整理に役立つ。

「設定」→「App Store」の「非使用のAppを取り除く」を有効にすると、使っていないアプリが自動削除される。その際、アプリで作成した書類やデータは残るため、App Storeから再インストールすれば元の状態で使用を再開可能だ。

no. 375 Apple Arcadeを利用する

ゲームが遊び放題になる定額制サービス

月額600円で約100タイトルの新作ゲームが遊び放題

「Apple Arcade」は、月額600円でさまざまなゲームが遊び放題になる定額制サービスだ。App Storeにあるゲームがすべて遊び放題になるのではなく、対象はApple Arcade対応の新作ゲーム約100タイトルに限定される。とはいえ、他のゲーム機で有料販売されているタイトルが数多く登録されているため、これらがすべて追加料金なしで遊べるのは大きな魅力だ。また、Apple Arcadeに登録されているすべてのゲームは、広告表示が排除され、ガチャなどの追加課金要素もないため、ユーザーフレンドリーな内容となっているのも特徴。初回契約時は1か月の無料の期間があるので、普段よくゲームをプレイする人は試してみるといいだろう。

Apple Arcadeの契約と解約の手順を覚えておこう

1 Apple Arcadeの契約を行う

App Storeの画面最下部にある「Arcade」をタップ。「Apple Arcadeを無料で入手」をタップしたら、プランを選んで支払い手続きを行おう。初回契約時は1か月の無料期間があるが、無料期間終了後は自動的に課金されていくので注意。

2 Apple Arcadeの解約手続きを行うには?

Apple Arcadeの解約方法も最初に覚えておこう。まずApp Store右上にある自分のApple IDアイコンをタップ。「サブスクリプション」→「Apple Arcade」→「サブスクリプションをキャンセルする」をタップすればいい。キャンセル後も無料期間中はそのまま遊べる。

App Store

ゲームの入手方法や起動方法

1 遊びたいゲームを探して入手しよう

Apple Arcade対応のゲームを探す場合は、App Storeの画面下にある「Arcade」をタップ。表示される画面で面白そうなゲーム名をタップしよう。あとは「入手」をタップすればインストールされる。

2 ゲームを起動してみよう

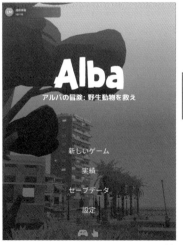

インストールしたゲームはホーム画面にアイコンが表示される。アイコンをタップすればゲーム開始だ。Apple Arcade対応のゲームであれば、容量の許す限り何本でもインストールできる。なお、解約すると対応ゲームは遊べなくなる。

3 検索でApple Arcadeのゲームを見つける

App Storeの検索機能でもApple Arcadeのゲームを探し出すことが可能だ。検索結果のリスト画面で「Apple Arcade」と記載されているアプリは、Apple Arcade対応のゲームとなる。

no.
376

カメラアプリの基本操作を知ろう

写真やビデオを撮影する

✓ カメラアプリの画面の見方

Live Photosのオン／オフを
切り替える（No381で解説）

シャッター。とりあえず
このボタンをタップする
か、音量ボタンを押せ
ば撮影できる

バーをドラッグしてズー
ムイン／アウトできる

iPadにはバック／フロントカメラが搭載されており（第1世代を除く）、カメラアプリを起動して写真やビデオを撮影できる。右端のセンターにある丸いシャッターボタンをタップすれば、すぐに写真を撮影できる。また、本体側面の音量ボタンもシャッターとして利用できる。

✓ 横画面でも撮影できる

横画面でも撮影できる。シャッターボタンや各種メニューは、縦画面撮影時と同様に、右欄にまとめられている。

✓ タイマーモードで撮影する

撮影タイマーを3秒／10秒にセットできる。カウント終了後に自動で撮影される（No377で解説）。

✓ フラッシュを切り替える

カメラフラッシュを自動、またはオン／オフに切り替えできる。

✓ フロントカメラへ切り替える

バック／フロントカメラを切り替える。フロントカメラでは、「スロー」「パノラマ」モードでの撮影はできない。

✓ 撮影した写真を確認する

タップすると、直前に撮影した写真のプレビューが表示される。右上の「すべての写真」をタップすると写真アプリが起動し、他の写真やビデオを確認できる。

✓ 他の撮影モードに切り替える

画面内を上下にスワイプすれば、「ビデオ」や「タイムラプス」（No377で解説）「スローモーション」（No377で解説）モードなど、他の撮影モードに切り替えできる。

カメラと写真

コマ送りビデオやスローモーション撮影も可能

no. 377 多彩な撮影モードを 利用する

☑ タイマーモード

タイマーを3秒または10秒に設定してシャッターを押すと、カウント終了後に撮影される。バーストモード対応機種は10枚の連写になる。

☑ タイムラプス

一定時間ごとに静止画を撮影し、それをつなげてコマ送りビデオを作成できる撮影モード。長時間動画を高速再生した味のある動画を楽しめる。

☑ スローモーション

動画の途中をスローモーション再生にできる撮影モード。写真アプリで、スローモーションにする箇所を自由に変更できる（No418で解説）。

☑ ポートレート

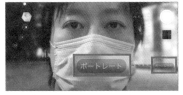

ホームボタンのないiPad Pro 12.9／11インチのフロントカメラのみ、「ポートレート」モードで、一眼レフのような背景をぼかした写真を撮影できる。

☑ スクエア

カメラ画面の枠が正方形になるモード。TwitterやInstagramなどの、SNSで投稿するのに適したサイズの写真を撮影できる。

☑ パノラマ

シャッターをタップして、画面の指示に従い本体をゆっくり動かせば、横に長いパノラマ写真を撮影できる。本体を横向きにすれば、縦長の撮影も可能。

カメラと写真

---

no. 378 任意の場所を タップするだけ

カメラのピントや 露出を合わせる

　iPadのカメラにはオートフォーカス（AF）および自動露出（AE）機能が搭載されており、画面中央の被写体に自動でピントが合い、最適な露出に調整される。画面の端にある被写体にピントを合わせたい場合は、その箇所をタップすればよい。そこにピントが合い、露出も自動調整される。ビデオ撮影時も同様だ。

撮影時に画面をタップすると、その場所にピントと露出が合うよう自動で設定される

no. 379 画面内を ロングタップしてロック

ピントや露出を 固定する

　自動露出（AE）とオートフォーカス（AF）が有効だと、撮影のたびに明るさやピントの位置が変わる。これを固定したい場合は、画面内をロングタップしよう。黄色い枠が2回点滅したのち上部に「AE／AFロック」と表示され、その部分に露出／ピントを固定したまま撮影できる。再度タップでロック解除できる。

AE/AFロック

画面内をロングタップすれば、上部に「AE／AFロック」と表示され、露出とピントを固定したまま撮影できる

no. 380 画面内を上下に スワイプ

露出を手動で 調整する

　画面内をタップして露出とフォーカスを合わせると、黄色いフォーカス枠と、その右に太陽マークも表示されるはずだ。この状態で、タップしたまま画面を上下にスワイプしてみよう。太陽マークを上に動かすほど画面が明るく、下に動かすほど画面が暗くなり、露出を手動で調整できる。

画面内をタップして露出とフォーカスを合わせ、そのまま画面を上下にスワイプすれば、太陽マークが上下に動き露出を手動調整できる

no. 381 動く写真を撮影しよう
Live Photosを撮影する

カメラアプリの三重丸ボタンをタップして黄色くすると、動く写真「Live Photos」を撮影できる。シャッターを切った時点の静止画に加えて、前後1.5秒ずつ合計3秒の映像と音声も記録する機能だ。撮影したLive Photosは、写真アプリで開いて画面内をタップし続けることで動き出す。

1 Live Photosをオンにして撮影する

オンにする

カメラを起動したら、「Live Photos」ボタンをタップしてオンにしよう。この状態でシャッターボタンを撮影すれば、Live Photosを撮影できる。

2 写真アプリで動く写真を確認しよう

画面内をタップし続ける

写真アプリを起動し、Live Photosで撮影した写真を開こう。画面内を押し続けると、写真が動き出すはずだ。シャッターを押した前後1.5秒ずつが記録されている。

no. 382 HEIF／HEVC形式を変更
写真やビデオの保存フォーマットを変更する

2017年6月以降に発売されたiPadシリーズは、撮影した写真とビデオの保存形式が、より圧縮率の高いHEIF／HEVC形式に変更されている。この形式は、8／8.1以前のWindowsやSierra以前のmacOSだと標準で表示できないので、従来のJPEG／H.264形式で保存したい場合は設定を変更しよう。ただ、メールやAirDropで添付したり、他のアプリに共有する際は、自動的にJPEG／H.264形式に変換されるほか、パソコンに転送する際も自動変換できる（No424で解説）。

☑ 「互換性優先」にチェックする

タップ

互換性優先

チェックすると、写真／ビデオがJPEG／H.264形式で保存されるようになる

HEIF／HEVC形式での撮影に対応した機種であれば、「設定」→「カメラ」に「フォーマット」項目があるので、これをタップ。「互換性優先」にチェックしよう。

---

no. 383 動きのある被写体の撮影時に
HDR撮影機能をオフにする

iPadのカメラでは、露出の異なる写真を撮影して1枚に合成する、「HDR」機能が自動でオンになっている。HDRがオンだと、明るすぎて白とびした部分や、暗すぎて黒つぶれした部分を、露出の異なる写真で補完してはっきり映し出せるが、複数の写真を合成するため、動きのある被写体の場合はぶれることがある。そんな時は、手動でオフにしておこう。

「設定」→「カメラ」→「スマートHDR」や「自動HDR」をオフにすると、カメラアプリの画面に「HDR」ボタンが表示されるので、手動でオフにして撮影しよう

no. 384 HDRオン／オフ両方の写真を保存
HDR撮影時に通常の写真も保存する

No383で解説したように手動でHDRのオン／オフを切り替えて撮影しなくても、設定で「通常の写真を残す」をオンにしておけば、HDRがオンの写真に加え、HDRで合成する前の通常の写真も保存されるようになり、どちらか写りの良い方を選択できる。ただし、撮影するごとに2枚の写真が保存されるので、容量は圧迫される。必要に応じて設定しよう。

「設定」→「カメラ」→「通常の写真を残す」をオンにする

no. 385 9分割の補助線が表示される
撮影画面にグリッドを表示する

iPadで構図を考えて写真撮影するには、カメラの画面内に水平／垂直の目安となるグリッド線を表示させておくとよい。このグリッドは、「設定」→「カメラ」→「グリッド」のスイッチをオンにすることで表示されるようになる。カメラを起動すると、9分割の縦横線が表示されるはずだ。

グリッド

オンにする

カメラと写真

no. 386 シャッターを押し続ければOK

連写機能で撮影する

iPadで写真を連続撮影したい場合は、シャッターボタンをタップし続ければよい。タップしている間は、一定間隔でシャッターが切られ続ける。音量ボタンを押しっぱなしでも連続撮影可能だ。「バーストモード」対応機種であれば、1秒間に10枚の高速連写が可能で、撮影した中からベストショットのみを選んで保存することもできる。

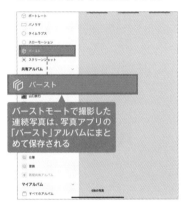

バーストモードで撮影した連続写真は、写真アプリの「バースト」アルバムにまとめて保存される

no. 387 個人情報の公開に注意しよう

写真に位置情報を記録する

カメラの位置情報をオンにして撮影すると、写真に現在地情報が埋め込まれる。マップで撮影場所を確認できるので、旅行写真の整理には便利だ（No421を参照）。ただし位置情報が付いた写真をネット上などにアップすると、自宅の場所などがうっかりバレてしまいかねない。写真に位置情報を付加したくない場合は、設定でオフにしておこう。

「設定」→「プライバシー」→「位置情報サービス」で「カメラ」をタップし、「このAppの使用中のみ許可」にチェックすれば、写真に位置情報が記録される

no. 388 スローモーションも変更可能

ビデオ撮影の画質を変更する

iPadでビデオを撮影する際の画質は、「設定」→「カメラ」→「ビデオ撮影」で変更できる。機種によって異なるが、最大で4K画質のビデオ撮影が可能だ。また、「スローモーション撮影」でスローモーション撮影時の画質も変更できる。高画質で撮影すると、ファイルサイズも大きくなるので、空き容量が少ない場合は画質を落とそう。

「ビデオ撮影」と「スローモーション撮影」の画質を変更できる

カメラと写真

no. 389 フロントカメラで自撮りを楽しもう

左右反転もできるセルフィーを撮影

カメラの切り替えボタンをタップしてフロントカメラに切り替えると、自撮り写真やビデオ（セルフィー）を撮影できる。セルフィーで撮影した写真やビデオは、通常は左右が逆になって保存されるが、「設定」→「カメラ」→「前面カメラを左右反転」をオンにしておけば、カメラに写った向きのままで保存できる。

フロントカメラに切り替えるとセルフィーを撮影できる。画面に写った向きのままで写真やビデオを保存したいなら、「設定」→「カメラ」→「前面カメラを左右反転」をオンにしておこう

no. 390 決定的瞬間を逃さないカメラの起動方法

ロック画面から即座にカメラを起動する

今すぐ撮影したいのに、いちいちロックを解除してカメラアプリを起動して……という手順では、ベストショットの瞬間を逃してしまう。ロック画面からすぐにカメラを起動するには、画面を左にスワイプすればよい。また、コントロールセンターを開き、カメラボタンをタップして起動することもできる。

ロック画面を左にスワイプ

画面右上から下にスワイプしてコントロールセンターを開き、カメラボタンをタップ

no. 391 カメラを向けるだけでスキャンできる

QRコードを読み取る

iPadは標準のカメラアプリでQRコードの読み取りが可能だ。カメラをQRコードに向けると、画面上部に読み取り結果が表示されるので、これをタップすればWebサイトなどを表示できる。QRコードをスキャンできない時は、「設定」→「カメラ」で「QRコードをスキャン」がオンになっているか確認しよう。

QRコードにカメラをかざして、上部の読み取り結果をタップ

no. 392 実際の縦横比の画面でビデオを撮影する

余計な部分まで撮影しないように

iPadのカメラでビデオを撮影する際の画面は、実際の撮影範囲と違い上下が少し切れた状態（縦向き時）で表示されるので、撮影したビデオに余計な被写体が含まれる可能性がある。撮影開始前に画面内をダブルタップすれば、正しい構図を確認しながらビデオ撮影できる。

1 画面内をダブルタップする

画面の上下が少し切れて表示されているので、画面内をダブルタップ

iPadのビデオ撮影画面は、正しい撮影範囲が表示されていない。実際に撮影される範囲を確認するには、画面内をダブルタップする。

2 実際の撮影範囲が表示される

実際に撮影される範囲が表示される

プレビュー画面が16:9の縦長表示に切り替わる。これが実際に撮影される範囲だ。横向きで撮影する際も、同じく横長の正しい撮影範囲を確認できる。

no. 393 カメラモードなどの設定を保持する

いつものスタイルで即座に撮影

カメラの「カメラモード」や「Live Photos」は、前回撮影時の設定を保持しておくことができる。例えば、カメラモードをスクエアにして撮影していれば、次回カメラを起動した際も、同じくスクエアモードのままになっており、すぐに撮影を開始することが可能だ。

1 カメラの設定を保持する

オンにする

「設定」→「カメラ」→「設定を保持」で、「カメラモード」と「Live Photos」それぞれのスイッチをオンにしよう。

2 最後に使った設定でカメラが起動する

最後に使った設定のままで、カメラアプリが起動する。特にスクエアやビデオを最もよく使うユーザーは、スムーズに撮影を開始できて便利だ。

カメラと写真

no. 394 写真アプリでサイドバーを利用する

写真アプリの管理メニュー

見たい写真やビデオに素早くアクセスできる

iPadで撮影した写真やビデオを管理する「写真」アプリでは、サイドバーのメニューで写真やビデオを素早く探せるようになっている。すべての写真やビデオを撮影順に見たいなら、一番上の「ライブラリ」画面を開こう。撮影モード別に探したいなら、「メディアタイプ」欄の「ビデオ」「セルフィー」「スクリーンショット」といった項目から選択すると早い。また「ピープル」で特定の人物が写った写真を一覧表示したり、「撮影地」でマップ上から探し出せるほか、共有アルバムやマイアルバムの作成と管理もサイドバーで行える。

1 写真アプリのサイドバーを開く

画面の左端から右にスワイプ

写真アプリを起動し、画面の左端から右にスワイプするか、左上のボタンをタップすると、サイドバーが開いてメニューが表示される。「ライブラリ」や「For You」など主な項目については、No397から解説する。

2 アルバムもサイドバーで管理できる

編集

タップするとアルバムの並べ替えや削除が可能

サイドバーを下にスクロールすると、共有アルバムやマイアルバムが一覧表示される。アルバムの新規作成も可能だ。また上部の「編集」をタップすると、アルバム名の変更や並べ替え、削除ができる。

no. 395 撮影した写真を 表示する

サムネイルをタップして個別に表示

1 見たい写真の サムネイルをタップ

サムネイルをタップ

写真アプリを起動してサイドバーを開き（No394で解説）、ライブラリやアルバムなどの画面を開くと、iPadで撮影した写真がサムネイルで一覧表示される。見たい写真のサムネイルをタップしよう。

2 タップした写真が 表示される

左右にスワイプして次の写真や前の写真に切り替える

サムネイルをタップした写真が大きく表示される。画面を左右にスワイプするか、下部のサムネイルバーを左右にスワイプすると、次の写真や前の写真を表示できる。

3 ピンチ操作で写真を 拡大／縮小表示する

ピンチアウト／インで拡大／縮小

画面内をダブルタップするか、ピンチアウト／ピンチインすれば、表示中の写真を拡大／縮小表示できる。その際上下のメニューが消えるが、画面内をタップすれば再度メニューが表示される。

---

no. 396 撮影したビデオを 再生する

写真アプリで再生できる

1 「アルバム」の ビデオフォルダから探そう

タップ

写真だけでなく、iPadで撮影したビデオも「写真」アプリで再生できる。ビデオはサイドバーのメディアタイプ欄にある「ビデオ」から探すのが早い。スローモーションやタイムラプス動画もカテゴリ分けされる。

2 サムネイルの再生ボタンを タップで再生

再生／一時停止とスピーカーボタン

ビデオのサムネイルをタップすると、自動で再生が開始され、上部メニューで一時停止やスピーカーのオン／オフができる。右上の編集ボタンでビデオの加工や編集も可能だ（No414で解説）。

3 ビデオ再生画面の メニューと操作

左右にドラッグして再生位置を変更

再生中の画面を一度タップすると、メニューが表示される。右上の一時停止ボタンをタップすると一時停止。下部のシークバーを左右にドラッグすれば再生位置を変更できる。

no. 397 すべての写真を確認できる
「ライブラリ」メニューで写真やビデオを表示する

iPad上の写真やビデオを確認するには、まず写真アプリのサイドバーから「ライブラリ」画面を開こう。上部の「すべての写真」をタップすると、すべての写真とビデオが撮影順に一覧表示される。「年別」や「月別」、「日別」に切り替えると、それぞれの期間のベストショットを楽しめる。

1 ライブラリ画面を開く

写真アプリを起動したら、左上のボタンをタップしてサイドバーを開き、一番上の「ライブラリ」をタップしよう。iPad内の写真やビデオが一覧表示される。

2 表示モードを切り替える

上部メニューで、年／月／日別のベストショットを表示できる。また「すべての写真」に切り替えると、撮影した順にすべての写真とビデオが一覧表示される。

no. 398 写真を素早く探すテクニック
写真の一覧表示をピンチ操作で拡大／縮小する

昔の写真からざっと探したい時は、写真の一覧表示をピンチインして縮小すれば、月や年単位で素早くスクロールできる。似た写真から1枚を選びたい時は、ピンチアウトで拡大して1枚ずつスクロールすると探しやすい。この操作は、メールアプリなどで添付写真を選ぶときにも使える。

1 ピンチインで素早くスクロール

ライブラリの「すべての写真」画面などでピンチインすると、サムネイルがどんどん小さく表示される。昔の写真をざっと振り返って探したいときに利用しよう。

2 ピンチアウトで比較しながら探す

写真の一覧画面をピンチアウトすると、サムネイルが1枚ずつ表示されるまで拡大できる。似た写真を上下のスクロールで比較したいときに利用しよう。

no. 399 メモリーや共有の提案などが表示される
「For You」メニューでメモリーや共有を確認する

1 「For You」に表示される項目

サイドバーで「For You」を開くと、関連する写真やビデオをまとめた「メモリー」や、「おすすめの写真」「共有の提案」「エフェクトの提案」「共有アルバムアクティビティ」などが表示される。

2 メモリーで生成されたスライドショーを再生

「メモリー」で提案されたアルバムで、一番上のサムネイルをタップすると、自動生成されたスライドショーを再生できる。編集でタイトルやBGMを変更したり、写真やビデオの入れ替えも行える。

3 共有アルバムの変更内容を確認

「共有アルバムアクティビティ」では、共有アルバムが一覧表示されるほか、最近追加された写真やコメントの投稿、「いいね!」などのアクティビティが通知される。

カメラと写真

no. 400 写真のフィルタ機能を活用する

特定の条件で抽出表示

一覧画面から特定の条件で写真を探したい時は、フィルタ機能を利用しよう。一覧画面の右上にある「…」ボタンをタップし、メニューから「フィルタ」を選択すると、お気に入りや編集済み、写真、ビデオのみを抽出できる。複数の条件を組み合わせて抽出することも可能だ。

1 写真の一覧画面でフィルタをタップ

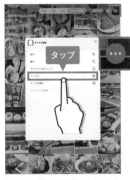

2 選択した条件でフィルタリング

抽出したい項目にチェック

写真の一覧画面を開いたら、右上の「…」ボタンをタップする。続けて、表示されたメニューから「フィルタ」を選択してタップしよう。

「お気に入り」や「編集済み」、「写真」、「ビデオ」にチェックすると、それぞれの条件に合致する項目を抽出表示できる。複数の条件を同時に選択することもできる。

no. 401 ビデオをロングタップしてプレビュー再生する

中身を素早く確認できる

ビデオの内容を素早く確認したい時は、サムネイル画像をロングタップしてみよう。画面がポップアップ表示されプレビュー再生できる。スピーカーがオンなら音声も流れる。なお、「ライブラリ」画面のベストショットにビデオがある場合は、画面をスクロールすると自動的にプレビュー再生される。

1 ビデオのサムネイルをロングタップ

ロングタップ

2 ポップアップ表示でプレビュー再生

ビデオアルバムなどでビデオを一覧表示し、中身をチェックしたいビデオのサムネイルをロングタップしよう。

小さな画面が開いてビデオの中身がプレビュー再生される。プレビュー画面以外の部分をタップすると、元のサムネイル一覧に戻る。

no. 402 写真やビデオを複数選択する

2つの方法を覚えておこう

ドラッグやロングタップでまとめて選択できる

写真の一覧から、複数の写真やビデオを選択したいときは、右上に表示される「選択」ボタンをタップしよう。選択モードになって写真をタップして選択できるようになる。この時、いちいち個別に写真をタップしなくても、サムネイルを左右上下にドラッグするだけで、その範囲の行列をまとめて選択できるので覚えておきたい。または、ファイルをロングタップしてポップアップさせ、少しドラッグして動かし、そのまま他のファイルをタップしていけば、複数の写真をまとめて選択状態にできる。

1 選択画面でドラッグして一括選択

選択

ドラッグ

右上の「選択」をタップして選択モードにし、サムネイルを左右にドラッグすれば、その行の写真をまとめて選択できる。さらに上下にドラッグで複数列の選択も可能だ。

2 ロングタップでファイルをまとめる

片方の指で最初のファイルをロングタップし、もう片方の指で他のファイルを選択してまとめていく

選択モードにしなくても、写真をひとつロングタップして浮いた状態になったら少し動かし、そのままの他の指で別の写真を選択していけば、複数ファイルの選択状態になる。

カメラと写真

no. 403　検索用のタグにも使える
写真にキャプションを追加する

写真やビデオを上にスワイプすると、「キャプションを追加」欄にメモを追加できる。このキャプションは検索対象になるので、タグのように利用できる。例えば美味しかった料理に「また食べたい」とキャプションを付けておけば、「また食べたい」でキーワード検索して料理写真を素早く探せる。

1　キャプションを追加する

写真やビデオを上にスワイプしたら、「キャプションを追加」欄にメモを入力しておこう。感想や備忘録でもいいし、検索用タグとしてシンプルな単語を入力してもよい。

2　キャプションが検索でヒットする

「検索」画面でキーワード検索すると、キャプションの内容も検索結果に表示され、目的の写真やビデオを素早く探し出せるようになる。

no. 404　複数の一括削除もOK
写真、ビデオを削除する

不要な写真やビデオは、写真アプリ内で削除できる。複数選択して一括削除も可能だ。ただしiTunesで同期した写真や、他ユーザーの共有アルバムの写真は削除できない。またNo405で解説している通り、この操作で削除した写真は「最近削除した項目」に残っており、復元可能だ。

1　不要な写真やビデオを削除する

個別に削除する場合は、写真やビデオを開いて、右上のゴミ箱ボタンをタップし、続けて「写真（ビデオ）を削除」をタップすればよい。

2　複数の写真やビデオを一括削除する

サムネイル一覧で右上の「選択」をタップし、複数の写真やビデオを選択。右下のゴミ箱ボタンをタップし、続けて「○項目を削除」をタップすれば一括削除できる。

カメラと写真

---

no. 405　「最近削除した項目」から復元
削除した写真やビデオを復元する

写真やビデオを削除しても、iPadから完全に削除されるわけではなく、最大30日間は「最近削除した項目」に残っている。選択して「復元」をタップすればライブラリに戻すことができ、「削除」で完全削除が可能だ。

サイドバーで「最近削除した項目」をタップ

選択して「復元」をタップ、続けて「○項目を復元」をタップでライブラリに復元できる

no. 406　写真の内容から探し出せる
写真アプリの検索機能を利用する

サイドバーで「検索」を開くと、強力な写真の検索機能を利用できる。ピープルや撮影地、カテゴリなどで写真を探せるほか、被写体をキーワードにして検索することも可能だ。「猫」や「花」など具体的なワードで検索してみよう。また写真に付けたキャプション（No404で解説）も検索対象となる。

「猫」や「花」など具体的なワードで検索すると、写真の内容から判断した検索結果が表示される

no. 407　写っている人物や撮影地を表示
写真の詳細情報を確認する

写真やビデオを表示して、画面内を上にスワイプすれば、写っている人物や撮影地などの詳細情報が下部に表示される。撮影地の「周辺の写真」をタップすれば、周辺で撮影された写真をマップ上で確認することもできる（No421を参照）。

上にスワイプ

no. 408 よく写っている人を表示
「ピープル」を利用する

写真に人の顔が写っていると自動的に認識され、多く検出された人物は、サイドバーの「ピープル」画面に追加される。ピープルの顔写真をタップすると、その人が写った写真を一覧表示することが可能だ。またピープルに名前を付けておけば、写真を人物名で検索できるようになる。

1 「ピープル」画面で顔写真をタップ

サイドバーの「ピープル」をタップすると、よく写っている顔写真が表示される。タップすると、この人物が写った写真が一覧表示される。

2 ピープルに名前を付けておく

顔写真をタップし、上部の「名前を追加」をタップして名前を付けておこう。この人物が写った写真を、名前でキーワード検索できるようになる。

no. 409 アルバムで写真を整理する
「マイアルバム」で写真やビデオを表示する

サイドバーを下の方にスクロールすると、「マイアルバム」欄にアルバムが一覧表示される。「すべてのアルバム」をタップすると、作成済みのアルバムのほか、すべての写真やビデオが撮影順に表示される「最近の項目」アルバムと、「お気に入り」（No423で解説）アルバムも表示される。

1 マイアルバムを確認する

サイドバーを下の方にスクロールすると、「マイアルバム」欄でアルバムを確認できる。アルバムをタップすると、そのアルバムに整理した写真が一覧表示される。

2 すべてのアルバムを表示する

「すべてのアルバム」をタップすると、作成済みのアルバムに加えて、「最近の項目」と「お気に入り」アルバムも表示される。新規アルバムの作成や削除も可能だ。

カメラと写真

no. 410 好きな写真を自分でまとめよう
新しいアルバムを作成する

サイドバーの「マイアルバム」欄にある「新規アルバム」をタップすると、自分でアルバムを作成できる。アルバムに追加する写真を選択して整理しておこう。

サイドバーの「マイアルバム」欄にある「新規アルバム」をタップ

アルバム名を付けて「保存」。続けて保存したい写真を選択していく

no. 411 選択した写真をアルバムで分類
写真、ビデオをアルバムに登録する

サムネイル画面で「選択」をタップし、アルバムに追加したい複数の写真やビデオを選択したら、左下の共有ボタンをタップしよう。表示されたメニューから「アルバムに追加」をタップすれば、作成済みのアルバムに、選択した写真を追加することができる。

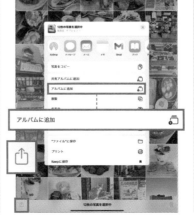

no. 412 きれいに撮れた写真だけ残そう
バーストモードの連続写真を1枚ずつ見る

「バースト」アルバムの連写した写真（No000で解説）は、タップしたばかりでは1枚しか表示されない。「選択…」をタップすると残りの連続写真も表示される。よく写ったものだけチェックして、残りを保存するか削除するか決めよう。

「バースト」アルバムで連写した写真を開いたら、上部「選択…」をタップ

残したい写真だけ選択して「完了」をタップすると、その他の写真をすべて残すか削除するか選択できる

no.
413

写真アプリだけで細かなレタッチが可能

写真を加工、編集する

1 編集をタップしてレタッチを行う

編集

各ボタンで写真を加工する

編集を加えたい写真を開いたら、右上の「編集」をタップして編集画面に切り替えよう。左側に並ぶメニューの一番上にある「調整」ボタンを選ぶと、右側に「自動」「露出」「ブリリアンス」などのボタンが表示され、明るさや色合いを自由に調整できる。

2 トリミングや傾き補正も簡単

白い枠の角をドラッグしてトリミング範囲を調整

傾きや縦横の歪みを調整

左側に並ぶメニューの一番下のボタンをタップすると、トリミングや傾き補正が行える。写真を囲む四隅の白い枠をドラッグするとトリミング。右側の各ボタンで傾き、縦方向の歪み、横方向の歪みを調整できる。

3 編集した写真を保存する、元に戻す

タップして保存

タップすれば元の写真に戻せる

編集を終えたら、右上のチェックマークをタップして保存する。編集をキャンセルするには左上の「×」をタップ。編集後の写真を編集モードにして、右上の「元に戻す」→「オリジナルに戻す」をタップすれば、いつでも元の写真に戻せる。

no.
414

ビデオもさまざまな編集を適用できる

ビデオを加工、編集する

1 編集をタップしてレタッチを行う

編集

編集を加えたいビデオを開いたら、右上の「編集」をタップして編集画面に切り替えよう。写真の編集（No413）と同じように、左側に並ぶメニューボタンで編集モードを切り替えて、さまざまな加工を施せる。

2 ビデオの不要な部分をカットする

左右の黄色い枠をドラッグして開始位置と終了位置を指定

ビデオの場合は、不要な部分を削除するカット編集も行える。左メニューの一番上のボタンをタップし、下部のタイムラインで左右端をドラッグ。表示される黄色い枠で、ビデオの切り取り範囲を指定しよう。

3 調整やフィルタ、傾き補正も適用できる

そのほか、露出やコントラストを調整できる「調整」や、各種フィルタを適用できる「フィルタ」、サイズ変更や傾き補正を行える「傾き補正」などの適用も可能だ。写真と同じく、編集後にいつでも元のオリジナルビデオに戻せる。

カメラと写真

no. 415 マークアップ機能を使い文字や手書きで写真に書き込む
ペンの太さや色も変更できる

写真を開いて編集ボタンをタップし、右上の「…」ボタンをタップ。表示されたメニューから「マークアップ」をタップすれば、マークアップ機能により、写真内にテキストを入力したり手書きで文字や図形を書き込める。フォントや色、線の太さなども変更可能だ。

1 マークアップをタップする

写真アプリで書き込みたい写真を開き、「編集」ボタンをタップして編集画面を開いたら、右上の「…」をタップ。表示されるメニューから「マークアップ」をタップする。

2 下部のツールで写真に書き込み

マークアップツールバーでペンの種類やカラーを変更できる。また「＋」をタップすれば、テキストや署名の入力、図形や矢印の挿入、拡大鏡などを利用できる。

no. 416 他社製アプリのフィルタを利用する
拡張機能対応アプリを入れておこう

No413の通り、基本的なレタッチは写真アプリの標準機能で行えるが、もっといろいろなフィルタや機能を使いたいなら、他社製の写真編集アプリをインストールしよう。拡張機能に対応したアプリであれば、写真アプリの編集画面からフィルタなどを呼び出して利用することができる。

1 編集画面で「…」をタップ

写真の「編集」をタップし、右上の「…」をタップすると、インストール済みの拡張機能に対応した写真編集アプリが一覧表示されるので、これをタップ。

2 他のアプリのフィルタを適用する

他社製の写真アプリのフィルタ機能を呼び出して、写真に適用できる。いちいち個別のアプリを起動せずに、写真アプリ内だけで編集が完結できて便利だ。

no. 417 ポートレートモードの写真を編集する
ぼかし具合や照明を変更できる

ホームボタンのないiPad Pro 12.9／11インチのフロントカメラのみ、「ポートレート」モードで、背景をぼかしたり照明の当て方を変えた写真を撮影できる（No377で解説）。このポートレートモードで撮影した写真は、あとからでも写真アプリで、ぼかし具合や照明エフェクトを変更することが可能だ。

1 ポートレート写真の編集画面を開く

写真アプリのサイドバーで「ポートレート」をタップし、撮影したポートレート写真を開いたら、右上の「編集」ボタンをタップする。

2 照明や被写界深度を変更できる

右側にある照明ボタンを上下にドラッグすれば、照明エフェクトを変更できる。また上部の「f」ボタンで、被写界深度を調整してぼかし具合を変更できる。

no. 418 スローモーションのビデオを編集する
スロー再生の位置を変更できる

「スローモーション」モードでビデオを撮影すると、通常の1/4または1/8のスピードで再生されるスローモーション動画を撮影できる。このスロー再生になる部分は、写真アプリの編集モードで自由に変更できる。スライダーでスロー再生にする範囲を指定しよう。

1 スローモーションの編集画面を開く
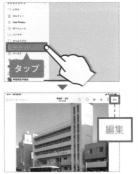
写真アプリのサイドバーで「スローモーション」をタップし、撮影したスローモーションビデオを開いたら、右上の「編集」ボタンをタップする。

2 スロー再生の範囲を指定する

下部のスライダーで、縦線の範囲が広くなっている部分が、スローモーションで再生される箇所になる。ドラッグして開始／終了位置を調整しよう。

カメラと写真

no. 419
エフェクトを変更できる
Live Photosを編集する

動く写真「Live Photos」(No381で解説)で撮影した写真の動きを変えてみたいなら、写真アプリで編集しよう。「ループ(繰り返し再生)」「バウンス(再生と逆再生の繰り返し)」「長時間露光(長時間シャッターを開いたときの効果)」の、3種類のエフェクトを適用できる。

1 Live Photosの画面を上にスワイプ

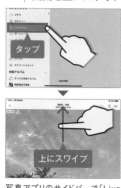

タップ

上にスワイプ

写真アプリのサイドバーで「Live Photos」をタップし、撮影したLive Photos写真を開いたら、画面を上にスワイプしてみよう。

2 適用するエフェクトを選択

エフェクトを選択

撮影地など詳細情報のほかに、「エフェクト」メニューも表示される。「ループ」「バウンス」「長時間露光」の3種類から選択しよう。

no. 420
編集モードで簡単に変更できる
撮影した写真の比率を変更する

撮影した写真の画面比率は、No413で解説した写真の編集モードで簡単に変更できる。編集画面を開いたら、左側メニュー一番下の傾き補正ボタンをタップし、続けて上部の比率ボタンをタップしよう。下部メニューで、「スクエア」「2:3」「8:10」などの比率を選択できる。

1 編集画面で比率ボタンをタップ

タップ

写真の編集画面を開いたら、左側の傾き編集メニューを開き、続けて上部の比率変更ボタンをタップしよう。

2 下部のメニューで比率を選択する

変更する比率を選択する

下部に「スクエア」「2:3」「8:10」などの比率がプリセットで用意されているので、タップしてトリミングしよう。

no. 421
「撮影地」アルバムで確認
写真、ビデオの撮影場所をマップで表示する

「設定」→「プライバシー」→「位置情報サービス」→「カメラ」で、「このAppの使用中のみ許可」にチェックしておけば、iPadで撮影した写真やビデオに撮影場所や日時が記録される。写真アプリのサイドバーで「撮影地」を開くと、撮影場所をマップ上で確認できる。

1 カメラの位置情報サービスをオン

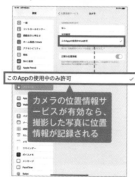

このAppの使用中のみ許可

カメラの位置情報サービスが有効なら、撮影した写真に位置情報が記録される

「設定」→「プライバシー」→「位置情報サービス」で、アプリのリストから「カメラ」をタップ。「このAppの使用中のみ許可」にチェックしよう。

2 撮影地アルバムで撮影場所を確認

写真アプリのサイドバーで「撮影地」を開くと、位置情報が記録された写真やビデオの撮影地がマップ上に表示される。マップを拡大すればより詳細な撮影地が分かる。

no. 422
「スライドショー」をタップ
写真やビデオをスライドショーで楽しむ

写真アプリでアルバムを開き、右上の「…」→「スライドショー」をタップすれば、アルバム内の写真やビデオが次々と表示されるスライドショーが開始される。スライドショーの再生画面を1度タップするとメニューが表示され、右下の「オプション」でテーマや再生速度などを変更できる。

1 スライドショーを開始する

タップ

アルバムを開き、右上の「…」→「スライドショー」をタップして再生開始。写真を1枚開いて共有ボタンから「スライドショー」をタップしてもよい。

2 テーマやBGMを変更する

テーマ　雑誌
BGM　雑誌
リピート

再生中の画面をタップすればメニュー表示。右下の「オプション」で、テーマ、BGM、リピートのオン／オフ、再生速度などを変更できる。

カメラと写真

no. 423 ハートボタンをタップ
写真やビデオを
お気に入りに登録する

特に気に入った写真やビデオをまとめておきたいなら、写真アプリで写真やビデオを開き、右上のハートボタンをタップしよう。自動的に「お気に入り」アルバムに登録される。特定のアルバムに写真を移動するよりも簡単に、お気に入り写真のみをまとめられる方法だ。

1 ハートボタンをタップする

写真アプリで写真やビデオを開いて、右上のハートボタンをタップすると、お気に入りに登録することができる。

2 「お気に入り」アルバムで確認

お気に入りに登録した写真やビデオは、サイドバーの「お気に入り」アルバムで確認できる。

no. 424 JPEG／H.264形式に自動変換
パソコン転送時に
フォーマットを自動変換する

No382で解説している通り、一部機種では写真とビデオを、圧縮率の高いHEIF／HEVC形式で保存できる。ただ、8／8.1以前のWindowsやSierra以前のmacOSだと標準では表示できないので、パソコンに転送する際は、従来のJPEG／H.264形式に自動変換するよう設定しておこう。

1 写真の設定で「自動」にチェック

「設定」→「写真」で「自動」にチェックしておこう。HEIF／HEVC形式の写真やビデオをパソコンに転送すると、自動的にJPEG／H.264形式に変換して保存される。

2 HEIF／HEVCのまま保存したい場合

今後の対応を見据えて、あえて変換せずに保存したい場合は、「元のフォーマットのまま」にチェック。HEIF／HEVC形式のままでパソコンに転送できる。

no. 425 撮影場所が分からないようにする
位置情報を削除して
写真やビデオを送信する

写真やビデオを他のユーザーに送信する（No429で解説）際に、撮影場所が分からないように位置情報を削除したい場合は、共有メニューで開いた画面上部の「オプション」をタップしよう。「位置情報」のスイッチをオフにしておけば、位置情報を取り除いた上で送信できる。

1 共有メニューのオプションをタップ

送信したい写真を開くか複数選択した状態で、共有ボタンをタップ。続けて、開いた画面の上部にある「オプション」をタップしよう。

2 「位置情報」をオフにする

「位置情報」のスイッチをオフにしておこう。これで、位置情報を取り除いた状態で写真やビデオを送信することができる。

no. 426 見せたくない写真を隠す
特定の写真を
非表示にする

写真を開いて共有ボタンをタップし、表示されるメニューから「非表示」をタップ。続けて「写真を非表示」をタップすれば、その写真は「非表示」アルバム以外の場所で表示されなくなる。非表示アルバムを開いて写真を選択し、共有ボタンから「再表示」をタップすれば再度表示できる。

1 「非表示」をタップして写真を隠す

写真を開き、共有ボタンから「非表示」→「写真を非表示」をタップ。「非表示」アルバム以外では、この写真が見えなくなる。

2 非表示アルバムから再表示も可能

サイドバーから「非表示」アルバムを開くと非表示にした写真が一覧表示され、共有ボタンから「再表示」で再表示にできる。

カメラと写真

no.
427

同じApple IDを使った他のデバイスと写真を共有できる

iCloud写真やマイフォト
ストリームを利用する

2種類の
フォトクラウドの
違いを理解しよう

　写真アプリには、写真を自動でクラウド保存する機能が2種類用意されている。1つは「iCloud写真」で、iPad内の写真をすべてiCloudへ自動でアップロードする。元のデータがiCloudにあるので、iPhoneやパソコンからも同じ写真ライブラリを表示できるし、iPadが故障しても思い出の写真が消える心配もない。ただし、iCloud側にもiPadのライブラリのすべてを保存できる容量が必要だ。もう1つは「マイフォトストリーム」で、iCloudの容量を消費せずにクラウドに自動アップロードできる。ただし写真しか保存できず、枚数や期限に制限があるので、写真を一旦iCloudに保存し、パソコンなどにコピーしてバックアップする機能として使おう。

iCloud写真を利用する

1 iCloud写真を
オンにする

「設定」→「写真」→「iCloud写真」をオンにすれば、すべての写真やビデオがiCloudに保存される。iCloudの空き容量が足りないと機能を有効にできない。また「iPadのストレージを最適化」にチェックしておくと、オリジナルの写真はiCloud上に保存して、iPadには縮小した写真を保存できる。

2 写真アプリの内容
は特に変わらない

iCloud写真をオンにしても写真アプリの内容は特に変わらない。同じApple IDを使ったiPhoneやパソコンでも同じ写真を表示できる。ただし、iCloud上や他のデバイスで写真を削除すると、iPadからも削除される（逆も同様）点に注意しよう。

マイフォトストリームを利用する

1 マイフォトストリーム
をオンにする

「設定」→「写真」→「マイフォトストリーム」をオンにすれば、iPadで撮影した写真がクラウド上に自動でアップロードされるようになる。iCloudの空き容量が足りないと利用できない「iCloud写真」と違って、マイフォトストリームはiCloudの容量を消費せず完全無料で利用できる。

2 マイフォトストリーム
の写真を閲覧する

マイフォトストリームをオンにすると、写真アプリの「マイアルバム」欄に「マイフォトストリーム」アルバムが作成され、自動アップロードされた写真を確認できる。ただし保存期間は30日間まで、保存枚数は最大で1,000枚まで。また保存されるのは写真のみで、ビデオは保存されない。

!! 使いこなしヒント
フォトライブラリで
バックアップする

iCloud写真がオフの時は、「フォトライブラリ」をオンにして、現時点の端末内の写真やビデオを含めたiCloudバックアップを作成できる。ただこの機能は、どのみちiCloudの容量を消費する上に中身の写真を取り出せないので、写真のバックアップには「iCloud写真」を使ったほうが便利だ。

no. 428 共有アルバムを作成しよう
共有アルバムで家族や友人と写真やビデオを共有する

「設定」→「写真」→「共有アルバム」をオンにしておくと、写真やビデオを他の人と共有できるようになる。写真アプリのサイドバーにある「新規共有アルバム」をタップし、共有したい相手を招待しよう。作成した共有アルバムには、自分や共有相手が自由に写真やビデオを追加できる。

1 新規共有アルバムを作成する

オンにする

タップ

「設定」→「写真」→「共有アルバム」をオンにしておき、写真アプリのサイドバーで「新規共有アルバム」をタップする。

2 メンバーを招待して共有アルバムを作成

共有相手のメールアドレスを入力して招待

「＋」ボタンで写真を追加する

共有アルバムに招待する相手のメールアドレスを入力し、「作成」で共有アルバムが作成される。この共有アルバムには、自分や招待した相手が自由に写真を追加できる。

no. 429 共有ボタンで送信方法を選択
写真やビデオを他のユーザーへ送信する

写真やビデオを他のユーザーに送信するには、写真アプリで送信したいものを選んで、共有ボタンをタップしよう。メッセージやメールに添付したり、TwitterやFacebookに投稿できる。またAirDrop（No079で解説）で送信したり、共有アルバム（No428で解説）に追加することも可能だ。

1 写真やビデオを選び共有ボタンをタップ

タップ

写真アプリで送信したい写真やビデオを開いたり、一覧画面で「選択」をタップして複数を選択した状態で、共有ボタンをタップしよう。

2 送信する方法を選択する

送信方法を選択

メニューから送信方法を選択しよう。メールやメッセージに添付したりSNSに投稿できるほか、AirDropで送信したり、共有アルバムに追加することもできる。

no. 430 大量の写真をまとめて送る時に
写真やビデオのiCloudリンクを送信する

写真やビデオを他のユーザーに送信する（No429で解説）際に、写真データそのものではなく、iCloudのリンクを送って相手にダウンロードしてもらう事もできる。送信する写真の数が多い時は、この方法で送ったほうがスムーズだ。なお、iCloudリンクで送ると位置情報はオフにできない。

1 共有メニューのオプションをタップ

オプション

送信したい写真を開くか複数選択した状態で、上部の共有ボタンをタップ。続けて、開いた画面の上部にある「オプション」をタップしよう。

2 「iCloudリンク」にチェックする

iCloudリンク

チェックする

「iCloudリンク」にチェックしよう。これで、写真やビデオのデータ自体ではなく、ダウンロードできるiCloudリンクを相手に送信する。

no. 431 「いいね!」も付けられる
共有アルバムにコメントを投稿する

No428の解説の通り、設定で「共有アルバム」をオンにしておけば、他のユーザーとアルバムを共有できるようになる。共有アルバムの写真を開いて、下部の「コメントを追加」をタップすれば、その写真にコメントできるほか、「いいね!」を付けることも可能だ。

1 コメントや「いいね!」を投稿

タップして「いいね!」を付ける

コメントを追加...

共有アルバムの写真を開き、下部の「コメントを追加」をタップすれば、この写真にコメントを投稿できる。「いいね!」も付けられる。

2 他のユーザーの返信コメント

自分や他の共有ユーザーがコメントを投稿すると、「For You」画面（No399で解説）の「共有アルバムアクティビティ」で確認できる。

カメラと写真

no. 432

さまざまな音楽を一元管理する

ミュージックアプリで 音楽を再生する

端末内の曲も クラウド上の曲も まとめて扱える

「ミュージック」は、音楽配信サービス「Apple Music」（No448で解説）の曲や、パソコンから取り込んだ曲（No482で解説）、iTunes Store（No459で解説）で購入した曲を、まとめて管理できる音楽再生アプリだ。Apple Musicの利用中は、サイドバーの「今すぐ聴く」で好みに合った曲を提案してくれるほか、「見つける」で注目の最新曲を見つけたり、「ラジオ」でネットラジオを聴ける。また、「iCloudミュージックライブラリ」機能（No449で解説）で自宅パソコンの曲をすべてクラウド上にアップロードしておけば、いつでも自宅パソコンの曲をストリーミング再生したり、ダウンロード保存できるようになる。

ミュージックアプリの基本的な操作方法

1 ライブラリから 曲を探す

画面を左端から右にスワイプしてサイドバーを開き、「ライブラリ」のアーティストやアルバムなどのカテゴリから聴きたい曲を探そう。Apple Musicから追加した曲や、パソコンから取り込んだ曲、iTunes Storeで購入した曲は、すべてこのライブラリで管理できる。

2 曲名をタップして 再生を開始する

曲名をタップすると、すぐに再生が開始される。画面下部にミニプレイヤーが表示され、一時停止や次の曲へスキップといった操作が可能だ。より細かな操作を行いたい場合は、このミニプレイヤー部をタップしよう。再生画面が表示される。

3 再生画面を開いて コントロールする

ミニプレイヤー部をタップすると、このように再生画面が表示される。スクラブバー、再生コントローラー、音量バーなどが表示され、曲の再生をコントロールすることが可能だ。

4 出力デバイスの切り替えと メニュー表示

再生画面左下の出力先切り替えボタンをタップすると、Bluetooth接続のヘッドフォンやスピーカーに簡単に切り替えることができる。また「…」をタップすると、削除やプレイリストに追加、曲を共有といったメニューが表示される。

5 コントロールセンターや ロック画面での操作

ホーム画面や他のアプリを利用中の場合は、いちいちミュージックアプリを起動しなくても、コントロールセンターのミュージックコントローラーで再生中の曲を操作できる。また再生中にスリープした場合は、ロック画面にコントローラーが表示される。

ミュージック

no. 433
不要なメニューを非表示にする
メニューからApple Music の項目を消す

Appleの定額音楽配信サービス「Apple Music」(No448で解説)を使わないなら、「設定」→「ミュージック」で「Apple Musicを表示」をオフにしておこう。ミュージックアプリのサイドバーから、Apple Musicの関連メニューが消え、スッキリした表示になる。

1 「Apple Musicを表示」をオフ

デフォルトでは「設定」→「ミュージック」で「Apple Musicを表示」がオンになっており、関連メニューが表示される。使う予定がないならオフにしておこう。

2 Apple Musicメニューが消える

サイドバーから、Apple Musicの関連メニューである「今すぐ聴く」と「見つける」が消えて、スッキリしたメニューになる。

no. 434
必要なライブラリのみ表示させよう
ライブラリを追加、削除する

iPad上の曲は、すべて「ライブラリ」にある「アーティスト」「アルバム」「曲」などのカテゴリから探せる。これらの項目は、上部の「編集」で削除や追加、並べ替えが可能だ。聴きたい曲をアーティスト名で探すことが多い人は、表示する項目を「アーティスト」だけにしても使いやすい。

1 サイドバーの「編集」をタップ

サイドバーの「ライブラリ」は、あまり使わない項目を非表示にしておいた方が使いやすい。項目を編集するには、上部の「編集」をタップする。

2 不要なカテゴリは非表示にしておく

「アーティスト」や「最近追加した項目」など、自分がよく使う項目だけ残して、他の項目はチェックを外して非表示にしておこう。

no. 435
オフラインでも再生できる曲を表示
iPadに保存されている曲だけを表示する

ミュージックアプリでは、iTunes Storeで購入した曲や、Apple Musicの曲のうち、iPad内に保存されていない曲も表示されストリーミング再生できる。iPad内に保存した、オフラインでも再生可能な曲のみを表示したい場合は、ライブラリにある「ダウンロード済み」を開けばよい。

1 「ダウンロード済み」をタップ

iPadに保存されたダウンロード済みの曲のみを表示するには、サイドバーを開いてライブラリ欄の「ダウンロード済み」をタップする。

2 iPad内にある曲のみが表示される

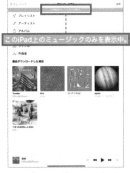

iPad内にある曲やアルバムを、「アーティスト」や「アルバム」などのカテゴリから探せる。これらの曲は、ネットに接続されていないオフライン環境でも再生できる。

no. 436
プレイリストへ追加や共有が可能
曲をロングタップしてさまざまな操作を行う

曲名をロングタップすると、メニューがポップアップ表示される。曲のダウンロードや、ライブラリからの削除、プレイリストへの追加、「次に再生」リストへの追加、曲の配信アドレスの共有などが可能だ。「ラブ」は、「今すぐ聴く」でおすすめの表示を学習する機能(No453で解説)。

1 曲名をロングタップする

曲に対してさまざまな操作を行うには、曲名をロングタップしよう。なお、曲のダウンロード状況や再生状況によって、表示される項目は異なる。

2 さまざまな操作を行える

「ダウンロード」(No438で解説)や、「プレイリストに追加」(No446で解説)、「次に再生」「最後に再生」(No437で解説)など、主要な操作を一通り行える。

no. 437 次に再生する曲を指定する

聴きたい曲をリストアップする

プレイリストを作らず好きな順番で曲を再生する

アルバムなどを選択して曲の再生を開始すると、通常はアルバムの曲順で再生されていく。この時、次に別のアーティストの曲を再生したい場合は、再生したい曲をロングタップして「次に再生」をタップしよう。再生画面の「次に再生」リストの一番上に追加される。「最後に再生」をタップした場合は、リストの一番下に追加される。いちいちプレイリストを作成するほどでもないが、気分で再生順を入れ替えたい時に利用しよう。「次に再生」の曲は、三本線ボタンをドラッグして、自由に順番を入れ替えできる。

1 ロングタップして「次に再生」をタップ

次に再生したい曲を選びロングタップして「次に再生」をタップしよう。再生リストの一番上に追加され、次にこの曲が再生される。「最後に再生」をタップした場合は、再生リストの一番最後で再生される。

2 再生リストで追加した曲を確認する

再生画面を開いて右下のボタンをタップすると、「次に再生」リストが表示され、先ほど追加した曲が表示されているはずだ。右端の三本線ボタンをドラッグすれば、再生リスト内の順番は自由に変更できる。

---

no. 438 iTunes Storeで購入済みの曲をダウンロードする

オフラインでも再生可能にする

iTunes Storeで購入した曲は、ダウンロードしなくてもストリーミングで再生が可能だが、iPad内に保存しておけばオフラインでも再生できるようになる。購入済みで未ダウンロードの曲は雲の形のiCloudボタンが表示されているので、これをタップしてダウンロードしておこう。

購入済みだがダウンロードしていない曲やアルバムには、雲の形のiCloudボタンが表示される。これをタップすればすぐにダウンロードが開始される

no. 439 iPad内の曲を検索する

「ライブラリ」でキーワード検索しよう

サイドバーの「検索」をタップすると検索画面が表示される。「カテゴリを検索」はApple Musicから探す項目なので、iPad内の曲を探したい時は、まずキーワード検索欄をタップしよう。続けて検索欄下の「ライブラリ」を選択すると、ライブラリにある曲をキーワード検索できる。

「ライブラリ」に切り替えて、iPadのライブラリにある曲を検索。iCloudミュージックライブラリ（No449）にアップした曲も、この画面から検索できる

no. 440 再生中の曲の歌詞を表示する

歌詞情報があれば表示できる

Apple Musicの多くの曲では、再生画面右下の歌詞ボタンをタップすると、カラオケのように曲の再生に合わせて歌詞がハイライト表示される。また、スクロールして歌詞をタップすると、その箇所にジャンプできる。歌詞全文を表示するには、「…」→「歌詞をすべて表示」をタップ。

Apple Music以外の曲でも、歌詞情報が追加されていれば歌詞が表示されるが、カラオケのように歌詞が同期せず、歌詞をタップしてもその箇所にジャンプできない

no. 441 Apple Musicの情報を表示

アーティストのさまざまな情報をチェックする

ミュージックアプリで「アーティスト」ライブラリを開き、アーティスト名をタップ。右欄の「さらに表示:」をタップすれば、Apple Music上のアーティスト情報を確認できる。

no. 442 一部番組は無料で聴取できる

ラジオ機能で人気の音楽を聴く

ミュージックアプリのサイドバーにある「ラジオ」は、24時間ライブ放送される「Beats 1」や、ニュース、スポーツ番組などを楽しめるネットラジオ機能だ。Apple Musicに登録すれば、J-POP、洋楽ヒットチャートなど、ジャンル別にまとめられたラジオステーションを聴くこともできる。

no. 443 「ダウンロードを削除」で削除しよう

ミュージックから曲を削除する

ミュージックアプリの再生画面で、「…」→「削除」をタップすると、「ダウンロードを削除」「ライブラリから削除」の2つの削除方法が表示される。ダウンロード済みの曲をiPad内から削除したいだけなら、「ダウンロードを削除」をタップすればよい。iTunes Storeで購入した曲をライブラリから削除してしまうと、購入済み画面からも消えて、復元が面倒になるので要注意。

iPad内からファイルを削除したいだけなら「ダウンロードを削除」をタップ。Apple Musicの曲やiTunes Storeの購入曲であれば、一度削除しても簡単にダウンロードし直せる

---

no. 444 曲が一定容量を超えないようにしてくれる
しばらく再生していない曲を自動削除する

自動ダウンロードを有効にしつつ容量を確保できる

Apple Music（No448を参照）を利用し、「設定」→「ミュージック」→「ライブラリを同期」をオンにしていると、「自動的にダウンロード」機能を利用できるようになる。ただ、この機能を有効にしていると、Apple Musicでライブラリに追加した曲がすべてiPadに保存されるので、あっという間に容量が足りなくなる。そこで、「ストレージを最適化」も設定しておこう。ダウンロードした曲の容量が一定以上になったら、しばらく再生していない曲を、iPadから自動的に削除してくれる。

1 「自動ダウンロード」を有効にする

Apple Musicの登録を済ませ、「設定」→「ミュージック」→「ライブラリを同期」をオンにしておく。同じ画面の「自動的にダウンロード」をオンにし、「ストレージを最適化」をタップ。

2 「ストレージを最適化」の容量を設定する

「ストレージを最適化」をオンにし、その下のメニューで端末内に残しておく最小限の容量を選択しておこう。ダウンロードした曲が指定した容量を超えると、しばらく再生していない曲から順に削除される。

no. 445 シャッフル再生や リピート再生を行う

再生リストにあるボタンで操作

☑ シャッフルで再生リストを ランダム再生

再生画面のコントロールボタンの左には、シャッフルボタンが用意されている。タップすると、再生リストの曲をランダムな順番で再生する。もう一度タップするとオフになる。

☑ リピートで再生リストや 曲を繰り返し再生

再生画面のコントロールボタンの右には、リピートボタンが用意されている。一度タップすると、再生リストを繰り返し再生する。もう一度タップすると、現在再生中の曲のみを繰り返し再生する1曲リピートになる。

☑ アルバムや曲全体を シャッフル再生する

> ミュージックアプリ内の全曲を対象にシャッフル再生したい場合は、ライブラリで「アルバム」か「曲」を選んでシャッフルボタンをタップしよう

ライブラリで「アルバム」「曲」などの画面を開くと、右上にシャッフルボタンが用意されている。これをタップすれば、すべてのアルバムや曲をシャッフル再生する。

ミュージック

no. 446 iPad上で プレイリストを作成する

好みの曲を自由な曲順で再生

お気に入りの曲だけを集めて好きな順番で再生したいなら、プレイリストを作成しよう。サイドバーの一番下にある「新規プレイリスト」をタップすると、新規プレイリストを作成できる。プレイリスト名を付けたら、「ミュージックを追加」から曲を探し「＋」で追加していこう。

1 「新規」で プレイリストを作成

サイドバーの一番下にある「新規プレイリスト」をタップ。プレイリストの名前を付けて、「ミュージックを追加」をタップしよう。

2 プレイリストに追加 する曲を選択

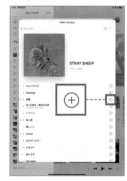

追加したい曲の「＋」をタップすれば、タップした順にプレイリストに追加されていく。あとで、曲順を変更したり削除することも可能だ。

no. 447 音質や音量の 設定をチェックする

最適な音量や音質で音楽を楽しむ

ミュージックアプリで再生されるサウンドは、標準ではニュートラルで自然な音だ。曲のジャンルや種類によって音質を変えたい時は、「設定」→「ミュージック」→「イコライザ」で曲に合った設定に変更しよう。また、音源によって異なる音量を自動調節したい場合は、同じく「ミュージック」の「音量を自動調整」をオンにする。

1 イコライザで 音質を変える

「設定」→「ミュージック」→「イコライザ」で、各ジャンルに最適な音質に変更できる。

2 音量の自動調整 を利用する

「設定」→「ミュージック」→「音量を自動調整」をオン。音源によって違う音量を一定に保つことが可能だ。

no. 448

数千万曲が聴き放題

Apple Musicを
利用する

初回登録時は
3ヶ月間無料で
利用できる

　月額980円で国内外の約7,000万曲が聴き放題になる、Appleの定額音楽配信サービス「Apple Music」。簡単な利用登録を行うだけで、パソコンから取り込んだ曲やiTunes Storeで購入した曲と同じように、Apple Musicの曲をミュージックアプリのライブラリで扱えるようになる（もちろん解約すると削除される）。ただし、曲をライブラリに追加するには、「設定」→「ミュージック」で「ライブラリを同期」をオンにする必要があるので、あらかじめ設定しておこう。Apple Musicの曲は、ダウンロードしてオフラインで再生することも可能だ。なお、初回登録時は3ヶ月間のみ無料で利用できる。

Apple Musicの利用登録を行う

1 「Apple Musicに登録」でプランを選択して開始

まずは「設定」→「ミュージック」→「Apple Musicに登録」でApple Musicに登録しよう。初回登録時は3ヶ月無料で試用できる。契約プランは、月額980円の「個人」や、ファミリー共有機能で6人まで利用できる「ファミリー」、在学証明が必要な「学生」から選択できる。

2 自動更新はオフにしておこう

3ヶ月の無料期間が過ぎると、自動で課金が開始されてしまう。これを防ぐには、「今すぐ聴く」画面のユーザーボタンをタップし、「サブスクリプションの管理」・「サブスクリプションをキャンセルする」をタップすればよい。キャンセルしても、無料期間中は引き続きサービスを利用できる。

Apple Musicで音楽を探して再生する

1 Apple Musicの配信曲を検索する

サイドバーの「検索」でApple Music内をキーワード検索すると、上部のタブで「アーティスト」「アルバム」「曲」などを絞り込める。「ミュージックビデオ」にはライブ映像などもある。

2 Apple Musicの曲をライブラリに追加、保存する

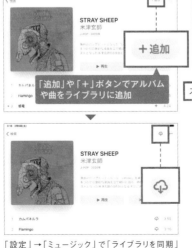

「設定」→「ミュージック」で「ライブラリを同期」（No449で解説）を有効にすれば、「追加」や「＋」ボタンでアルバムや曲、プレイリストなどをライブラリに追加できる。追加後はクラウドボタンに変わり、タップして端末内にダウンロードしオフラインでも再生可能になる。

3 モバイルデータ通信でもストリーミング再生する

モバイルデータ通信でもApple Musicの曲をストリーミング再生したいなら、「設定」→「ミュージック」→「モバイルデータ通信」で、「モバイルデータ通信」をオンにし、「ストリーミング」もオンにする。高品質ストリーミングやダウンロードも有効にできる。

ミュージック

iTunes（ミュージック）のライブラリを同期する

no. 449 iCloudミュージックライブラリを利用する

Apple Musicに付随する重要な機能を利用する

　No448で解説している通り、Apple Musicの利用中は、「ライブラリを同期」を有効することで、曲をiPadに保存できる。さらに、パソコンのiTunes（ミュージック）側でも設定を有効にすることで、パソコンのすべての曲を、iPadやiPhoneとiCloud経由で同期することが可能になる。Apple Musicで扱われていない曲もパソコンからiCloudへアップロードされ、iPadでストリーミングおよびダウンロードして再生できるが、Apple Musicを解約するとiCloudから削除されてしまうので、元の曲ファイルは削除しないようにしよう。なお、曲をアップロードしても、個人のiCloudストレージ容量は消費しない。

パソコンのiTunes（ミュージック）で設定を有効にする

☑ Windowsの iTunesで設定を有効にする

Windowsの場合は、iTunesを起動して、メニューの「編集」→「環境設定」をクリック。環境設定が開くので、「一般」タブにある「iCloudミュージックライブラリ」のチェックボックスをオンにしよう。iTunesライブラリのアップロードが開始される。

☑ Macのミュージックで 設定を有効にする

Macの場合は、ミュージックアプリを起動して、メニューの「ミュージック」→「環境設定」をクリック。「一般」タブにある「ライブラリを同期」のチェックボックスをオンにすれば、アップロードが開始される。

iPadでパソコンのミュージックライブラリの曲を再生する

1 「ライブラリを同期」を確認する

iPad側では、「設定」→「ミュージック」→「ライブラリを同期」のスイッチがオンになっているか確認しよう。なお、Apple Music（またはiTunes Match）にサブスクリプション登録していない場合は表示されない。

2 ミュージックライブラリの曲を再生できる

iCloudミュージックライブラリへのアップロードが完了していれば、パソコンのミュージックライブラリの曲を、iPadでもストリーミング再生することができるようになる。もちろん、ダウンロードしておけばオフライン再生することも可能だ。

3 ミュージックライブラリの曲を検索する

アップロードしたミュージックライブラリの曲から検索したい時は、サイドバーの「検索」画面を開いて検索欄をタップし、検索欄下のメニューで「ライブラリ」を選択してキーワード検索すればよい。

ミュージック

no. 450 キーワードで探し出そう
Apple Musicで曲を検索する方法

サイドバーで「検索」画面を開くと、Apple Musicの曲をカテゴリやキーワードで検索できる。アーティスト名や曲名だけでなく、歌詞の一部を入力してもよい。曲の歌いだしやサビなど、歌詞の一部さえ覚えていれば、目的の曲を探し出せる。よく検索されているトレンド検索ワードも表示される。

1 サイドバーの検索画面を開く

タップして「Apple Music」を選択すると、Apple Musicをキーワード検索できる

カテゴリからApple Musicの曲を探す

2 歌詞の一部でも曲を探せる

サイドバーの「検索」画面で、カテゴリから探したりキーワード検索できる。「朝」や「クリスマス」をキーワードにして、シチュエーションに合ったプレイリストも探せる。

歌詞の一部を入力して検索すると、そのフレーズを歌詞に含む曲が表示される。「歌詞：○○○○」と表示されているものが、歌詞でヒットした楽曲になる。

no. 451 アルバムを新しい順に表示する
「最近追加した項目」をチェックする

サイドバーの「最近追加した項目」は60項目しか表示されないので、Apple Musicで気になるアルバムをどんどん追加していると、少し前に追加したアルバムが消えてしまう。そんな時は「アルバム」で「並べ替え」→「最近追加した項目」を選ぼう。全アルバムを新しく追加した順に表示できる。

1 サイドバーの「最近追加した項目」

タップ

2 全アルバムを新しい順に表示

✓ 最近追加した項目

タップして並べ替え。なお、「曲」「プレイリスト」などの画面でも、同様に「最近追加した項目」で並べ替えできる

サイドバーの「最近追加した項目」を開くと、新しく追加したアルバムやプレイリストが一覧表示される。ただしこの画面では、最大で60項目しか表示されない。

すべてのアルバムを新しく追加した順に表示したいなら、サイドバーで「アルバム」を開き、「並べ替え」→「最近追加した項目」を選択すればよい。

no. 452 自分好みのプレイリストを表示
「今すぐ聴く」画面で好みの曲に出会う

「今すぐ聴く」画面では、Apple Musicで聴いた曲や、「ラブ」を付けた曲（No453で解説）、Apple Music登録時に選択したジャンルやアーティスト情報を元に、おすすめのプレイリストやアルバムを提案してくれる。プレイリストは毎週更新されるほか、新譜情報などもチェックできる。

1 「For You」画面でおすすめ曲を探す

2 新譜情報などもチェックできる

ミュージックアプリのサイドバーで「今すぐ聴く」を開くと、好みのジャンルやアーティスト情報に沿った、おすすめの曲やプレイリストを提案してくれる。

下の方にスクロールすると、おすすめのニューリリースなども表示される。その他の新曲やニューアルバムは、「見つける」画面で探そう（No455で解説）。

no. 453 「今すぐ聴く」の精度をアップする
好みの曲にラブを付ける

「今すぐ聴く」画面で提案されるおすすめ曲の精度をアップするには、「ラブ」機能を利用しよう。「ラブ」を付けたジャンルやアーティストに関連する曲をおすすめするようになり、「これと似たおすすめを減らす」を付けたジャンルやアーティストは「今すぐ聴く」画面に表示されないようになる。

1 再生画面で「…」をタップする

タップ

2 ラブ、好きじゃないボタンをタップする

ラブ

これと似たおすすめを減らす

気になった曲やアルバムの再生画面を開き、「…」をタップしよう。開いたメニューの「ラブ」や「これと似たおすすめを減らす」で、楽曲の好みを学習させる。

気に入った曲は「ラブ」をタップし、あまり好みでない曲は「これと似たおすすめを減らす」をタップしておけば、おすすめされる曲の精度がアップする。

ミュージック

155

no. 454　友達が聴いている曲をチェック
友達をフォローして音楽を共有する

Apple Musicでは、友達と音楽を共有することも可能だ。「今すぐ聴く」画面右上のユーザーボタンをタップし、「プロフィールの設定」→「今すぐ始めよう」をタップ。Apple Musicを利用中の友達をフォローすれば、友達が共有しているプレイリストや最近聴いた曲を確認できる。

1 「今すぐ聴く」画面で共有設定を行う

「今すぐ聴く」画面右上のユーザーボタンをタップし、「プロフィールの設定」→「今すぐ始めよう」をタップ。画面の指示に従い、自分のプロフィールを設定しよう。

2 友達を探してフォローする

連絡先からApple Musicを利用しているユーザーが表示されるので、フォローや参加の依頼を行おう。友達が最近聴いた曲などを確認できるようになる。

no. 455　旬な曲やプレイリストを確認
「見つける」画面で注目曲をチェックする

「見つける」画面では、新曲リリースや最新アルバム情報、話題のプレイリストなどをチェックできる。また、ミュージックビデオやインタビュー動画の視聴や、曲やアルバムランキングの確認、カテゴリ別に新曲や注目プレイリスト情報を確認するといったことも可能だ。

1 「見つける」画面で最新情報をチェック

ミュージックアプリのサイドバーで「見つける」を開くと、ニューリリースの曲やアルバムをチェックしたり、話題のプレイリストなどをチェックできる。

2 カテゴリやランキングで探す

下の方にスクロールすると、「カテゴリ」「ランキング」といったメニューが用意されており、タップするとカテゴリやランキングから注目曲を発見できる。

no. 456　iPad上のコンテンツを外部出力
AirPlayで外部機器に出力する

iPad上の音楽や動画を、対応機器でストリーミング再生したり、iPadの画面全体をミラーリングするための機能が「AirPlay」だ。たとえば、ミュージックアプリで再生中の曲をAirPlay対応スピーカーに出力したり、ムービーをApple TV経由でテレビ出力できる。

1 ミュージックの曲をAirPlayで出力する

タップ

ミュージックアプリで再生中の曲を、AirPlay対応スピーカーなどに出力するには、プレイヤーの音声切り替えボタンをタップし、デバイスを選択すればよい。

2 コントロールセンターでAirPlayに切り替え

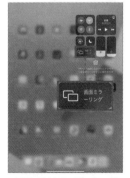

コントロールセンターでも、ミュージック欄をロングタップすれば、音声出力先を選択できる。また「画面ミラーリング」で、Apple TVなどに画面を出力可能だ。

no. 457　パソコン上の曲をiPadで再生する
ホームシェアリング機能を利用する

同じApple IDと同じWi-Fiネットワークを利用していれば、最大5台のパソコンとミュージックライブラリを共有できる。パソコンのiTunes（Macの場合はシステム環境設定）でホームシェアリングを有効にし、iPad側でも「設定」→「ミュージック」で機能を有効にしておこう。

1 パソコンで機能を有効にする

Windowsでは iTunesの「ファイル」→「ホームシェアリング」→「ホームシェアリングをオンにする」をクリックしサインイン

Macでは「システム環境設定」→「共有」→「メディア共有」をクリックし「ホームシェアリング」をクリックしてサインイン

2 iPadで機能を有効にする

タップしてサインイン

ミュージックアプリの「ホームシェアリング」画面で共有ライブラリを開く

iPadでは「設定」→「ミュージック」→「サインイン」でサインインすると、ミュージックのライブラリ欄にある「ホームシェアリング」からパソコンの曲を再生できる。

no. 458
Appleの配信サービスを利用する
iTunes Storeで
音楽や映画を検索する

iTunes Storeの画面や機能を把握しておこう

iTunes Storeは、音楽や映画などの各種コンテンツをダウンロード購入できるAppleの公式ストアアプリだ。App Storeと同様、Apple IDに登録したクレジットカードやApp Store & iTunesギフトカードで料金を支払う仕組みとなっている。購入した音楽や映画はミュージックアプリやApple TVアプリで再生が可能だ。利用するには、まず「iTunes Store」アプリを起動し、画面最下部にある「ミュージック」や「映画」などを選択。最新作やオススメ作品から気になるコンテンツを探してみよう。画面右上の検索欄から目的のコンテンツを検索してもOKだ。

✔ iTunes Storeを起動してみよう

キーワード検索を行うにはここをタップする

🔍 検索

「iTunes Store」アプリを起動したら、購入したいコンテンツを探してみよう。画面最下部にある「ミュージック」や「映画」などをタップすれば、各種画面に切り替えることが可能だ。また、画面右上からキーワード検索機能を使うこともできる。

iTunes Storeの各種画面について

ミュージック	邦楽や洋楽などの音楽コンテンツがダウンロード購入できる
映画	映画をはじめとする映像コンテンツの購入、レンタルが可能
ランキング	ミュージックと映画の人気ランキングをチェックできる
Genius	ユーザーの購入履歴を参考にして、オススメのコンテンツをピックアップしてくれる
購入済み	現在サインイン中のApple IDで過去に購入したコンテンツを確認できる
ダウンロード	現在ダウンロード中の項目を一覧表示する

iTunes Store

---

no. 459
いつでも聴きたい時にダウンロード購入
iTunes Storeで
音楽を購入する

「iTunes Store」アプリで音楽を購入するには、まず「ミュージック」画面でキーワード検索などを行い、購入したい曲やアルバムを探し出そう。曲名やアルバム名をタップすれば、詳細画面でレビューを確認したり、曲の一部を試聴したりできる。気に入ったら価格の表示部分をタップして購入しよう。アルバムの場合は好きな曲だけを購入することも可能だ。

1 キーワード検索で目的の曲を探す

■ Epilogue

曲名タップで試聴

キーワード検索を行うとアルバム、ソングに加え、ミュージックビデオや着信音もまとめて検索される。ここではアルバムを選んでタップしてみた。曲名をタップすれば試聴が可能だ。

2 1曲単位でも購入できる

¥2,037

アルバム全体を購入

¥255

1曲単位で購入

アルバム全体だけでなく、1曲単位でも購入できる。アルバムの価格もしくは曲ごとの価格をタップし、Face IDなどの各種認証を済ませれば、すぐにアルバムや曲を購入可能だ。

---

no. 460
アルバムの一部の曲を購入済みなら
コンプリート・マイ・アルバム
機能を利用する

アルバム中の数曲のみをすでに購入済みで、残りの曲も購入したい時は「コンプリート・マイ・アルバム」機能を使おう。アルバムは1曲数百円程度で購入できるが、1曲ずつ追加購入していくと合計金額がアルバム全体の価格を越えてしまうことがある。しかし、このコンプリート・マイ・アルバム機能を使えば、差額の支払いだけでアルバム全曲を購入可能だ。

1 アルバムの一部を購入している場合

購入済み

1曲のみ購入済み

アルバム内の1曲だけ購入済みのこのアルバムの場合、残りの13曲を各255円で購入すると、合計が3,570円となり、アルバム価格2,546円を超えてしまう。

2 差額を支払って購入できる

¥2,291　コンプリート・マイ・アルバム
通常価格　¥2,546

1曲（255円）購入済みなので、差額の2,291円を支払って2,546円のアルバム全体を購入できる

アルバム内の一部を購入済みの場合、このように「コンプリート・マイ・アルバム」と表示され、差額を支払えばアルバムの残りの曲を購入することができる。

no. 461　高画質ムービーをiPadで観賞する
iTunes Storeで映画を購入する

「iTunes Store」アプリで映画を購入する場合は、「映画」画面で新作やジャンル別オススメ作品をチェックしつつ、目的の作品を探し出そう。映画によっては詳細画面で予告編映像を再生することも可能だ。購入した映画は、レンタル（No462参照）とは違い、いつでも見返すことができる。

1 観たい映画を購入する

2 Apple TVアプリで再生する

iPadに映画をダウンロードしたい場合はクラウドボタンをタップすればいい。ただし、数GBの空き容量が必要となるので注意

まずは、iTunes Storeアプリで購入したい映画を探し、作品のページで「¥2,546購入」といったボタンをタップ。Face IDなどの認証を行えば、すぐに映画を購入可能だ。

購入した映画は「Apple TV」アプリで再生可能だ。「今すぐ観る」または「ライブラリ」画面で購入した映画を探そう。再生したい映画をタップすれば、すぐにストリーミング再生される。

no. 462　安価だが再生期限のある配信サービス
iTunes Storeで映画をレンタルする

iTunes Storeで配信されている多くの映画はレンタル機能にも対応している。レンタル期間は30日で、一度再生を開始すると48時間後に視聴期限が切れる仕組みだ。価格も格安なので、気軽に映画を楽しむことができる。なお、レンタルした映画を視聴するには「Apple TV」アプリを使う。

1 観たい映画をレンタルする

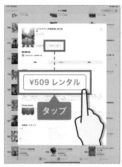

2 Apple TVアプリで再生する

レンタルした映画もiPadにダウンロードすることが可能だ。オフラインで再生したいときに使ってみよう

作品のページで「¥509円レンタル」といったボタンをタップ。Face IDなどの認証を行えば、すぐにレンタルが完了する。なお、返却などの手続きは一切必要ない。

レンタルした映画は「Apple TV」アプリで再生可能だ。「今すぐ観る」または「ライブラリ」画面でレンタルした映画を探そう。再生したい映画をタップすればすぐに再生される。

no. 463　過去にチェックした作品を探す
プレビューで試聴&予告編再生履歴を確認

iTunes Store上で過去に試聴したミュージックや予告編を観た映画を見つけたい時は、ウィッシュリスト画面で表示される「プレビュー」機能を利用しよう。直前にチェックした各種アイテムが表示されるので、目的のミュージックや映画のタイトルをタップして、該当ページを表示すればいい。

✔ 直前にチェックした曲や映画を表示する

画面右上の三本線のボタンでウィッシュリストを表示したら、「さらに見る」→「プレビュー」をタップ。過去にチェックしたアイテムが一覧表示される。音楽は試聴した曲、映画は予告編を再生した作品が表示され、タイトルをタップすれば該当ページが開く。

no. 464　誕生日にも贈れるギフト機能
音楽や映画を家族や友人にプレゼントする

iTunes Storeで購入できる音楽や映画を家族や友人にプレゼントしたい時は、ギフト機能を利用しよう。各アイテムの詳細画面を表示したら、画面右上の共有ボタンをタップして「ギフト」を選択。送りたい相手のメールアドレスやメッセージを入力して購入すれば完了だ。

✔ メッセージを設定してギフトを贈る

iTunes Storeは、各アイテムを他のユーザーにプレゼントすることができる。プレゼントしたいアルバムや映画の詳細ページを開き、画面右上の共有ボタンをタップしよう。表示されるメニューで「ギフト」を選択し、「送付先」に相手のメールアドレス、「メッセージ」に相手に送信するメッセージを登録。さらにギフトを贈る日付を設定して「次へ」をタップする。テーマを選択した後、内容を確認して「購入」で完了だ。

no. 465 購入履歴を元にアイテムをセレクト
Geniusでおすすめコンテンツをチェックする

iTunes Storeの「Genius」は、iTunes Storeでの購入履歴を元に、自分にぴったりの曲や映画を選んでおすすめしてくれる機能だ。iTunes Storeの画面下部にある「Genius」をタップして、内容を確認してみよう。

画面下部の「Genius」をタップ。画面上部の「ミュージック」か「映画」。価格表示をタップすれば、通常通り曲を購入できる

no. 466 購入したアイテムを再入手する
購入済みの音楽や映画を確認する

購入した音楽や映画などは「購入済み」画面で確認可能だ。以前購入したアイテムを再ダウンロードしたい時に利用しよう。なお、「ファミリー共有」が有効な場合は、他のメンバーの購入項目もここからダウンロードが可能だ。

「購入済み」画面を開くと、過去に購入した「ミュージック」もしくは「映画」を確認できる。ファミリー共有を有効にしている場合は、画面左上の「自分の購入」から表示するメンバーを切り替えることが可能だ

no. 467 チャージした金額をチェック
ギフトカードの残高を確認する

「App Store & iTunesギフトカード」でチャージした金額および、他のユーザーからiTunes Storeのギフトとして送られた金額は、すべてApple IDに記録されている。現在の残高は以下の方法で確認することが可能だ。

iTunes Storeで「ミュージック」か「映画」の画面を一番下までスクロールし、Apple ID表示部分をチェックしよう。現在の残高（クレジット）が表示される。この残高は、ギフトカードを使うか自分でチャージすると増やすことが可能だ

Apple ID: fumitakakano@gmail.com
¥1,000クレジット

no. 468 気になったアイテムを記録する
iTunes Storeのウィッシュリストを利用する

iTunes Storeで見つけた気になる曲や映画は、購入前に「ウィッシュリスト」機能を使ってキープできる。曲や映画の購入画面を表示したら、画面右上の共有ボタンをタップして「ウィッシュリストを追加」をタップしよう。

共有ボタンをタップして「ウィッシュリストを追加」をタップする

画面右上のボタンをタップして「ウィッシュリスト」で表示できる

no. 469 音楽PVをダウンロードする
ミュージックビデオを購入する

iTunes Storeでは、アーティストのミュージックビデオもダウンロード購入できる。アーティスト名で検索後、画面上部の「ミュージックビデオ」をタップし、作品を一覧表示しよう。後は、価格表示部分をタップして購入すればいい。

¥407

タップして購入。ダウンロードしたミュージックビデオは、「Apple TV」アプリで再生することが可能だ

no. 470 ヒット曲をメールの着信音に
着信音や通知音を購入する

iTunes Storeでは、iPad用の着信音や通知音が購入できる。ヒット曲や映画の効果音などが数秒の短いサウンドとして配信されており、購入と同時に設定することが可能だ。なお、着信音と通知音はギフトで送ることができない。

iTunes Storeの「ミュージック」か「ランキング」画面左上にある「ジャンル」をタップ。「着信音／通知音」を選択し、目的のサウンドを探そう

NO.
471

クラウド経由でメールや写真などを同期できる

iCloudでさまざまなデータを同期する

**クラウド経由で
データを同期する
便利な機能**

Appleが提供している高機能なクラウド同期サービス「iCloud」。iPadのメールや連絡先、カレンダー、写真などの各種データをiCloudのクラウドサーバーと同期させ、同じApple IDを利用している他のiOS端末やパソコンでデータを同期できるようにする仕組みだ。例えば、カレンダーの予定をiPadとパソコンで共有したり、iPadで撮影した写真を自動的にパソコンへ転送したり、パソコンとiPadで同じブックマークを共有したりなど、さまざまな連携が簡単に行えるようになる。

特にMacユーザーはOS自体にiCloud機能が標準搭載されており、各種データをシームレスに同期することが可能だ。Windowsの場合は、「Windows用iCloud」と呼ばれる同期用ソフトが必要となるので別途インストールしておこう。なお、パソコンのブラウザからiCloudの管理用Webサイト「iCloud.com」にアクセスすれば、メールやカレンダーなどの情報を直接編集することも可能。少々仕組みがややこしいが、うまく活用すると非常に有用なサービスとなる。

iCloudで同期される項目を確認しておこう

1 iCloudの設定を呼び出してApple IDでサインインする

iPadでiCloudを利用する場合は、「設定」からApple IDでサインインしておこう。サインインが完了したら、左上のApple ID名→「iCloud」をタップする。

2 iCloudで不要な機能を無効にしておく

するとiCloudの各種項目が表示される。初期状態ではすべてオンになっているので、利用しない機能はあらかじめオフにしておくといい。

iCloudで提供されるおもな同期機能

項目	概要
写真	カメラロールに保存された写真をiCloud上に保存し、他のiOS端末に同期する機能が提供される。「Windows用iCloud」を導入すれば、iPadの写真をパソコンに自動保存することも可能だ
メール／メッセージ	メール同期をオンにすると、標準のメールアプリでiCloudメール（○○○@icloud.com）を同期できる。メッセージの履歴も他のiOS端末と同期することが可能
連絡先／カレンダー／リマインダー	iCloudで連絡先／カレンダー／リマインダーを他端末と同期できる。Windows用iCloudを介すことでマイクロソフトの「Outlook」と同期することも可能だ
メモ	iCloudでメモアプリのデータを他端末と同期する
Safari	パソコン上の各種ブラウザとiPadのSafariでブックマークなどを同期できる
株価	株価アプリで登録した情報を他端末と同期できる
ホーム	HomeKit対応アクセサリをiOS端末でコントロールする「ホーム」機能を同期する
Game Center	Game Centerに対応しているゲームアプリでハイスコアなどの記録を同期する
Siri	Siriに関する各種設定や情報を他端末と同期する
キーチェーン	Safariで利用するIDやパスワードをiCloud上に保存し、他のiOS端末やMacと同期できる
iCloud バックアップ	iCloudでiPadのバックアップデータを保存する
iCloud Drive	iCloud上にアプリのファイルなどを保存して、他端末やパソコンと同期できる

使いこなしヒント

Windows用iCloudを導入しておこう

Windows用iCloud
https://support.apple.com/ja-jp/HT208684

Windowsパソコンを使っている場合は、Appleの公式ページから「Windows用iCloud」をダウンロードしておこう（Macの場合、macOSがiCloudに標準対応しているので特に設定は必要ない）。Windows用iCloudを導入したら、Apple IDでサインインしておく。これでパソコンとiCloudとの同期が行われ、iPadで撮った写真なども自動的にパソコン上に保存されるようになる。その他にブックマークなども同期可能だ。

 アプリ側は自動で同期される

iCloudの設定を有効にすると、iCloudに対応したアプリが自動的に同期される。例えば「カレンダー」アプリでは、iCloud上のカレンダーが追加され、イベントなどが自動同期されるようになる。

カレンダーに「iCloud」の項目が追加される

no. 472 iCloud Driveを利用する

Apple公式のクラウドストレージ機能を利用してみよう

「iCloud Drive」とは、iCloudの保存容量を一般的なクラウドストレージのように活用できる機能だ。ここでは、iOS端末やパソコンでiCloudの設定を行って、任意のファイルのアップロードおよびダウンロード環境を整えてみよう。まずは、iPadの「設定」からApple ID名→「iCloud」を開き、「iCloud Drive」を有効にする。次はパソコン側に「Windows用iCloud」を導入し、設定画面上で「iCloud Drive」を有効しよう。すると、パソコンに同期用の「iCloud Drive」フォルダが作成されるので、ここに好きなファイルやフォルダを保存しておく。これでiCloud Driveに自動で同期されるというわけだ。

iCloud Driveに同期したファイルをiPadで閲覧するには、iOS標準の「ファイル」アプリを利用する。または、iCloud Driveに対応した他のファイルビューワーアプリを利用してもいい。ちなみに、パソコンのブラウザからiCloud.comにアクセスすることでも、ファイルのアップロード／ダウンロードが行えるので覚えておこう。なお、iCloud Driveのストレージ容量は、iCloudの他のサービスとも併用され、初期状態だと5GBしかない。容量が足りない場合は、「設定」から自分のApple ID名をタップ→「iCloud」→「ストレージを管理」→「ストレージプランを変更」で購入しておこう。なお、ストレージのアップグレード料金は、50GBで月額130円、200GBで月額400円、2TBで月額1,300円だ。

iCloud Driveにパソコンのファイルをアップロード

1 iPadとパソコンでiCloud Driveを有効にする

まずはiPadの「設定」→Apple ID名→「iCloud」→「iCloud Drive」でiCloud Driveを有効にしておこう。次に、パソコンに「Windows用iCloud」をインストールし、設定画面で「iCloud Drive」を有効にした後「適用」をクリックする。

2 パソコン側でiCloud Driveにファイルをアップロード

タスクトレイにあるiCloudのアイコンから「iCloud Driveを開く」をクリックしよう。すると、iCloud Driveの同期用フォルダが開く。ここに同期したいファイルをコピーしておけば、自動的にiCloud上にアップロードされる。また、iPad側からiCloud Driveに保存したファイルもこのフォルダから取り出すことが可能だ。

iCloud Drive上のファイルにアクセスする

1 iPadのiCloud Drive対応アプリで閲覧する

iPad側からiCloud Driveにアクセスするには、「ファイル」アプリを起動し、画面左上の「ファイル」から「iCloud Drive」を表示すればいい（No494参照）。他のiCloud Drive対応アプリでも利用可能だ。

2 iCloud.comからもアクセスが可能

パソコンのブラウザで「iCloud.com」にアクセスしてもiCloud Driveの利用が可能だ。もちろん、ファイルのアップロード／ダウンロードやフォルダ管理もブラウザ上で操作できる。

no.
473

iPadを手軽にバックアップできる

iPadのデータを
iCloudへバックアップする

クラウド上に
iPadのデータを
自動バックアップ

iPadのバックアップ方法には、「iCloudのクラウドストレージに保存する方法」と「パソコンに保存する方法」の2種類がある。それぞれの違いは右にまとめているのでチェックしておこう。ここでは前者のiCloudを使ったバックアップ方法を解説しておく。

iCloudのバックアップ機能を利用すると、パソコンを利用せずにiPadだけでバックアップおよび復元作業が行える。バックアップはiPadを電源に接続した際に自動で行われるので、面倒な設定や接続作業も必要ない。ただし、バックアップはiCloudのクラウドストレージを利用するため、ストレージの空き容量が少ない場合はバックアップできないこともある。その場合は、iCloudのストレージアップグレードプランを別途有料で契約するか、バックアップする項目を少なくして（下カコミ記事参照）容量を減らしてみよう。

iPadのバックアップ方法は2種類ある

iCloud
概要

- バックアップをiCloudのクラウドストレージに保存する
- Wi-Fi経由でバックアップする
- ストレージ容量は無料だと5GB以下、ストレージを拡張すれば最大2TBまで
- バックアップは常に暗号化される

パソコン（iTunes）
概要

- バックアップをパソコンのストレージに保存する
- パソコンと接続してバックアップする
- ストレージ容量はパソコンの空き容量によって決まる
- 暗号化なし／暗号化バックアップの選択が可能

バックアップされるおもなデータ（iCloudバックアップの場合）

- Appデータ※ ● Apple Watchのバックアップ ● デバイスの設定
- HomeKitの構成 ● ホーム画面とAppの配置
- iMessage、テキスト（SMS）、MMSメッセージ ● iPad内の写真とビデオ
- Appleサービスからの購入履歴（音楽、映画、テレビ番組、App、ブックなど） ● 着信音

※LINEのメッセージ履歴など一部アプリのデータはバックアップされない。必要であればアプリごとに用意されているバックアップ機能で保存しておこう

iCloudにサインインして
バックアップ機能を有効にしておこう

1 | iCloud設定から「iCloudバックアップ」を表示

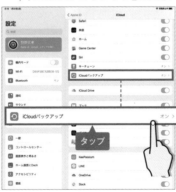

タップ

iCloud上でiPadのバックアップを保存するには、まず「設定」→Apple ID名→「iCloud」で「iCloudバックアップ」を選択する。

2 | iCloudバックアップをオンにする

有効にする

「iCloudバックアップ」をオンにして、「OK」をタップ。iPadが電源とWi-Fiに接続され、ロックされた状態になると自動的にバックアップが行われる。

3 | バックアップを復元する場合は端末をリセットしてから

すべてのコンテンツと設定を消去

リセットする

バックアップデータを復元する場合は、一旦端末をリセットする必要がある。「設定」→「一般」→「リセット」から「すべてのコンテンツと設定を消去」でリセットを行ってiPadを再起動させよう。初期設定画面になったら、「iPadを復元」の画面で「iCloudバックアップから復元」を選択すればいい。

使いこなしヒント

iCloudにバックアップする項目を少なくする

iCloudバックアップでは、バックアップ対象とするアプリやデータを選択することが可能だ。「設定」のApple ID名をタップして「iCloud」→「ストレージを管理」→「バックアップ」から対象の端末を選び、バックアップするデータを選択しよう。

バックアップしない項目をオフにする

no. 474

iCloudのデータ容量が満杯になったら?

iCloudのデータを
管理する

5GBの無料ストレージ容量を有効活用しよう

iCloudでは、Apple IDごとに無料で5GBのクラウドストレージ容量が用意されている。iCloudで利用する各種データは、このクラウドストレージに保存される仕組みだ。しかし、複数のiOS端末を所持していると、バックアップデータや各種データなどでストレージ容量が満杯になってしまうことがある。取り急ぎストレージの空き容量を確保したい場合は、必要のないバックアップデータを削除してしまおう。それでも追いつかない場合は、iCloudのストレージ容量を有料でアップグレードしたほうがいい(No475参照)。

1 「ストレージを管理」で管理したい項目を選択する

「設定」から左上のApple ID名→「iCloud」→「ストレージを管理」をタップする。現在iCloud上のストレージに保存されているデータ一覧が表示されるので、削除したいものを選ぼう。不要なアプリの書類やデータはここから削除しておける。

2 バックアップデータを削除してiCloudの容量を確保する

複数のiOS端末を持っている場合、すべてをiCloudにバックアップすると、ストレージ容量がすぐに満杯になってしまう。「バックアップ」から不要な端末を選び、「バックアップを削除」でデータを削除しておくといいだろう。

---

no. 475

iCloudを本格的に使いたいなら

iCloudの容量を増やす

本格的にiCloudを利用するなら、有料で用意されているストレージプランのアップグレードを購入して、空き容量を増やしておこう。50GB(月額130円)～2TB(月額1,300円)までの契約プランをiPad上から簡単に申し込むことができる。

1 「ストレージプランを変更」をタップ

「設定」からApple ID名をタップし、「iCloud」→「ストレージを管理」とタップ。「ストレージプランを変更」をタップしよう。

2 iCloudの有料プランを購入する

50GB	月額¥130
200GB	月額¥400 ファミリーと共有可能
2TB	月額¥1,300 ファミリーと共有可能

購入したい有料プランを選択したら、右上の「購入する」をタップ。これでiCloudのストレージ容量を増やすことができる。

---

no. 476

パソコンでiCloudを管理する

パソコンのWebブラウザでiCloudを利用する

メールやカレンダー、連絡先、メモ、リマインダーなど、iCloudで同期される機能の一部は「iCloud.com」のWebサービス上で直接管理できる。カレンダーのスケジュールやリマインダーをより快適に使いたいなら活用しよう。

✓ ブラウザでiCloud.comにアクセスしよう

iCloud.com
https://www.icloud.com/

パソコンのブラウザからアクセスして、Apple IDでサインイン。すると左のようなホーム画面が表示される。ここからメールや連絡先、カレンダーなどの各種機能が利用可能だ。

✓ iPadと同期した各種機能が利用できる

カレンダーの同期

iCloud.comの「カレンダー」を起動すれば、iCloudで同期したスケジュールが表示できる。予定の新規追加や管理もブラウザ上で行えるのでぜひ使ってみよう。

Pages、Numbersなど

「Pages」、「Numbers」、「Keynote」では、文書や表計算、プレゼンテーション書類をブラウザで新規作成できる。iPadで保存したファイルの同期も可能だ。

no. 477 他のユーザーと位置情報を共有する

家族や友人の現在位置がわかる

iPadでは、端末の位置情報を友達や家族と共有することが可能だ。以下の設定を確認したら、Appleの公式アプリ「探す」を使ってみよう。友達をアプリ上で追加して承認してもらうことで相手の現在位置がマップ表示されるはずだ。

1 「位置情報を共有」を有効にする

タップ

「設定」で自分のApple ID名をタップして「探す」をタップ。上の画面で「位置情報を共有」を有効にしておこう。

2 「探す」アプリで現在位置を把握する

相手も位置情報を共有してくれれば現在位置がマップ表示される

「探す」アプリを起動したら、「自分の位置情報を共有」または「位置情報の共有を開始」を選択。共有したい相手の名前や電話番号を入力して「送信」し、共有する期間を設定。「OK」で自分の位置が相手に共有される。

no. 478 iCloudキーチェーンを利用する

パスワードを自動入力できる

「iCloudキーチェーン」とは、Safariや各種アプリで利用するアカウント名やパスワード、クレジットカード番号などをMacやiOS端末同士で共有できる機能だ。自動入力機能も使えるので、複数のiOS端末を持っている人は設定しておこう。

1 キーチェーンを有効にする

iCloudキーチェーン

タップ

「設定」を開いたらApple ID名→「iCloud」→「キーチェーン」とタップしていき、「iCloudキーチェーン」を有効にする。Apple IDの2ファクタ認証（No054で解説）を済ませていない場合は、別途認証作業が必要だ。

2 自動入力の設定を有効にする

自動入力を有効にする

自動入力を有効にする

「設定」→「パスワード」→「パスワードを自動入力」でパスワードを自動入力」をオンにして、「設定」→「Safari」→「自動入力」→「クレジットカード」もオンにする。これでパスワードやクレジットカード情報などが自動入力されるようになる。

---

no. 479 iTunesをパソコンにインストールする

iPadをパソコンで管理したいなら必須

もっとiPadを使いこなしたいならiTunesを導入しておこう

Appleは、Windows用のメディア管理ソフト「iTunes」を無料提供している。本ソフトを利用すれば、パソコン内の音楽や動画ファイルをiPadと同期したり、iPadのバックアップをパソコンで実行したりなど、さまざまなことが行えるのだ。また、パソコンで音楽CDを取り込んでiPadに同期したり、iPadがまったく起動しなくなったときに端末の初期化および復元を試したりなど、パソコン版iTunesでしかできない機能もある。iTunesがあればiPadをより使いこなせるので、もしパソコンを持っているのであればインストールしておこう。

1 iTunesの最新版をAppleのサイトからダウンロードする

http://www.apple.com/jp/itunes/

まずはiTunesの最新版をAppleのサイトからダウンロードしておこう。ブラウザで上記URLにアクセスしたら、「Get from Microsoft」をクリック。「入手」をクリックすると、Microsoft Storeアプリが起動し、iTunesの画面になるので「インストール」をクリックしよう。

2 インストールが終わったらiTunesを起動する

スタートメニューから起動する

iTunesのインストールが終了すると、画面右下に「インストールが完了しました」と表示される。ここで「スタートにピン留め」しておくのがオススメ。あとは、WindowsのスタートボタンからiTunesを起動すればOKだ。

no.
480

iPadとiTunesを同期してみよう

iTunesとさまざまなデータを同期する

iTunesを使ってパソコン内のデータを同期してみよう

パソコンに保存されている音楽や動画などをiPadで楽しみたいなら、iTunesとiPadを同期する必要がある。まずは、iPadへ転送したい音楽や動画ファイルをあらかじめiTunesのライブラリに追加しておくこと。次にiPadをパソコンとUSBケーブルで接続してからiTunesを起動しよう。iTunes上でiPadが認識されると、メニューバーの下にデバイスボタン（小さなiPadアイコン）が表示される。これをクリックして同期画面に切り替えたら、画面左側にある「概要」、「ミュージック」、「ムービー」などのメニュー項目から同期したい項目をクリック。あとは各画面で同期設定を行い、画面右下の「同期（もしくは適用）」ボタンをクリックすればいい。これでiPadとパソコンの同期が実行される。

なお、ミュージックを同期する場合、この方法だとライブラリ全体やプレイリスト単位など、ある一定の範囲内でしか同期できないので注意。ミュージックを1曲単位で個別に同期したい人は、概要項目にある「音楽とビデオを手動で管理」にチェックを入れておこう。これでライブラリ画面から直接曲を転送できるようになる（No483参照）。

ちなみにmacOSでは、iTunesの機能が「ミュージック」や「Apple TV」、「Podcast」、「ブック」など複数のアプリに分割されている（Catalina以降の場合）。iPadと同期したい場合はメディアの種類に応じたアプリを利用しよう。

1 iPadをパソコンに接続してiTunesを起動する

まずはiPadとパソコンをUSB接続し、iTunesを起動する。iPadが認識されると画面左上にデバイスボタンが表示されるのでクリックしよう。複数の端末を接続している際はさらに端末名を選択する。

2 同期したい項目を画面左側の項目から選択する

すると、iPadとの同期画面に切り替わる。画面左側の設定メニューで同期対象を選び、それぞれの同期設定を行っていこう。ここでは「ミュージック」を選択して音楽を同期させてみる。

3 各種同期設定を行って同期を実行する

ミュージックの場合

ミュージックの場合は、「ミュージックを同期」にチェックを入れ、ミュージックライブラリ全体か、プレイリストなどの範囲内で同期するかを選択。設定を終えたら「同期（もしくは適用）」をクリック。

4 「自分のデバイス上」項目で同期された項目を確認する

しばらく待って同期が完了したら、自分のデバイス上にある「ミュージック」をクリックしてみよう。ここでは現在iPad内に保存されている各種ライブラリを確認することができる。

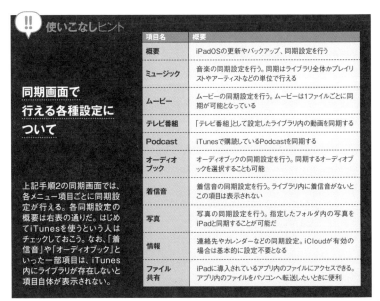

!! 使いこなしヒント

同期画面で行える各種設定について

上記手順2の同期画面では、各メニュー項目ごとに同期設定が行える。各同期設定の概要は右表の通りだ。はじめてiTunesを使うという人はチェックしておこう。なお、「着信音」や「オーディオブック」といった一部項目は、iTunes内にライブラリが存在しないと項目自体が表示されない。

項目名	概要
概要	iPadOSの更新やバックアップ、同期設定を行う
ミュージック	音楽の同期設定を行う。同期はライブラリ全体かプレイリストやアーティストなどの単位で行える
ムービー	ムービーの同期設定を行う。ムービーは1ファイルごとに同期が可能となっている
テレビ番組	「テレビ番組」として設定したライブラリ内の動画を同期する
Podcast	iTunesで購読しているPodcastを同期する
オーディオブック	オーディオブックの同期設定を行う。同期するオーディオブックを選択することも可能
着信音	着信音の同期設定を行う。ライブラリ内に着信音がないとこの項目は表示されない
写真	写真の同期設定を行う。指定したフォルダ内の写真をiPadと同期することが可能だ
情報	連絡先やカレンダーなどの同期設定。iCloudが有効の場合は基本的に設定不要となる
ファイル共有	iPadに導入されているアプリ内のファイルにアクセスできる。アプリ内のファイルをパソコンへ転送したいときに便利

no. **481**

いざという時のために完全バックアップを行う

iPadのデータをパソコンへ
バックアップ&復元する

iTunesで行う暗号化バックアップの基本を理解しておこう

iTunesでは、iPad内の各種データを完全にバックアップすることが可能だ。バックアップ自体はiCloudでも可能だが、これだと写真やアプリ、各種設定などの重要なデータのみしか保存されず、完全なバックアップが行われない。アプリ内のアカウント情報などもしっかりバックアップしておきたいなら、iTunes上で暗号化バックアップを行っておくのがオススメだ。

iTunesで暗号化バックアップを行うには、まずiPadとiTunesを接続し、「概要」画面にあるバックアップ項目の「このコンピュータ」を選択。さらに「ローカルバックアップを暗号化」にチェックを入れよう。あとは暗号化パスワードを設定すればOKだ。この状態でiPadをバックアップすれば、完全なバックアップが可能になるだけでなく、パソコン内に保存したデータが暗号化されて他人に解読されにくくなるという効果もある。

なお、iPadをバックアップデータから復元する場合は、iPad側の「iPadを探す」機能をオフにして、iTunesの同期画面から「概要」→「iPadを復元」を実行すればいい。一度iPadが工場出荷時の状態にリセットされた後、バックアップしてあるデータが読み込まれ、元の状態に復元することができる。iPadの調子が悪くなった場合は試してみるといいだろう。ちなみにmacOSの場合、Finderにバックアップ機能が統合されている。適当なフォルダを開いてサイドバーの「場所」からiPadを選び、「一般」画面からバックアップを行おう。

iTunesでiPadを完全バックアップする

1 iTunesとiPadを接続してバックアップの設定を行う

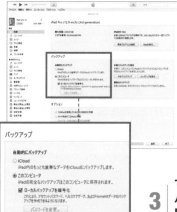

同期画面の「概要」項目を表示し、バックアップ項目にある「このコンピュータ」を選択。さらに「ローカルバックアップを暗号化」にチェックを入れておこう。

2 暗号化パスワードを設定してバックアップを実行

暗号化バックアップのパスワードを設定して「パスワードを設定」ボタンをクリック。これでバックアップデータがパソコンに保存される。なお、iTunesでiPadを同期した際は自動でバックアップが実行される。

3 すでに暗号化パスワードを設定している場合は?

すでに暗号化パスワードを設定している場合は、「概要」画面にある「今すぐバックアップ」をクリックしよう。これでバックアップデータがパソコンに保存される。

使いこなしヒント バックアップは暗号化がベスト!

通常のバックアップと暗号化バックアップの大きな違いは、iPadの各アプリ内で登録したアカウント情報まで保存されるかどうかだ。iTunesで暗号化バックアップを行うと、各アプリ内で登録したIDやパスワードなどのアカウント情報も保存することができる。そのため、iPadを復元した後に各アプリのアカウントを再設定する必要がほぼなくなるのだ(一部例外あり)。

iPadをバックアップから復元するには?

1 復元前に「iPadを探す」機能をオフにする

オフにする

iTunesでバックアップデータから復元する場合は、まずiPad側の「iPadを探す」機能をオフにしておく必要がある。「設定」→Apple ID名→「探す」→「iPadを探す」を無効にしよう。

2 同期画面で「iPadを復元」をクリックする

iTunesとiPadを接続したら、同期画面の「概要」項目を開いて画面右上にある「iPadを復元」をクリック。パソコン内にバックアップしたデータを選択すれば復元作業が開始される。

no. 482 CDの音楽を iPadに読み込む

大量のCDでも iTunesなら簡単に 読み込める

　音楽CDに収録されている曲を iPadで楽しみたい場合は、一旦 iTunes（macOSでは「ミュージック」アプリ）上に音楽ファイルとして読み込んでおく必要がある。まずは音楽CDを読み込む際のファイル形式や音質を設定しよう。iTunesの環境設定画面を表示し「一般」項目の「読み込み設定」ボタンをクリックしたら、「読み込み方法」と「設定」を好みの状態に変更。あとは、iTunesを起動した状態で音楽CDをパソコンのCD-ROMドライブにセットする。たいていの音楽CDならインターネット上のデータベースで曲情報が自動取得され、曲名一覧が表示されるはずだ。そのまま読み込みを実行するとCD内の曲が音楽ファイルに変換され、自動的にiTunesのミュージックライブラリへ追加される。最後に、今取り込んだ曲をiPadと同期すれば作業完了だ。

音楽CD読み込み時の設定をしておこう

1 iTunesのメニューを表示して 設定画面を呼び出す

音楽CDを読み込む前に、読み込み時の各種設定を変更しておこう。iTunesのメニューから「編集」をクリックして、表示されたメニューから「環境設定」を選択する。

使いこなしヒント

読み込みのファイル形式は MP3がオススメ

読み込み時のファイル形式は、デフォルトだとAAC形式に設定されている。Apple製の端末しか使わないのであればこれで問題ないが、AAC形式はAndroidなど他の端末だと再生できないことがある。汎用性を考えるならMP3形式に設定して読み込んでおくのがオススメだ。

2 「読み込み設定」から ファイル形式や音質を設定する

iTunesの設定画面が表示されるので、「一般」画面にある「読み込み設定」ボタンをクリック。読み込み時のファイル形式（AACやMP3など）やビットレートなどの設定を行っておこう。

音楽CDをiTunesに読み込んで同期する

1 音楽CDをパソコンの CD-ROMドライブにセットする

iTunesを起動した状態で音楽CDをパソコンのドライブにセットすると、曲のタイトルなどが自動的に取得されて一覧表示される。「〜をiTunesライブラリに読み込みますか？」と表示されたら「はい」をクリックしよう。

2 iTunesのライブラリに 全曲読み込まれるまで待つ

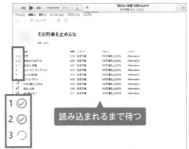

読み込み作業が始まり、音楽CDの曲が音楽ファイルとして変換されていく。すべての曲に緑色のチェックマークが付くまで待っておこう。パソコン環境にもよるが、アルバムCD1枚なら数分で作業が終了する。

3 音楽CDがミュージック ライブラリに読み込まれた

読み込み作業が終了したら、ミュージックライブラリを表示して「最近追加した項目」から確認しよう。あとはiTunesの同期画面で「ミュージック」項目を選択し、iPadと同期すれば作業完了だ。

167

no.
483

好きな曲だけをドラッグ&ドロップで同期しよう

特定のアーティストや曲を選んで iPadに取り込む

通常の同期作業より簡単な手動同期を覚えておこう

ミュージックを通常の方法（No 480参照）で同期する場合、「ミュージックライブラリ全体」もしくは「選択したプレイリスト、アーティスト、アルバム、およびジャンル」の2種類しか同期方法がない。そのため、自分の好きな曲だけ同期したいといった時に不便だ。そこで利用したいのが手動での同期方法。「概要」画面の「音楽とビデオを手動で管理」にチェックを入れておけば、ドラッグ&ドロップで任意の曲をiPadと同期できるようになる。なお、iCloudミュージックライブラリで同期している場合は音楽の手動管理ができない。

1 「音楽とビデオを手動で管理」を有効にしておく

同期する曲を細かく選びたいという場合は、iPadとの同期画面を開き、「概要」画面の「音楽とビデオを手動で管理」にチェックを入れる。「適用」ボタンを押して一旦同期しておこう。

2 ライブラリから転送したい曲などをドラッグ&ドロップする

あとはライブラリ画面に戻って、同期したい曲やビデオを選択。そのまま画面左側に表示されているiPadアイコンにドラッグ&ドロップしよう。これだけで同期が完了する。

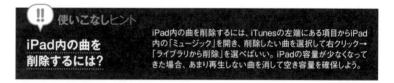

!! 使いこなしヒント
iPad内の曲を削除するには？

iPad内の曲を削除するには、iTunesの左端にある項目からiPad内の「ミュージック」を開き、削除したい曲を選択して右クリック→「ライブラリから削除」を選べばいい。iPadの容量が少なくなってきた場合、あまり再生しない曲を消して空き容量を確保しよう。

---

no.
484

同期する曲をプレイリストだけで管理する

iPad同期用の プレイリストを作成する

同期する曲数が少ないときにオススメの同期方法

iTunes（macOSでは「ミュージック」アプリ）でミュージックライブラリを同期する場合、iPadの空き容量が少ないときは必要な曲だけに絞って同期しておこう。自分で選択した曲のみを同期する方法は、No483で紹介した手動同期でも可能だが、ここではiPad同期用のプレイリストを作成し、そのプレイリストのみを同期する方法を紹介したい。この方法だと、プレイリストの編集だけで同期する曲を変更できるのがメリット。同期中の曲もプレイリストを見ればすぐに把握可能だ。同期する曲数が少ない場合は効率的にライブラリを同期できるので試してみよう。

1 同期したい曲のプレイリストを作成

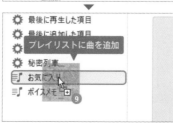

まずはiTunesでミュージック画面を開き、左下にあるミュージックプレイリスト一覧の空欄部分を右クリック。「新規プレイリスト」でプレイリストを作成しておこう。あとは好きな曲をドラッグ&ドロップしてプレイリストに追加しておく。

2 プレイリストを選択して同期

iTunesとiPadを接続して同期画面を開き、左の一覧から「ミュージック」をクリックしよう。「ミュージックを同期」にチェックを入れ、「選択したプレイリスト〜」を選択する。「プレイリスト」欄で先ほど作成したプレイリストにチェックを入れたら、「適用」でiPadと同期すればOKだ。あとは、iPad側のミュージックアプリでプレイリストを再生しよう。

iCloudとiTunes

no. 485

曲名などが自動取得されない場合は？

アーティスト名や曲名などの曲情報を編集する

曲情報が正しくない場合は自分で編集しておこう

　iTunes（macOSでは「ミュージック」アプリ）では、パソコンに音楽CDをセットするとオンライン上のデータベースにアクセスし、CDのアルバム名や曲名、アーティスト名などを自動取得してくれる。しかし、マイナーなアーティストや自主制作のCDなどはデータベース上に情報がないので、手動で曲名などを入力しておく必要があるのだ。必要ならライブラリ画面で曲情報を直接編集しておこう。また、複数項目を同時に編集したい場合は、ライブラリで編集したい曲を複数選択し、「曲の情報」画面で編集すればいい。

1 曲情報を編集する場合は右クリック→「曲の情報」から

音楽CDから曲データを取り込んだ後、アルバム名や曲名などの情報が正しく設定されていない場合は、「ミュージック」ライブラリで曲を選択して右クリック→「曲の情報」を選択する。

2 曲やアルバムごとの曲情報を編集していく

「詳細」タブで曲ごとのアーティスト名やアルバム名などを編集していこう。複数の曲を同時に選択していれば、アーティストやアルバム名などもまとめて設定することができる。

!! 使いこなしヒント

パソコン内のファイルを取り込んだ場合は？

CDからの取り込みではなく、パソコンにあるMP3ファイルなどを追加した場合も曲情報が正しく設定されていないことがある。その時もライブラリ内の該当する曲を右クリックして「曲の情報」から曲情報を編集しておこう。

---

no. 486

アートワークに画像を設定する

アルバムジャケット画像を追加する

　アルバムジャケット画像を自分で設定したい場合は、アルバムを右クリックして「アルバムの情報」を表示し、「アートワーク」画面に画像をドラッグ&ドロップすればいい。

画像をドラッグ&ドロップ

「ミュージック」画面のライブラリ表示からアルバムを右クリック→「アルバムの情報」を選択。ネットなどからCDのジャケット画像を入手したら、「アートワーク」画面にドラッグ&ドロップしてみよう。これでアートワークが設定できる。

no. 487

もっと手軽に同期したいなら

ワイヤレスでiPadとパソコンを同期する

　iTunes上でWi-Fi同期機能を有効にしておけば、Wi-Fi経由でワイヤレス同期が行える。いちいちケーブル接続しなくて済むので便利だ。ただし、パソコンとiPadが同一ネットワーク内に接続しており、iTunesが常に起動している必要がある。

☑ Wi-Fi経由でこのiPadと同期

iTunesとiPadを接続したら、同期画面で「概要」画面を開き、「Wi-Fi経由でこのiPadと同期」にチェックを入れよう。あとは「適用」もしくは「同期」をクリックすれば、Wi-Fi経由で同期が可能になる。なお、macOSではFinderの「場所」でiPadを選べば同じような画面を表示できる。

iCloudとiTunes

no. 488 大量の音楽を一気に購入したいなら
パソコンで音楽を購入する

iTunesの「ミュージック」ライブラリ画面から「ストア」をクリックすれば、iTunes Storeで音楽をダウンロード購入できる。なお、macOSの場合、ミュージックアプリのメニューバーから「ミュージック」→「環境設定」を開き、「iTunes Store」にチェックを入れておこう。これでミュージックアプリからiTunes Storeにアクセスできるようになる。

まずはiTunesの画面左上のライブラリ選択メニューから「ミュージック」画面を表示。さらに画面上部の「ストア」をクリックしよう。各種アルバムなどが多数表示されるので、ダウンロード購入したいものを選択。あとは「¥○○○購入する」ボタンをタップすればダウンロード購入できる。

no. 489 最新の映画もレンタル可能
パソコンで映画を購入、レンタルする

iTunesのiTunes Storeでは、映画を購入およびレンタルすることもできる。ダウンロードした映画は、iPadに転送して再生可能だ。なお、macOSの場合、Apple TVアプリから映画の購入やレンタルが行える。

まずはiTunesの画面左上のライブラリ選択メニューから「ムービー」画面を表示。さらに画面上部の「ストア」をクリックしよう。映像コンテンツが多数表示されるので、レンタル／購入したいものを探し出す。あとは価格ボタンをタップすればダウンロード可能だ。なお、作品によっては「高画質」と「標準画質」の切り替えが行える。標準画質のほうが画質は落ちるが、価格も安くなることがある。

no. 490 音楽やアプリを自動転送できる
自動ダウンロード機能を利用する

iPadにはミュージックやアプリ、ブックの自動ダウンロード機能が搭載されている。これを有効にしておけば、パソコンのiTunesや他のiOS端末で購入した項目が自動的にiPadへダウンロードされるようになるのだ。

ミュージックの場合、「設定」→「ミュージック」で「自動的にダウンロード」をオンにしておけば、自動ダウンロードが有効になる（表示されない場合は、「ライブラリを同期」をオンにしてApple Musicを有効にしよう）。Appの場合は「設定」→「App Store」→「App」、ブックの場合は「設定」→「ブック」→「ほかのデバイスからの購入」をオンにしよう

no. 491 アプリ内のファイルを管理できる
ファイル共有機能を利用する

iPadのアプリ内で保存しているファイルをパソコンに取り出したり、パソコン内のファイルをアプリ内に転送したりする場合は、iTunesの「ファイル共有」機能を利用しよう。ドラッグ&ドロップでファイルのやりとりが可能だ。

macOSの場合はFinderからiPad内のファイルにアクセスできる

no. 492 iPadで撮影した写真や動画をインポート
写真や動画を直接パソコンにバックアップする

iPadで撮影した写真や動画をパソコンに取り込むなら、Windowsの「画像とビデオのインポート」機能を利用しよう。なお、一部のiPadで利用できる新フォーマット「HEIF／HEVC」は、JPEG／H.264に自動変換される。

no. 493

スケジュールを効率的に管理しよう

金曜日
1

カレンダーを
利用する

**予定を追加して
スケジュール管理を
快適に行おう**

iPadには標準で「カレンダー」アプリが搭載されており、本アプリだけで効率的なスケジュール管理が行える。追加したイベントは即iCloudで同期されるので、別のiPhoneやMacからでも閲覧が可能だ。Webブラウザで「iCloud.com」にアクセスすれば、パソコンからでもカレンダーを管理することができる。もちろん、Googleカレンダーなどのカレンダーサービスとも同期可能。あらかじめ「設定」→「カレンダー」→「アカウント」で同期したいアカウントを追加しておこう。なお、複数のカレンダーと同期している場合は、左上のカレンダーボタンから表示するカレンダーを設定すること。使わないカレンダーは非表示にしておくのがオススメだ。

表示モードの切替と新規イベントの作成

1 カレンダーを見やすい表示モードに切り替える

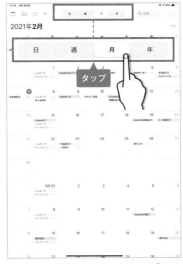

カレンダーアプリでは、上部にあるボタンで「1日表示」、「週間表示」、「月間表示」、「年間表示」の4つの表示モードに切り替えられる。見やすい表示モードに切り替えてイベントを確認しよう。

2 カレンダー上をロングタップして新規イベントを作成する

イベントは、複数のカレンダーで分類することができる。新規イベント作成時には「カレンダー」欄で登録するカレンダーを選んでおくこと

新規イベントを登録する場合は、カレンダー上で登録したい日時をロングタップすればいい。「新規イベント」画面が表示されるので、イベント名や日時、登録カレンダーなどを設定して「追加」をタップしよう。

その他の標準アプリ

カレンダーアプリを使いこなすための基本テクニック

☑ イベントの開始時刻前に通知させるようにする

指定したタイミングで通知表示が可能

登録したイベントの開始時刻前に通知してほしい場合は、イベント編集画面にある「通知」項目をタップする。通知のタイミングはイベントの予定時刻から1週間前まで好きなものを選択可能だ。

☑ 繰り返し発生する定期的なイベントを登録する

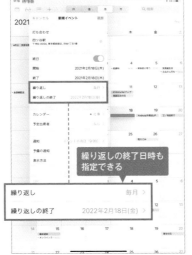

繰り返しの終了日時も指定できる

定期的なイベントは、イベント編集画面の「繰り返し」項目で設定可能だ。設定できるタイミングは、毎日／毎週／2週間ごと／毎月／毎年の5つ。なお、繰り返しの終了日も指定できるので活用してみよう。

☑ 用途別にカレンダーを作成して必要なものだけ表示する

各カレンダーのチェックを外すとアプリ上で非表示になる

カレンダーを追加

左上のカレンダーボタンをタップすると、現在同期しているカレンダーが一覧表示される。iCloudのカレンダーに新規カレンダーを作成したい場合は、「カレンダーを追加」をタップしよう。

no.
494

iCloud Driveや各種アプリのファイルを一元管理できる

ファイルを
利用する

iPadで各種ファイルを
管理できる標準の
ファイル管理アプリ

iCloud Driveをはじめ、Dropbox
やGoogle Driveなどのクラウドや
アプリ上のファイルにアクセスし一
元管理できる「ファイル」アプリ。フ
ォルダの作成やファイル名の変
更、複製、移動、削除、用途別
のタグ付けなどを簡単に行える。
また、ドラッグ&ドロップによって
ファイルを別のクラウドへコピーし
たり、同じくドラッグ&ドロップでメ
モやノートに貼り付けるといった操
作も行える。さらに、iPadに接続
したUSBメモリやSDカードなどの
外部ストレージにもアクセスできる
ほか、ZIPファイルを圧縮／解凍
したり、SMBサーバーへの接続
機能でパソコンの共有フォルダや
NASなどに接続することもできる。

よく使うクラウドサービスを追加する

1 サイドバーを編集
をタップする

Dropboxなどよく使うクラウドサービスがあれば、「ファイ
ル」アプリでアクセスできるように追加しておこう。
画面の左端から右にスワイプするか左上のボタンを
タップしてサイドバーを開き、上部の「…」→「サイド
バーを編集」をタップ。

2 よく使うサービスを
追加しておく

「場所」欄でよく使うクラウ
ドサービスやアプリをオン。3本線ボタンをドラッ
グして並べ替えも可能

iPadにインストール済みのクラウドサービスや対応ア
プリが一覧表示されるので、よく使うサービスのスイッ
チをオンにしておこう。メールアプリなどでファイルを
添付する際に、iCloud以外のクラウドサービスから
も直接ファイルを取り込めるようになる。

ファイルアプリの基本操作と機能

1 複数ファイルを
選択して操作する

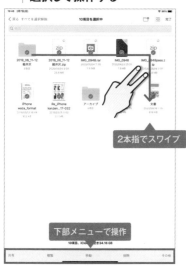

2本指でスワイプ

下部メニューで操作

ファイル一覧を2本指でスワイプすれば、その範囲が
すべて選択状態になる。ファイル選択時は下部にメ
ニューが表示され、共有や複製、移動、削除、その
他の操作を行える。

2 ファイルの圧縮や
解凍を行う

ロングタップメニューか
らタップしてZIP圧縮

ZIPファイルはタッ
プするだけで解凍さ
れる。パスワード付
きZIPの解凍も可能

ファイルやフォルダをロングタップするとメニューが表
示され、「圧縮」をタップするとZIPで圧縮できる。ZIP
ファイルはタップすると、すぐにその場に解凍される。

3 外部ストレージの
ファイルを開く

NO NAME

iPadの端子にUSBメモリやSDカードを接続すれば、
ファイルアプリの「場所」欄に外部ストレージが認識
されアクセスできる。iPadの端子をUSB-AやSDカー
ドに変換するアダプタが必要だ。

その他の標準アプリ

no. 495 マップを利用する

現在地や現在向いている方角などを確認する

Apple標準の高性能な地図アプリを使いこなしてみよう

「マップ」は、iPadに搭載されている各種センサーを利用し、現在地や目的地周辺の地図を正確に表示してくれるアプリだ。現在地を確認したいだけなら、アプリを起動して現在地ボタンをタップしてみよう。初期状態なら画面の上方向に真北が来るように周辺地図が表示されるはずだ。さらに同じボタンを再度タップすれば、現在向いている方角が画面の上方向に来るように地図が回転する。マップは2本指で自在に拡大／縮小したり回転できるほか、「Look Around」機能で実際の周りの風景を360度確認できる。また、キーワード検索でスポットを探したり、お気に入り地点の登録、目的地までの経路検索なども可能だ。

マップの表示方法を覚えておこう

現在地の地図を表示し向いている方向を確認する

タップすると、指定した地点の周りの風景を360度確認できる（「Look Around」機能）

1回タップで現在地を表示し、もう一度タップして自分の向いている方角を上にしてマップが回転する

右上の現在地ボタンを1回タップすると、現在地がマップ上に青い点で示される。現在自分の向いている方角を知りたい場合は、もう一度現在地ボタンをタップしよう。地図が回転して自分の向いている方角が上にくるようになる。

2本指で上にスワイプすると「3Dマップ」表示に

3Dマップでは2本指で視点を自由に変更できる

マップ画面を2本指で広げてある程度拡大したら、さらに2本指で上にスワイプしてみよう。3Dマップモードになり、建造物の大きさや形が立体的に表示されるようになる。また、「i」ボタンのメニューから地図表示を「航空写真」に切り替えることも可能だ。

その他の標準アプリ

マップアプリに搭載されるその他の機能

キーワード検索で目的のスポットを表示する

検索したい住所や施設名、スポットなどを入力して、候補から地図表示する地点を選択

特定の住所や施設を検索したい場合は、画面上部にある検索欄にキーワードを入力して検索すればいい。また、「ラーメン」や「焼肉」といったあいまいなキーワードでも地図周辺のスポットが検索される。

お気に入りの地点をよく使う項目に登録して呼び出す

タップして作成した「マイガイド」に追加。マイガイドは、検索ボックスの下部にあるバーを下にスワイプすると表示される

地図上をタップまたは検索結果をタップし、詳細画面の「保存先」をタップすると、その場所を「マイガイド」に追加できる。マイガイドは検索ボックスの下部から素早く呼び出せる。

現在地から指定地点までの経路検索を行う

地図上で到着地点を指定して経路をタップする

マップアプリでは経路検索も可能だ。まずは到着地点を地図上でタップして「経路」をタップ。これで車や徒歩、電車など公共交通機関、自転車の経路検索が行える。出発地の「現在地」や「すぐに出発」をタップすれば、経路の変更も可能だ。

no. 496

意外と多機能な標準メモアプリ

メモを利用する

手書きメモやファイルの添付、共同編集も可能

標準の「メモ」はシンプルで使いやすいメモアプリだ。思い浮かんだアイデアを書き留めたり、買い物のチェックリストを作成したり、デザインのラフイメージを手書きでスケッチするなど、さまざまな情報をさっと記録しておくことができる。作成したメモはiCloudで同期されるので、iPhoneやMacでも同じメモを表示できるほか、Webブラウザでくicloud.comにアクセスすれば、パソコンやスマートフォンでもメモの確認や編集が可能だ。他にも、メモやフォルダ単位で他のユーザーと共同編集したり、添付した写真の被写体や手書き文字も含めてキーワード検索できるなど、シンプルな見た目に反して意外と多機能なアプリとなっている。

その他の標準アプリ

メモの作成と管理

1 新規メモを作成する

キーボード上部のボタンで、アンドゥ／リドゥや、貼り付け、表の作成、書式の変更が可能

右上の新規作成ボタンで新規メモを作成できる。メモの1行目が自動的にメモのタイトルになる。キーボード右上の「Aa」ボタンをタップすると、太字や箇条書きなど書式を変更できる。

2 作成したメモを管理する

メモを右にスワイプすると、ピンで固定してリストの一番上に表示できる。左にスワイプすると、他のユーザーと共有したり、フォルダに移動したり、削除を行える

画面の左端から右にスワイプするか左上のボタンをタップすると、作成済みのメモやフォルダが一覧表示される。メモを左右にスワイプしたりロングタップすることで、さまざまな操作が可能だ。

メモアプリの機能を使いこなす

1 写真や書類を貼り付ける

上部のカメラボタンをタップすると、写真やビデオを撮影したり、写真アプリから選択してメモに貼り付けできる。また「書類をスキャン」で書類を撮影するとPDF形式で保存して貼り付けできる。

2 手書きで文字やイラストを描く

上部のマークアップボタンをタップするとマークアップツールが表示され、Apple Pencilや指を使って手書きで文字やイラストを描ける。ペンをタップして太さや不透明度を変更したり、カラーボタンで色を変更できる。

3 他のユーザーと共同で編集する

相手の編集が反映されるまでタイムラグがあるので、オンラインホワイトボードのような用途には不向き

「…」→「メモを共有」をタップして、メールやメッセージで参加依頼を送信すると、このメモの内容を他のユーザーと共同編集できる。フォルダ単位で共同編集することも可能だ。

no. 497 面倒な操作を自動的に実行できる

ショートカットを
利用する

一度設定すれば
面倒な操作も
まとめて自動処理

　iPadで行う複数の操作をまとめて実行する、バッチ処理を作成するためのアプリが、標準インストールされている「ショートカット」だ。他の標準アプリとの連携はもちろん、TwitterやEvernote、Dropboxなど、一部の他社製アプリとも連携できる。まずはサイドバーから「ギャラリー」画面を開き、プリセットで用意されたショートカットを登録すれば、どんな事ができるかイメージしやすいはずだ。変数や正規表現を使った、より複雑なショートカットも自作できる。登録したショートカットは、Siriの音声や作成したアイコン、ウィジェットなどから実行しよう。

1 ギャラリーから
ショートカットを取得

画面の左端から右にスワイプするか左上のボタンをタップしてサイドバーを開き、「ギャラリー」をタップ

サイドバーを開いて「ギャラリー」をタップすると、標準で用意されたショートカットが一覧表示される。まずはこれらのショートカットを追加して使ってみるのがいいだろう。

2 マイショートカット
で管理する

自分でショートカットを作成するなら「＋」をタップ

ギャラリーから取得したショートカットは、「すべてのショートカット」画面で管理する。上部の「＋」ボタンで、自分で一からショートカットを作成することも可能。

その他の標準アプリ

no. 498 アラームやタイマーなど便利な機能が満載

時計を
利用する

シンプルなデザインで
使い勝手のいい
多機能な時計アプリ

　標準の「時計」アプリは、ホーム画面のアイコンで現在時刻を確認できるようになっている。またアプリを起動すると、世界各都市の現在時刻などが表示される「世界時計」や、複数の目覚ましアラームをセットできる「アラーム」、ラップタイム機能を備えた「ストップウォッチ」、設定した時間が過ぎるとサウンドで知らせる「タイマー」の、4つの機能を利用することが可能だ。タイマーは、再生中の曲を指定時間後に停止することもできるので、就寝前に音楽を流したい人はスリープタイマーとして活用しよう。

1 目覚ましアラームを
セットする

好きな時間のアラームを複数追加でき、スイッチをオンにしたアラームが有効になる

「時計」アプリでは複数のアラームを登録できる。アラームを有効にするとステータスバーに時計マークが表示され、指定時刻にサウンドが鳴る。なお、一度追加したアラームは画面左上の「編集」から再度設定が可能だ。

2 スリープタイマー
を設定する

タイマー機能は、設定した時間を過ぎると音を鳴らすほかに、再生中の曲を指定時間後に停止するスリープタイマーとしても使える。「タイマー終了時」の設定を下にスクロールして「再生停止」を選択しておこう。

no. 499

やるべきことを忘れず通知してくれる

リマインダーを
利用する

日々のタスク管理や買い物メモに活用しよう

「リマインダー」は、覚えておきたいことを登録しておいて、しかるべきタイミングで通知してくれるタスク管理アプリだ。例えば「明日14時に山本さんに電話を入れる」「トイレの電球を買っておく」など、日々のやるべきことを登録しておけば、通知でうっかり忘れを防げる。また位置情報を元に、自宅や会社、その他指定したエリアに移動した際に通知させることもできるので、「帰宅前に駅前のドラッグストアで洗剤を買う」といった内容で登録しておくと、駅周辺に戻った際に通知を表示してくれる。

1 リマインダー画面とリストの作成

スマートリストでは、さまざまなリストに入っているリマインダーを、「今日」「日時設定あり」「フラグ付き」「すべて」に分類して、まとめて表示できる

リマインダーを起動すると、左欄にはスマートリストとマイリスト、右欄には各リストのタスクが一覧表示される。左欄下部の「リストを追加」で、「仕事」「プライベート」などのリストを作成して分類しておこう。

2 新規リマインダーを作成する

◯をタップすると完了して非表示になる

クイックツールバーで期日や位置情報の設定、フラグや写真の追加などが可能

右欄下部の「新規」をタップすると新しくリマインダーを作成できる。キーボード上部に表示されるクイックツールバーで、期日や位置情報の設定、フラグや写真の追加といった編集を行える。

---

no. 500

Apple公式の電子書籍サービスを利用しよう

ブックを
利用する

標準アプリとして搭載されたApple公式の電子書籍アプリ

「ブック」は、Apple公式の電子書籍アプリだ。まずは画面下の「ブックストア」や「マンガ」から、自分の読みたい電子書籍を探してみよう。小説や新書、漫画など、書籍系の電子書籍が多数用意されており、本アプリで購入やダウンロード、閲覧までを一括で行うことができる。また、本を音声で朗読してくれる「オーディオブック」も豊富に揃っており、活字嫌いな人でも楽しむことが可能だ。ダウンロード購入した電子書籍は「今すぐ読む」や「ライブラリ」画面に表示されるので、読みたい本をタップしよう。これで電子書籍の内容が表示される。

1 読みたい電子書籍を購入する

タップ

まずは下部メニュー「ブックストア」や「マンガ」を開こう。新刊やおすすめ、有料／無料のランキングなどから電子書籍を探せる。また「セクションを見つける」のメニューで、音声で楽しめるオーディオブックなども探せる。

2 購入した本をタップして読む

タップ

購入した電子書籍やオーディオブックは、下部メニュー「今すぐ読む」や「ライブラリ」に表示される。サムネイルをタップすればビューア画面が開き、左右にフリックしてページをめくれる。

no. 501 Apple TVを利用する

複数サービスの横断検索も可能

映画の購入や再生が可能な動画管理アプリ

「Apple TV」は、Appleが配信する映像コンテンツを購入またはレンタルして、視聴するためのアプリだ。また、パソコンなどから自分で転送したビデオも管理できるほか、月額600円でAppleオリジナル制作の映画やドラマが見放題になる、「AppleTV+」もこのアプリで利用できる。さらに、Netflix／Hulu／Amazonプライムビデオなどの配信作品を含めて、横断検索ができる点も便利だ。見たい映画が他のサービスで配信されていれば、そのサービスのアイコンが表示され、タップすれば対応アプリが起動して再生される。

1 Apple TVで見たい映画を探す

下部メニューの「今すぐ観る」や「検索」画面を開き、見たい作品を探そう。購入またはレンタルした作品や、自分でiPadに転送したビデオは、「ライブラリ」画面で確認できる。

2 他のサービスの配信作品も探せる

他の動画配信サービスでも視聴可能な作品なら、タップしてこのアプリで再生できる

見たい作品はアプリ内で購入またはレンタルできるほか、Netflix／Hulu／Amazonプライムビデオなどでその作品が配信されていれば、それぞれのアプリを起動して再生することもできる。

---

no. 502 計測を利用する
AR機能で長さや面積を測る

AR機能でカメラがとらえた被写体の長さや面積を測定できるアプリ。円の中の丸印を開始位置と終了位置に合わせて長さを計測できるほか、四角形の面積なども計測できる。

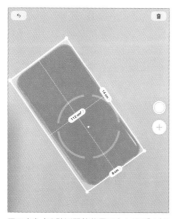

円の中心点を計測開始位置に合わせて「+」をタップし、終了位置に動かして「+」をタップで長さを計測。平面を認識すると、自動で縦横の長さや面積も計測する。

no. 503 ボイスメモを利用する
ワンタップでその場の声を録音

ワンタップでその場の音声を録音できるシンプルなボイスメモアプリ。録音データはiCloudと同期できるほか、音声ファイルのトリミングや、指定位置からの上書き録音なども可能。

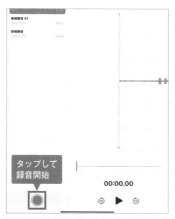

画面下部にある赤いボタンをタップして録音開始。「設定」→「ボイスメモ」→「位置情報を録音名に使用」をオンにすると、録音場所の名前がファイル名になる。

no. 504 ホームを利用する
家の照明などをワイヤレスで操作できる

「ホーム」は、照明や鍵、サーモスタットなど、HomeKit対応のアクセサリを遠隔操作できるアプリだ。HomeKit対応の製品を購入したら、アクセサリをアプリ上に登録しておこう。

まずはHomeKit対応の製品を購入して設置する。アプリの「アクセサリを追加」で製品を登録すれば、遠隔操作が可能だ。iPadやHomePod、Apple TVを使って時間指定での自動化もできる。

no. 505 iPadでPodcastが楽しめる

Podcastを利用する

「Podcast」とは、インターネット上で無料配信されている音声／動画番組を視聴できるアプリだ。有名人のトーク番組や、知識人の公演を無料配信している番組など、色々な番組を楽しめる。

「Podcast」を起動したら「見つける」や「検索」などから好きな番組を探し出そう。各番組の詳細画面で「サブスクリプションに登録」をタップすれば、最新の更新分が聴取できるようになる。

no. 506 紛失した端末や友達を探せる

Wを利用する

紛失したiPhoneやiPadを探し出したり、家族や友人の現在地を確認できるアプリ。いざという時のために、使い方を覚えておこう。詳しくはNo525で解説している。

端末の場所は「デバイスを探す」画面から、家族や友達は「人を探す」画面から探せる。遠隔操作で端末をロックしたり、音を鳴らしたり、初期化することも可能だ。

no. 507 写真をさまざまな効果で撮影する

Photo Boothを利用する

「Photo Booth」は、全9種類の効果を選んでユニークな写真を撮影できるアプリだ。アプリを起動するとすぐに各効果のプレビューが表示されるので、好きなものを選んで撮影しよう。

アプリを起動すると、全9種類の効果がプレビューされる。撮影したい効果を選んで写真を撮ってみよう。ちなみに、どの効果も標準のカメラアプリには搭載されていない。

no. 508 iPadの便利な機能をチェックできる

ヒントを利用する

「ヒント」アプリは、iPadのちょっとした機能や便利ワザが掲載される公式ヒント集だ。新しいヒントは随時追加され、通知表示も行われるので、初心者は目を通しておくといいだろう。

「ヒント」を起動すると、iPadの各種機能のヒント集が表示される。iPadOSのバージョンアップで追加された新機能や、意外と知られていない便利機能などが手早く学べるのだ。

no. 509 株価情報をすばやくチェック

株価を利用する

日経平均や気になる銘柄をウォッチリストに登録しておけば、株価を素早くチェックできるアプリ。市場の最新ニュースや株価チャート、出来高などの詳細情報も確認できる。

上部の検索欄でチェックしたい銘柄を検索し、「ウォッチリストに追加」をタップすれば、左欄のウォッチリストに追加される。右欄にはチャートやニュースが表示される。

no. 510 Apple公式の便利なアプリを使おう

Appleの無料アプリを入手する

iPadユーザーは、Appleの提供している各種アプリを無料でインストールすることができる。標準アプリの使い方をひと通り覚えたら、これらの公式アプリをダウンロードして使ってみよう。

App StoreでApple製のアプリを検索で探してみよう。「iMovie」や「Pages」、「Numbers」、「Keynote」、「GarageBand」などの優れたアプリが無料で使える。

no. 511

フリーズしても慌てずに

本体がフリーズしたり
動作がおかしい時は

一度機能を終了するか、再起動してみるのが基本

　iPadを充電したのに電源が入らない場合は、充電に使ったケーブルやUSB電源アダプタを疑おう。正規品を使わないとうまく充電できない場合がある。Wi-FiやBluetoothの通信トラブルは、スイッチをオン／オフしてみると、それだけで直ることも多い。iPad本体の動作がおかしい場合は、とりあえず本体を再起動するのが基本中の基本だ。電源／スリープボタン（＋音量ボタン）の長押しが効くなら、「スライドで電源オフ」で電源を切る。効かないなら、一定の操作を行うことで、強制再起動が可能だ。再起動してもまだ調子が悪いなら、No526の手順に従ってiPadを初期化しよう。

本体の充電や通信機能のトラブル

☑ iPadが正常に充電されない場合は

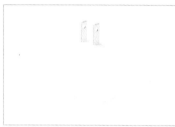

iPadを充電したのに電源が入らない場合は、まずケーブルやUSB電源アダプタを疑おう。特に完全にバッテリーが切れてから充電する場合は、純正のものを使わないとうまく充電されない場合がある。

☑ 通信トラブルは機能をオン／オフ

タップしてオン／オフしてみる

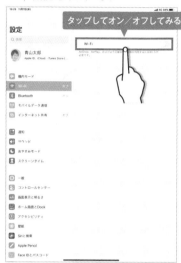

Wi-FiやBluetoothがうまく通信できなかったり、接続が途切れたりする場合は、Wi-FiやBluetoothのスイッチを一度オフにしてからオンにしてみよう。これだけで直ることも多い。なお、コントロールセンターのWi-Fi、Bluetoothボタンは、ネットワークへの接続／切断を行うもので、機能の有効／無効を切り替えるものではない。「設定」内のスイッチで操作を行おう。

本体の動作がおかしい、フリーズした場合は

☑ 本体の電源を切って再起動してみる

ホームボタンのないiPadは電源／スリープボタンといずれかの音量ボタンを、ホームボタンのあるiPadは電源／スリープボタンを、スライダが表示されるまで押し続ける

電源／スリープボタン（＋音量ボタン）の長押しで表示される、「スライドで電源オフ」を右にスワイプすると、本体の電源を切ることができる。もう一度電源／スリープボタンを長押しすればiPadが再起動する。

☑ 本体を強制的に再起動する

ホームボタンのないiPadの場合、音量上ボタンを押してすぐ離し、次に音量下ボタンを押してすぐ離し、電源／スリープボタンを押し続ければ強制再起動する。ホームボタンのあるiPadは、電源／スリープボタンとホームボタンを同時に押し続ければ、強制再起動する

電源／スリープボタン（＋音量ボタン）の長押しで「スライドで電源オフ」が表示されない場合は、デバイスを強制的に再起動することも可能だ。機種によって強制再起動の手順が異なるので注意しよう。

☑ それでもダメなら各種リセット

まだ調子が悪いなら「設定」→「一般」→「リセット」の各項目でリセットを試してみよう。端末内のデータが消えていいなら、「すべてのコンテンツと設定を消去」で初期化する（No526を参照）のが確実だ。

179

no. 512 アプリを完全終了してから再起動してみよう
アプリがフリーズしたり動作がおかしい時は

バックグラウンドで動作中のアプリを完全終了させよう

　iPadではアプリの画面を閉じても完全には終了しておらず、バックグラウンドで待機状態になっている。アプリが反応しなかったり動作がおかしい時は、一度画面を閉じて再起動しても、バックグラウンドで動作中の画面が復帰するだけで症状は改善しない。そこで、バックグラウンドで動作中のアプリを一度完全に終了させる方法を覚えておこう。画面の下から上にスワイプすると、最近使ったアプリが一覧表示されるAppスイッチャー画面になるので、調子の悪いアプリを探して上にスワイプすればよい。

✔ Appスイッチャー画面を起動する

画面の下部から上にスワイプし、途中で指を離すと、Appスイッチャー画面になる

画面の下から上にスワイプすると、Appスイッチャー画面が開く。バックグラウンドで動作中の、最近使ったアプリが一覧表示されるので、左右にフリックして調子が悪いアプリを探そう。

✔ アプリを上にスワイプして完全終了

アプリのプレビューを上にスワイプ

調子が悪いアプリのプレビューを上にスワイプすると、そのアプリを完全に終了できる。アプリを再起動してもまだ調子が悪いなら、一度削除して再インストールしてみよう（No515で解説）。

---

no. 513 初期化してバックアップから復元しよう
画面ロックのパスコードを忘れた際は

端末を初期化すればパスコードなしの状態で復元できる

　画面ロックのパスコードをうっかり忘れても、「iCloudバックアップ」（No473で解説）さえ有効なら、そこまで深刻な状況にはならない。「探す」アプリやiCloud.comでiPadのデータを消去したのち、初期設定中にiCloudバックアップから復元すればいいだけだ。復元が完了すると自動的にパスコードもリセットされる。ただし、iCloudバックアップが自動作成されるのは、電源とWi-Fiに接続中の場合のみ。最新のバックアップが作成されているか不明なら、電源とWi-Fiに接続した状態で一晩置いたほうが安心だ。

1 「探す」アプリなどでiPadを初期化

このデバイスを消去

他にiPhoneやiPad、Macを持っているなら、「探す」アプリで完全にロックされたiPadを選択し、「このデバイスを消去」で初期化しよう。また、Webブラウザでicloud.comにアクセスし、「iPhoneを探す」画面から初期化することもできる。

2 iCloudバックアップから復元する

iCloudバックアップのデータが最新か不安な時は、端末を消去する前に、電源とWi-Fiに接続した状態で一晩置いておこう。iCloudバックアップの自動作成タイミングは分からないので確実ではないが、最新のバックアップが作成される可能性が上がる

初期設定中の「Appとデータ」画面で「iCloudバックアップから復元」をタップして復元しよう。前回iCloudバックアップが作成された時点に復元しつつ、パスコードもリセットできる。

no. 514　不要な写真やビデオ、サイズの大きいアプリを削除する
内蔵メモリがいっぱいで
アプリやファイルを追加できない

写真やビデオは「最近削除した項目」からも削除しよう

iPadの空き容量を増やすなら、まずは写真やビデオを削除するのが手っ取り早いだろう。ただ、見落としがちなのが、カメラロールから削除しても、データ自体はまだ端末に残っているという点。「最近削除した項目」からも完全に削除しないと空き容量は増えないので注意しよう。また「設定」→「一般」→「iPadストレージ」では、サイズの大きい不要なアプリを探し出して削除できるほか、空き容量を増やすための提案もいくつか表示される（No125で解説）ので、それぞれ確認して実行しておこう。

1 不要な写真やビデオを完全に削除する

写真アプリで写真やビデオを削除したら、サイドバーの「最近削除した項目」をタップ。右上の「選択」をタップし、左下の「すべて削除」をタップすれば、端末内から完全に削除でき空き容量が増える。

2 サイズが大きい不要なアプリを削除する

「設定」→「一般」→「iPadストレージ」で、サイズの大きい順にアプリが表示されるので、不要なアプリを削除しておこう。「Appを取り除く」は、書類やデータを残したままアプリ本体のみ削除できる。

トラブル解決

---

no. 515　一度削除して再インストール
アプリをアップデートしたら起動しなくなった

アップデートしたアプリがうまく起動しなかったり強制終了する場合は、そのアプリを削除して、改めて再インストールしてみよう。これで動作が正常に戻ることが多い。一度購入したアプリは、購入時と同じApple IDでサインインしていれば、App Storeから無料で再インストールできる。

1 不調なアプリを削除する

不調なアプリをロングタップし、表示されたメニューで「Appを削除」をタップすれば、このアプリをアンインストールできる。

2 アプリを再インストール

App Storeで削除したアプリを探し、iCloudボタンをタップして再インストールしよう。一度購入したアプリなら無料で再インストールできる。

no. 516　ファミリー共有を停止しよう
支払い方法を削除できない時は

Apple IDの支払い方法は、ファミリー共有（No080で解説）を設定していると削除できない。ファミリー共有を停止しよう。その他、未払い残高がある場合は支払いを済ませてから処理しよう。自動更新の定期購読コンテンツがある場合も、解約するまで支払い方法を削除できない場合がある。

1 ファミリー共有を停止する

支払い方法に登録済みのクレジットカードなどを削除できないなら、ファミリー共有の設定を確認しよう。設定のApple ID画面から、ファミリー共有を停止しておく。

2 支払い方法をなしに変更できる

ファミリー共有を停止してもカードを削除できない場合は、支払い残高が残っているか、自動更新の定期購読コンテンツがある

設定のApple ID画面で「支払いと配送先」をタップし、登録済みのカードの「お支払い方法を削除」をタップてすべて削除しよう。これで支払い方法をなしに変更できる。

no. 517　無駄な課金がないかチェック
サブスクリプションの利用状況を確認する

月単位などで定額料金を払う「サブスクリプション」契約のアプリやサービスは、必要な時だけ利用できる点が便利だが、使っていない時にも料金が発生するし、中には無料を装って月額課金に誘導する悪質なアプリもある。不要なサービスに課金し続けていないか確認しておこう。

1 サブスクリプションをタップ

不要なサービスに課金し続けていないか確認するには、まず「設定」の一番上のApple IDをタップ。続けて「サブスクリプション」をタップしよう。

2 サブスクリプションの利用状況を確認

現在利用中や有効期間が終了したサブスクリプションのサービスを確認できる。この画面から、サービスのキャンセルも行える。

no. 518　パソコン接続時の警告画面を再表示
誤って「信頼しない」をタップした時の対処法

iPadをパソコンなどに初めて接続すると、「このコンピュータを信頼しますか?」と表示され、「信頼」をタップすることでiPadへのアクセスを許可する。この時、誤って「信頼しない」をタップした場合は、「位置情報とプライバシーをリセット」を実行すれば警告画面を再表示できる。

1 位置情報とプライバシーをリセット

「設定」→「一般」→「リセット」→「位置情報とプライバシーをリセット」をタップし、続けて表示される「リセット」をタップする。

2 警告画面が再表示される

パソコンなどとケーブルで接続すると、「このコンピュータを信頼しますか?」の警告が再表示されるようになるので、「信頼」をタップしよう。

no. 519　規制解除オプションを追加購入しよう
モバイルデータ通信が極端に遅くなったら

セルラーモデルのiPadで、モバイルデータ通信が極端に遅くなったら、通信規制を疑おう。定額プランで決められた容量や、段階制プランでも上限を超えてモバイルデータ通信を使い過ぎると、通信速度が大幅に制限される。元の速度に戻すには、規制解除オプションなどの購入が必要だ。

✔ 追加オプションで元の速度に戻す

通信速度を元の速度に戻すには、規制が解除される月末まで待つか、規制解除オプションを追加購入する必要がある。料金は1GBあたり500円〜1,000円程度。

✔ 追加オプションを自動適用するプラン

ドコモの「スピードモード」は、1,000円／1GBの追加オプションを、あらかじめ設定した1〜10GBのデータ量、または無制限まで自動でチャージする

各キャリアとも、通信規制の条件を満たした場合に、事前に設定した容量まで自動で追加オプションをチャージし続け、高速通信のまま使い続けられるプランも用意されている。

no. 520　複数のApple ID使用上の注意
Apple IDの90日間制限を理解する

App StoreやiTunes Storeでアプリやコンテンツを購入したり、Apple MusicなどAppleのサブスクリプションに登録すると、このiPadと購入に使用したApple IDが関連付けされる。以後90日間は、他のApple IDに切り替えても購入済みアイテムをダウンロードできないので注意しよう。

1 デバイスが関連付けられる条件

Apple Musicなどを利用すると、このiPadは現在のApple IDに関連付けされる

アプリやコンテンツを購入したりApple Musicなどに登録すると、このiPadに購入済みアイテムをダウンロードできるApple IDは、基本的にiTunes／App Storeにサインイン中のものだけになる。複数のApple IDを使い分けている人は気をつけよう。

2 他のApple IDでは機能が制限される

他のApple IDでサインインし直して購入済みのアイテムをダウンロードしようとすると、「すでに他のApple IDに関連付けられている」と警告が表示される。別のApple IDで購入したアイテムをiPadにダウンロードするには、90日間待って、関連付けし直す必要がある。

トラブル解決

no. 521
Apple IDの設定画面から変更できる

Apple IDのIDや
パスワードを変更する

**アドレスによっては
IDを変更できない
場合もある**

　App StoreやiTunes Store、iCloudなどで利用するApple IDのID（メールアドレス）やパスワードは、「設定」の一番上のApple IDから変更できる。IDを変更したい場合は、「名前、電話番号、メール」をタップ。続けて「編集」をタップして現在のアドレスを削除後、新しいアドレスを設定する。ただし、Apple IDの末尾が@icloud.com、@me.com、@mac.comの場合は変更できない点に注意しよう。パスワードを変更したい場合は、「パスワードとセキュリティ」→「パスワードの変更」から変更すればよい。

**1 Apple IDの
アドレスを変更する**

編集

Apple IDのアドレスが@icloud.com、@me.com、@mac.comの場合は変更できないので注意しよう

「設定」の一番上のApple IDをタップし、「名前、電話番号、メール」をタップ。「編集」で現在のApple IDのアドレスを削除すれば、新しいアドレスを設定できる。

**2 Apple IDの
パスワードを変更**

Apple IDの設定画面で「パスワードとセキュリティ」→「パスワードの変更」をタップし、本体のパスコードを入力後、新規のパスワードを設定することができる。

---

no. 522
破損などの解決できないトラブルに遭遇したら

Appleサポートアプリで
各種トラブルを解決

**解決方法の確認や
問い合わせ、修理
の予約が可能**

　どうしても解決できないトラブルに見舞われたら、「Appleサポート」アプリを利用しよう。Apple IDでサインインし、サイドバー開いて端末と症状を選択すると、主なトラブルの解決方法が提示される。さらに、電話サポートに問い合わせしたり、アップルストアなどへの持ち込み修理を予約することも可能だ。

Apple サポート

価格／無料
カテゴリ／ユーティリティ
作者／Apple

**1 トラブルが発生した
端末と症状を選択**

まずは、Appleサポートアプリをインストールして起動する。画面の左端から右にスワイプするか左上のボタンをタップしてサイドバーを開き、トラブルが発生した端末と、その症状を選んでタップしよう。

**2 トラブルの解決
方法を選択する**

アップルストアなどへの持ち込み修理の予約や、電話やチャットでの問い合わせ、トラブル解決に役立つ記事などを利用できる。

トラブル解決

183

no. 523

「AppleCare+ for iPad」を購入しよう

iPadの保証期間を
確認、延長する

■ ハードウェア保証と電話サポートは2年まで延長できる

すべてのiPadには、製品購入後1年間のハードウェア保証と90日間の無償電話サポートが付いている。保証期間が残っていれば、本体の「設定」→「一般」→「情報」→「限定保証」や「AppleCare+」で確認が可能だ。本体が動作しないときは、Appleの確認ページ（https://checkcoverage.apple.com/jp/ja/）で、背面に記載されたシリアル番号を入力すればよい。保証期間を延長したいなら、有料の「AppleCare+ for iPad」に加入しよう。ハードウェアの保証が1年から2年に、電話サポートが90日から2年に延長される。

☑ iPadの無料保証期間を確認する

「設定」→「一般」→「情報」を確認。保証期間が残っていない場合は「保証期限切れ」と表示される

本体が動かないときは、本体背面のシリアル番号を確認し、Webブラウザでhttps://checkcoverage.apple.com/jp/ja/を開いてシリアル番号を入力すればよい

「設定」→「一般」→「情報」→「限定保証」や「AppleCare+」で、残りの保証期間を確認できる。WebブラウザでAppleの確認ページにアクセスし、シリアル番号を入力して確認することも可能だ。

☑ 「AppleCare+ for iPad」で保証を延長する

サービスもサポートも、誰よりもiPadを知っているスタッフが担当します。

ハードウェアも、オペレーティングシステムも、様々なアプリも、すべてAppleが開発しています。そのため、Appleのスペシャリストはそれぞれが精通する方法を理解し、1回の会話でほとんどの問題を解決するようサポートできます。

「Apple Care+ for iPad」（http://www.apple.com/jp/support/products/ipad.html）は、iPad購入後30日以内でなければ加入できないので注意しよう

有料の「AppleCare+ for iPad」に加入すれば、ハードウェア保証と電話サポートの期間を2年に延長できる。iPad本体だけでなく、付属品にも延長保証が適用される。

---

no. 524

「AssistiveTouch」機能を利用しよう

ホームボタンや音量ボタンが
効かなくなったら

■ ホームボタン代わりになるアイコンを表示する

iPadのホームボタンや音量ボタンは、摩耗してボタンの利きが悪くなることがある。そんな時は、「設定」→「アクセシビリティ」→「タッチ」で、「AssistiveTouch」をオンにしてみよう。画面上にホームボタンの代わりになる白丸のボタンが表示されるようになる。これをタップして表示されるメニューで、ホーム画面に戻ったり、音量を上げる／下げるといった操作を行える。また「カスタム」にジェスチャーを登録しておけば、ワンタップで操作を再現できて便利だ。

1 「AssistiveTouch」をオンにする

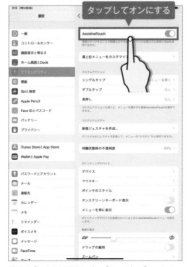

タップしてオンにする

設定の「アクセシビリティ」→「タッチ」→「AssistiveTouch」をタップして開き、「AssistiveTouch」のスイッチをオンにする。

2 表示された白丸のボタンをタップ

画面上に、半透明の白くて丸いボタンが表示されるはずだ。これをタップするとメニューが表示され、ホームに戻ったり、音量を調節することができる。

トラブル解決

no. 525 「探す」アプリで探し出せる
なくしたiPadを見つけ出す

万一の紛失に備えて「探す」機能を有効にしておこう

iPadの紛失に備えて、iCloudの「探す」機能をあらかじめ有効にしておこう。万一iPadを紛失した際は、他にiPhoneやiPad、Macを持っているなら、iPadと同じApple IDでサインインした上で、「探す」アプリを起動する。「デバイスを探す」画面で、紛失したiPadの現在位置をマップ上で確認できるはずだ。また、端末をロックしてメッセージを表示したり、アラートを鳴らして探せるほか、情報漏洩阻止を優先したい場合は端末を初期化することもできる。なお「探す」アプリを使わなくても、パソコンのWebブラウザなどでiCloud.comにアクセスし、「iPadを探す」画面を開けば、同様の操作を行える。

事前の設定と紛失時の操作手順

1 iPadの事前設定を確認する

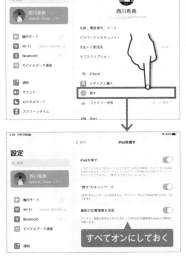

すべてオンにしておく

「設定」のApple IDをタップして「探す」→「iPadを探す」をタップし、「iPadを探す」のオンを確認しよう。また、「"探す"のネットワーク」と「最後の位置情報を送信」もオンにしておく。

2 「探す」アプリで紛失したiPadを探す

「デバイスを探す」タブで紛失したiPad名をタップ

iPadを紛失した際は、同じApple IDでサインインした他のiPhoneやiPad、Macで「探す」アプリを起動しよう。紛失したiPadを選択すれば、現在地がマップ上に表示される。

3 サウンドを鳴らして位置を特定

タップして音を鳴らす。デバイスがオフラインだと「保留中」と表示され、次にオンラインになった時に再生される。「紛失としてマーク」と「このデバイスを消去」も、オフラインの際は保留中となる。「検出時に通知」をオンにすると、紛失した端末がオンラインに復帰した時に、メールで知らせてくれる

マップ上に表示されたポイントを探しても見つからない時は、「サウンド再生」をタップしてみよう。iPadから徐々に大きくなるサウンドが、約2分間再生される。

4 紛失としてマークで端末をロックする

タップして、画面に表示する電話番号やメッセージを入力する

「紛失としてマーク」の「有効にする」をタップすると、端末が紛失モードになり、iPadは即座にロックされる。またApple Payも無効になるほか、拾ってくれた人へのメッセージや電話番号を表示できる。

5 情報漏洩の阻止を優先するなら端末を消去

iPadのデータを消去しても、アカウントからデバイスを削除しなければ、持ち主の許可なしに再アクティベートできないので、紛失したiPadを勝手に使ったり売ったりすることはできない

発見が絶望的な場合は、「このデバイスを消去」をタップすると、iPadのすべてのデータを消去して初期化できる。ただし消去したiPadは、現在地を追跡できなくなるので慎重に決断しよう。

トラブル解決

185

no. 526 不調が直らない時の 初期化手順

多くの問題は端末の初期化で解決する

iPadを初期化してiCloudバックアップで復元

1 「すべてのコンテンツと 設定を消去」をタップ

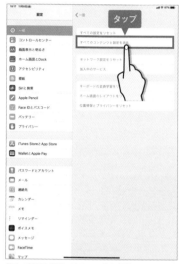

端末の調子が悪い時は、一度初期化してしまおう。まず、「設定」→「一般」→「リセット」を開き、「すべてのコンテンツと設定を消去」をタップする。

2 iCloudバックアップ を作成して消去

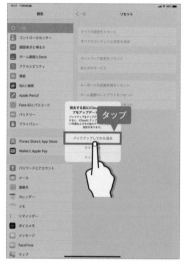

消去前にiCloudバックアップを勧められるので、「バックアップしてから消去」をタップ。これで、最新のiCloudバックアップを作成した上で端末を初期化できる。

3 iCloudバックアップ から復元する

初期化した端末の初期設定を進め、「Appとデータ」画面で「iCloudバックアップから復元」をタップ。最後に作成したiCloudバックアップデータを選択して復元しよう。

パソコンのバックアップからの復元とリカバリモード

1 パソコンでバックアップ を作成する

端末内に保存された写真やビデオ、音楽ファイルなども含めて復元したい場合は、パソコンでのバックアップがおすすめ。また、暗号化しておけば、各種IDやパスワードも復元可能になる。iPadをパソコンと接続して、「このコンピューター」と「ローカルバックアップを暗号化」にチェックし、パスワードを設定しよう。暗号化バックアップの作成が開始される。なお、iCloudバックアップでも、「設定」の一番上にあるApple IDをタップし、「iCloud」→「ストレージを管理」→「バックアップ」→「このiPad」→「フォトライブラリ」がオンなら写真やビデオもバックアップされる。もしくは、「iCloud写真」や「マイフォトストリーム」を利用してバックアップしよう（No427で解説）。

2 パソコンのバックアップ から復元する

iPadを消去したら初期設定を進めていき、途中の「Appとデータ」画面で「MacまたはPCから復元」をタップ。パソコンに接続し作成したバックアップから復元する。

最終手段はリカバリ モードで初期化

iCloudでもパソコンでも初期化できない時は、リカバリモードを使おう。iPadをパソコンとケーブル接続してiTunes（MacではFinder）を起動し、ホームボタンのないiPadでは、音量を上げるボタンを押してすぐ離す、音量を下げるボタンを押してすぐ離す、最後にリカバリモードの画面が表示されるまで電源／スリープボタンを押し続ける。ホームボタンのあるiPadでは、ホームボタンと電源／スリープボタンを押し続ける。iTunesやFinderでリカバリモードのiPadが検出されたら、まず「アップデート」をクリックして、iPadOSの再インストールを試そう。それでもダメなら「復元」をクリックし、工場出荷時の設定に復元する

186

用語索引

iPadとiPadOSの機能やメニューの名称など、各用語から解説記事を検索できる。用語の右の数字は、ページ数ではなく記事のナンバーなので注意しよう。

数字、A〜Z

2ファクタ認証 …… NO 054
AirDrop …… NO 034、035、079、128、200、429
AirPlay …… NO 456
App Store …… NO 020、050、080、092、292、295、357、358、359、361、362、363、364、365、366、367、370、371、372、373、375、510、515
App Store ＆
iTunesギフトカード …… NO 049、364、467
Apple App …… NO 510
Apple Arcade …… NO 375
Apple ID …… NO 049、050、051、052、054、055、202、206、207、226、275、357、363、372、448、471、516、520、521
Apple Music …… NO 080、433、435、439、440、441、444、448、449、450、451、452、453、454、455
Apple Pay …… NO 141
Apple Pencil …… NO 002、083、084、085
Apple TV …… NO 501
AppleCare …… NO 523
Appleサポート …… NO 522
Appスイッチャー …… NO 010、012、031、086、512
Appのバックグラウンド更新 …… NO 120
AssistiveTouch …… NO 140、524
Beats 1 …… NO 442
Bluetooth …… NO 034、134、137、511
Caps Lock …… NO 185
Cc／Bcc …… NO 228、242
CD読み込み …… NO 482
Cookie …… NO 339
Digital Touch …… NO 285
Dock …… NO 007、016、017、022、025
Face ID …… NO 001、088、089、090、092、094
Facebook …… NO 429
FaceTime …… NO 081、196、204、209、210、211、212、213、214、215、216、217、218、219、220、221、222、223
For You …… NO 399
Genius …… NO 458、465
Gmail …… NO 225、227、270
Google …… NO 195、199
Handoff …… NO 086
HDR …… NO 383、384
HEIF／HEVC …… NO 382、424
Hey Siri …… NO 068
iCloud …… NO 080、156、194、202、206、207、226、341、346、427、428、429、430、449、471、472、473、474、475、476、478、513、525、526
iCloud Drive …… NO 156、236、472、494
iCloud.com …… NO 472、476
iCloudキーチェーン …… NO 053、070、142、478
iCloudストレージ …… NO 474、475
iCloudバックアップ …… NO 473、526
iCloudメール …… NO 226、227、270
iCloud写真 …… NO 427
iMessage …… NO 081、274、275、276、277、278、279、280、281、282、283、284、285、286、287、288、289、290、291、292、293、294、295、296、297、298、299、300、301、302、303、304、305、306、307、308、309、310、311、312、313、314、315、316、317、343
Instant Hotspot …… NO 134、135
iPhone …… NO 081、086、194、346
iTunes …… NO 128、449、457、479、480、481、482、483、484、485、486、487、488、489、490、491、520
iTunes Store …… NO 050、080、092、106、204、271、363、364、432、435、438、443、458、459、460、461、462、463、464、465、466、467、468、469、470、488、489、497
Lightning - USBケーブル …… NO 004
Live Photos …… NO 221、376、381、393、419
Magic Keyboard …… NO 192
Mail Drop …… NO 239
Move to iOS …… NO 195
Night Shift …… NO 034、066
Photo Booth …… NO 507
Podcast …… NO 505
QRコード …… NO 034、391
Safari …… NO 318、319、320、321、322、323、324、325、326、327、328、329、330、331、332、333、334、335、336、337、

338、339、340、341、342、
343、344、345、346、347、
348、349、350、351、352、
353、354、355、356

SIM ···················· NO 143
SIM PIN ················· NO 143
Siri ···················· NO 048、067、068、069、070、
071、072、112、113、114、
115
SIRIからの提案 ············ NO 112、115
Siriショートカット ········ NO 071
Slide Over ·············· NO 022、023、024、025、026、
027、028、325
Smart Keyboard ········· NO 192、193
Smart Keyboard Folio ···· NO 192
SMS/MMS ··············· NO 081、274
Split View ·············· NO 025、026、027、028、325
Tapback ················ NO 291
Touch ID ··············· NO 001、002、078、091、092、
094
True Tone ·············· NO 034、065
Twitter ················ NO 429
VIP ···················· NO 257、264、265
Wi-Fi ·················· NO 032、034、057、058、059、
060、117、128、134、136、
144、456、511
Wi-Fiアシスト ············ NO 144
Wi-Fiパスワード共有 ······· NO 058
Wi-Fi同期 ··············· NO 487
Windows用iCloud ········ NO 471

ア行

アートワーク ············· NO 486
アイコンタクト ············ NO 223
アカウント ··············· NO 224、225、226、227、244、
261、262
明るさの自動調整 ·········· NO 099
あ行が左 ················ NO 171
アクセシビリティ ·········· NO 140、524
アップデート ············· NO 122、123、368、369、515
あとで通知 ··············· NO 081、213
アニ文字 ················ NO 215
アプリ ·················· NO 013、014、015、017、102、
104、292、295、357、358、
359、360、361、362、364、
365、366、367、368、369、
370、371、372、373、374、
512、514、515
アラーム ················ NO 498
アルバム ················ NO 386、395、396、405、409、
410、411、412、423、426、
514
アンインストール ·········· NO 018、019、020、126、365、
374、514、515
暗号化バックアップ ········· NO 481、526
イコライザ ··············· NO 447
位置情報 ················ NO 138、274、303、304、387、

406、407、421、425
位置情報を共有 ··········· NO 477
今すぐ聴く ··············· NO 452、453
インスタントメモ ·········· NO 084
インストール ············· NO 020、361、362、515
インターネット共有 ········ NO 034、035、134、135
引用マーク ··············· NO 234
ウィジェット ············· NO 040、041、042、043、044、
045、048
ウィッシュリスト ·········· NO 463、468
映画 ···················· NO 458、461、462、489
エフェクト ··············· NO 214、215
絵文字 ·················· NO 149、286
オーディオメッセージ ······· NO 274、279、307
大文字 ·················· NO 185
お気に入り ··············· NO 320、352、353、423
おやすみモード ··········· NO 034、138、139
音声入力 ················ NO 114、182
音量 ···················· NO 034
音量制限 ················ NO 447
音量ボタン ··············· NO 002、110、219、524
音量を自動調整 ··········· NO 447

カ行

カーソル ················ NO 161、181
カーソル移動 ············· NO 181
開封証明 ················ NO 306
開封済み ················ NO 240、241、245、255、256
顔文字 ·················· NO 178
拡大鏡 ·················· NO 075
歌詞 ···················· NO 440
画像を保存 ··············· NO 331
カテゴリ ················ NO 359
株価 ···················· NO 509
壁紙 ···················· NO 021、100、118、119
カメラ ·················· NO 034、048、075、280、356、
376、377、378、379、380、
381、382、383、384、385、
386、387、388、389、390、
391、392、393、424
画面収録 ················ NO 063
画面の明るさ ············· NO 034、099
画面の向きのロック ········ NO 008、033、034
画面ミラーリング ·········· NO 034
カレンダー ··············· NO 138、205、246、493
キーボード ··············· NO 098、146、147、148、149、
150、151、152、153、154、
155、156、157、158、159、
160、161、162、163、164、
165、166、167、168、169、
170、171、172、173、174、
175、176、177、178、179、
180、181、182、183、184、
185、186、187、188、189、
190、191、332
キーボードアプリ ·········· NO 167
キーボードショートカット ······ NO 193

キーボード設定 ……………………… NO 177
キーボード追加 ……………………… NO 148
キーボード位置調整 ………………… NO 169
キーボード切り替え ………………… NO 151、167
キーボードのクリック音 …………… NO 098
キーボードの表示順 ………………… NO 150
キーボードの分割 …………………… NO 147、168、169
キーボード非表示 …………………… NO 170
機内モード …………………………… NO 032、034
機能制限 ……………………………… NO 372
ギフト ………………………………… NO 373、464
逆順キー ……………………………… NO 174
キャリア決済 ………………………… NO 051、363
共有 …………………………………… NO 073、074、079、360、425、
430、454
共有アルバム ………………………… NO 399、428、429、431
共有シート …………………………… NO 073、074
共有ボタン …………………………… NO 073、074、079、329、333、
338、340、373、464、468
曲情報編集 …………………………… NO 483、485
クイックWebサイト検索 …………… NO 349
クイックスタート …………………… NO 087
クリック音 …………………………… NO 188
グループ ……………………………… NO 207
グループFaceTime …………………… NO 216、222
グループメッセージ ………………… NO 298、299
クレジットカード …………………… NO 049、051、344、356、516
計測 …………………………………… NO 502
経路検索 ……………………………… NO 495
ゲーム ………………………………… NO 375
現在地 ………………………………… NO 274、303
検索 …………………………………… NO 062、096、252、296、308、
327、339、340、347、349、
354、355、406、439、450
件名 …………………………………… NO 302
現在地 ………………………………… NO 304
購入済み ……………………………… NO 366、438、458、466
コピー ………………………………… NO 153
ゴミ箱 ………………………………… NO 230、231、240、243、257、
258、262、272
コンテンツとプライバシーの制限 … NO 127
コンテンツブロッカー ……………… NO 337
コントロールセンター ……………… NO 032、033、034、035、036、
048、063、064、066、116、
137、390、432
コンプリート・マイ・アルバム …… NO 460

サ行

再起動 ………………………………… NO 511
最近追加した項目 …………………… NO 451
最後に再生 …………………………… NO 437
再変換 ………………………………… NO 155
サイレントモード …………………… NO 064
サウンド ……………………………… NO 097、098、105、106、188、
271
探す …………………………………… NO 506、513、525
削除 …………………………………… NO 230、297、404、405

サブスクリプション ………………… NO 517
ジェスチャ …………………………… NO 012、031、180
視覚サポート ………………………… NO 140
聴覚サポート ………………………… NO 140
時刻 …………………………………… NO 101
視差効果 ……………………………… NO 100、118
辞書 …………………………………… NO 183
下書き ………………………………… NO 251
自動大文字入力 ……………………… NO 186
自動接続 ……………………………… NO 059
自動ダウンロード …………………… NO 369、490
自動入力 ……………………………… NO 344、345
自動ロック …………………………… NO 094
写真 …………………………………… NO 039、236、247、248、274、
280、281、282、308、316、
376、377、378、379、380、
381、382、383、384、385、
386、387、389、393、394、
395、397、398、399、400、
402、403、404、405、406、
407、408、409、410、411、
412、413、415、416、417、
418、419、420、421、422、
423、424、425、426、427、
428、429、430、431、514
写真・動画取り込み ………………… NO 492
写真編集 ……………………………… NO 281、413、416、417、418、
419、420
シャッター …………………………… NO 002
シャッフル …………………………… NO 445
充電 …………………………………… NO 004、511
受信拒否 ……………………………… NO 269
消音 …………………………………… NO 034、064
使用状況 ……………………………… NO 121
省データモード ……………………… NO 117
ショートカット ……………………… NO 071
ショートカットバー ………………… NO 159
署名 …………………………………… NO 240
新規タブで開く ……………………… NO 319、320
ズーム ………………………………… NO 132
スクエア ……………………………… NO 377
スクリーンショット ………………… NO 039、083、350
スクリーンタイム …………………… NO 124
スクリブル …………………………… NO 085
スクロールバー ……………………… NO 011
ステータスバー ……………………… NO 005、007、061、101
ステッカー …………………………… NO 215、284、292
ストレージ …………………………… NO 125、126、374、514
スペース ……………………………… NO 160
スマート検索フィールド …………… NO 061、318、340、354、355
スマートスタック …………………… NO 043
スライドショー ……………………… NO 422
スリープ ……………………………… NO 002、003
スレッド ……………………………… NO 235、267、268、297
スローモーション …………………… NO 377、388、418
スワイプ ……………………………… NO 006
セキュリティに関する勧告 ………… NO 345
セルフィー …………………………… NO 389

全角························· NO 160、184
送信済み····················· NO 259
送信済み····················· NO 260

夕行

ダークモード··············· NO 021、119
ダイナミック··············· NO 118
タイプ入力················· NO 069
タイマー··················· NO 034
タイマーモード············· NO 376、377
タイムラプス··············· NO 377
タップ····················· NO 006
タップしてスリープ解除····· NO 077
タブ······················· NO 320、321、322、323、324、
　　　　　　　　　　　　　326、327、328、334、336、
　　　　　　　　　　　　　346
タブキー··················· NO 190
ダブルタップ··············· NO 006
着信······················· NO 138
着信音····················· NO 064、097、106、110、204、
　　　　　　　　　　　　　219、470
着信拒否··················· NO 210、313
着信用アドレス············· NO 276
通知······················· NO 009、037、038、046、048、
　　　　　　　　　　　　　102、103、104、105、106、
　　　　　　　　　　　　　107、108、109、111、138、
　　　　　　　　　　　　　208、235、240、244、245、
　　　　　　　　　　　　　265、271、305、309、312、
　　　　　　　　　　　　　315
通知音····················· NO 064、097、105、106、110、
　　　　　　　　　　　　　204、271、470
通知センター··············· NO 037、109、305
通知のグループ化··········· NO 108
通知の履歴················· NO 038、048
次に再生··················· NO 436、437
テザリング················· NO 128、134、135
デフォルトのブラウザApp··· NO 056
デフォルトのメールApp····· NO 056
電源······················· NO 002、003、511
電源／スリープボタン······· NO 001、002、003、039、098、
　　　　　　　　　　　　　219、511
転送······················· NO 233、234、240、311
添付ファイル··············· NO 236、237、239、247、248
電話······················· NO 081
同期······················· NO 346、449、471、480、482、
　　　　　　　　　　　　　487
時計······················· NO 498
トップヒット··············· NO 355
友達を探す················· NO 477
ドラッグ··················· NO 006
トラックパッドモード······· NO 181
取り消し··················· NO 076、153、179

ナ行

なぞり入力················· NO 166
名前······················· NO 128

日本語かなキーボード······· NO 146、171
日本語ローマ字キーボード··· NO 147
ネットワーク設定··········· NO 057、059、060

ハ行

バーストモード············· NO 386、412
パーセント················· NO 005
パスコード················· NO 001、088、091、093、094、
　　　　　　　　　　　　　095、344、513
パスコードオプション······· NO 093
パスワード················· NO 052、053、070、142、344、
　　　　　　　　　　　　　345、372、521
バックアップ··············· NO 473、481、492、513、526
バックグラウンドで開く····· NO 336
バッジ····················· NO 009、111、317、368
バッテリー················· NO 004、005、120
バナー····················· NO 107、245、305
パノラマ··················· NO 377
半角······················· NO 160、184
ピープル··················· NO 408
ピクチャ・イン・ピクチャ··· NO 220
ビデオ····················· NO 063、236、274、280、308、
　　　　　　　　　　　　　376、377、378、379、380、
　　　　　　　　　　　　　382、388、389、392、393、
　　　　　　　　　　　　　394、396、397、398、400、
　　　　　　　　　　　　　401、402、403、404、405、
　　　　　　　　　　　　　406、409、410、411、414、
　　　　　　　　　　　　　421、422、423、424、425、
　　　　　　　　　　　　　427、428、429、430、461、
　　　　　　　　　　　　　462、497、514
ビデオ編集················· NO 414
ビデオメッセージ··········· NO 274、280
非表示····················· NO 426
描画······················· NO 237
ピンチアウト··············· NO 006、318
ピンチイン················· NO 006、318
ヒント····················· NO 508
ファイル··················· NO 030、351、472、494
ファイル共有機能··········· NO 491
ファミリー共有············· NO 080、516
フィールド················· NO 198
フィルタ··················· NO 243
フェッチ··················· NO 225、270
フォルダ··················· NO 015
フォント··················· NO 133
復元······················· NO 202、405、481、513、526
ブック····················· NO 500
ブックマーク··············· NO 195、329、333、334、335、
　　　　　　　　　　　　　341、342、352、353、355
プッシュ··················· NO 225、270
プライベートブラウズ······· NO 339
フラグ····················· NO 240、241、253、254、257
フラッシュ················· NO 376
フラッシュライト··········· NO 034、035
フリック··················· NO 006
フリック入力··············· NO 165、173、175
フルページ················· NO 350

プレイリスト……… NO 436、446、484
プレビュー……… NO 103、104、266、463
フローティングキーボード……… NO 164、165、166
紛失モード……… NO 525
ペースト……… NO 153
ベッドタイム……… NO 138
変換……… NO 163、191
変換学習……… NO 187、157
返信……… NO 232、234、240、248、305
ボイスメモ……… NO 503
ポートレート……… NO 377、417
ホーム……… NO 504
ホーム画面……… NO 007、013、014、015、016、017、044、100、111、118、119、131、342
ホームシェアリング……… NO 457
ホームボタン……… NO 001、002、039、078、511、524
ポップアップ……… NO 348

マ行

マークアップ……… NO 247、248、282、350、415
マイフォトストリーム……… NO 427
マップ……… NO 387、407、421、495
マルチタスク……… NO 022、023、024、025、026、027、028、029、031
ミー文字……… NO 215、287、288
未開封……… NO 241、243、255、256、257、263、240
未設定項目……… NO 046
ミュージック……… NO 034、432、433、434、435、436、437、438、439、440、441、442、443、444、445、446、447、448、449、450、451、452、453、454、455、456、457、458、459、488
ミュージックビデオ……… NO 489
ミュート……… NO 235
無料アプリ……… NO 361
迷惑メール……… NO 240
メール……… NO 196、200、205、218、224、225、226、227、228、229、230、231、232、233、234、235、236、237、238、239、240、241、242、243、244、245、246、247、248、249、250、251、252、253、254、255、256、257、258、259、260、261、262、263、264、265、266、267、268、269、270、271、272、273、317、343、429
メッセージ……… NO 081、196、200、204、217、218、274、275、276、277、278、279、280、281、282、283、284、285、286、287、288、289、290、291、292、293、294、295、296、297、298、299、300、301、302、303、304、305、306、307、308、309、310、311、312、313、314、315、316、317、343、429
メッセージエフェクト……… NO 283
メッセージを送信……… NO 211、212
メモ……… NO 084、496
メモリー……… NO 399
文字送りキー……… NO 176
文字サイズ……… NO 129、130、132
文字選択……… NO 153、181
文字入力……… NO 154
文字入力……… NO 332
元のアプリの画面に戻る……… NO 047
モバイルデータ通信……… NO 034、116、117、121、135、136、144、519

ヤ行

やり直す……… NO 076
ユーザ辞書……… NO 152、156、158
有料アプリ……… NO 362

ラ行

ライブラリ……… NO 432、434、435、443
ライブラリを同期……… NO 444、448、449
ラジオ……… NO 442
ラブ……… NO 453
ランキング……… NO 359、458
ランドスケープモード……… NO 008
リーダー……… NO 330
リーディングリスト……… NO 329
リカバリモード……… NO 526
リセット……… NO 013、145、511、518、526
リピート……… NO 445
リマインダー……… NO 499
履歴……… NO 010、012、114、326、339、341、347、355
暦法……… NO 101
レビュー……… NO 367
レンタル……… NO 462
連絡先……… NO 139、194、195、196、197、198、199、200、201、202、203、204、205、206、207、208、246、264、277、310、314、344
露出……… NO 378、379、380、383、384
ロック……… NO 088、091、093、094
ロック画面……… NO 001、037、048、067、078、100、109、118、119、305、390、432、513
ロック時の音……… NO 098
ロングタップ……… NO 006

iPad
全操作 使いこなしガイド
2021

Staff

Editor
清水 義博
(standards)

Writer
狩野 文孝
西川 希典

Designer
越智 健夫

2021年3月5日発行

編集人
清水義博

発行人
佐藤孔建

発行·発売所
スタンダーズ株式会社
〒160-0008
東京都新宿区四谷三栄
町12-4 竹田ビル3F
TEL 03-6380-6132
FAX 03-6380-6136

印刷所
三松堂株式会社

©standards 2021